P9-CKT-346

Antología Comentada de la Poesía Hispanoamericana

HELLEN FERRO

Antología Comentada de la Poesía Hispanoamericana

TENDENCIAS - TEMAS - EVOLUCION

1965
LAS AMERICAS PUBLISHING COMPANY
NEW YORK

LIBRARY
OCT 7 1968
UNIVERSITY OF THE PACIFIC

189944

Copyright (C) 1965 by Las Américas Publishing Company
152 East 23rd Street, New York 10010, N. Y., U. S. A.
Hecho el depósito que exige la ley
Manufactured in the United States of America

PROLOGO

En la "Historia de la Poesía Hispanoamericana" (Las Américas Publishing Company, New York, 1964) tratamos de encontrar las motivaciones que dan fisonomía propia a la poesía en estas tierras. Unimos los poemas al momento en que vivían los poetas, partícipes de los acontecimienots que conmovían a América. Dijimos entonces que nuestros poetas fueron hombres de acción más que de contemplación; a poco que se investigue tal aserto se lo verá anotado en los poemas. Complejos culturales y sociales condujeron a la creación política que, como una impresión digital, dejó un conmovedor testimonio de las luchas y aspiraciones de un continente que se configuraba. En América no hay poetas de una sola línea: son esto, y también aquello; hacen poesía pura con formas impuras, son románticos a la par que parnasianos, viven en la hermética Vanguardia y predican la lucha social. Por esto hay que mirar más a la esencia, a lo que el verso dice, que a la forma externa del poema, por muy innovadora que parezca. Nadie entenderá a Huidobro si olvida esta regla, ni la angustiada incertidumbre de Neruda; o creerá que Darío es únicamente un inspirado renovador de métricas o Leopoldo Lugones un creador apenas más grande que los otros.

Repetimos aquí un cuadro sinóptico orientador de la evolución de la Poeséa en Hispanoamérica, que colocamos en la Historia citada. Servirá como punto de partida para nuevos estudios.

* * *

Hay muchas y muy buenas Antologías de poesía hispanoamericana. Sin embargo, con excepción de la siempre admirable recopilación de Federico de Onís, pocas veces se ha intentado su agrupación a través de su evolución histórica y temática. Los poemas quedan por lo general huérfanos de explicación y de ubicación. ¿De qué vale una buena selección de la llamada Poesía Negroide si no se acompañan datos sobre cada uno de los poemas, su voca-

5

bulario, y si no se describe la intención política o social de los poetas? Debemos señalar, sin embargo, que cualesquiera sean los defectos de esta Antología, o de las anteriores recopilaciones es interesante consultarlas. Nos muestran la sensibilidad de la época en que fueron confeccionadas, los gustos predominantes (y la capacidad de los críticos para determinar quien es quien en la breve eternidad literaria: compárese quienes quedaron de los poetas que citó Calixto Oyuela, qué nombres crecieron o se borraron en la obra de Onís). En una palabra: no hay que olvidar nunca que una antología muestra al autor en su atmósfera y en su tiempo, junto a nombres desaparecidos con los años o ubicados en otra categoría.

* * *

Los comentarios que colocamos al comienzo de las diferentes secciones o al pie de los poemas ayudarán al lector a encontrar su propia explicación de autores y poesías. Son juicios someros las más de las veces, informativos casi siempre, críticos de tanto en tanto. Estos textos sólo en contadas ocasiones están extraídos de nuestra "Historia de la Poesía Hispanoamericana". Por lo general añaden datos o resumen lo que allí se dice. Fueron escritos para dar una explicación concreta y aclaratoria sobre el poema elegido.

Sin duda hay autores omitidos que debieron figurar aquí. Hemos preferido buscar ejemplos en las figuras claves con la seguridad de que ellas reflejan o conglomeran las fases más originales o los aportes de cada época. Tal vez este procedimiento hiera los sentimientos nacionales de algunos lectores que consideren que tal o cual poeta debió figurar antes que alguno de los que incluímos en este libro. Corresponde a ese lector enmendarnos la plana y seguir adelante sobre el camino que esbozamos nosotros. No se nos acuse de haber hecho poco. Que cada uno se acuse de no haber hecho nada.

En la actualidad trabajamos en un "Diccionario Biográfico de Poetas Hispanoamericanos", que ampliará los datos de esa índole que dimos en nuestra "Historia". Así se llenará un vacío. La poesía en América estuvo siempre subordinada a la importancia concedida a la narrativa y al ensayo. Es importante equipararla con estos géneros.

Las líneas de puntos intercaladas en un poema indican estrofas suprimidas. Esto se debe no solamente a la extensión de algunos versos —que sería imposible publicar íntegramente por razones de espacio— sino al deseo de destacar las partes más representativas.

6

En algunos casos agregamos un vocabulario mínimo indispensable (específicamente, en el caso de Palés Matos y de Borges). En otros, en la Vanguardia, en la poesía existencial, damos palabras claves para "descifrar" los poemas.

Debemos detenernos aquí, ya que sería dispersar el tema en los contextos, en las influencias extranjeras que afectan a los poetas latinoamericanos. El Modernismo sufre la influencia de los últimos románticos —Gauthier, Baudelaire, Rimbaud, Poe—, de los parnasianos franceses —José María de Heredia, en primer lugar— y de la gran figura de Walt Whitman. El postmodernismo y el vanguardismo se afianzan en Apollinaire, en Tristán Tzara para las innovaciones de las formas, y en Stephanne Mallarmé, para los renovadores del espíritu.

El estallido de la Vanguardia no varía el panorama: la poesía culta reemplaza a Mallarmé por Paul Valery; y los poetas españoles con igual fuente de origen, suceden en el entusiasmo a la avant-garde francesa. García Lorca, Rafael Alberti, Manuel Altolaguirre, Aleixandre, Guillén, Cernuda, van a la cabeza. Una observación a este respecto:

El modernismo introdujo, en su segunda época, para defender las tierras de América contra el creciente imperialismo extranjero, la reivindicación de España. Se trató de hacer una barrera del idioma castellano. Bécquer había sido la última gran influencia española antes de la generación de Unamuno, Valle Inclán, los Machado. Aunque bajo el influjo francés, los poetas hispanoamericanos no son inmunes a la gran generación española que madura después de la guerra del 18, Juan Ramón Jiménez en primer lugar. En el año 1930 la implantación en España de una república de hombres de letras —parecía algo que imaginó Platón— hace que las ideas de izquierda, aunque no comunistas, de aquellos hombres bien inspirados, se extiendan por América. Es la época del superrealismo izquierdizante de Neruda, el momento en que Nicolás Guillén da un contenido social a la poesía negroide. La guerra civil española y el exilio de todas aquellas figuras tan admiradas en los pueblos de América, con preferencia en México, Argentina, Chile y Perú, traen ideas que ahora sí ya son de izquierda. Los republicanos son empujados hacia el izquierdismo ruso más por las circunstancias que por convicción. La influencia de este izquierdismo en la poesía hispanoamericana se verá en la postguerra de 1945, al florecer la

7

nueva generación formada bajo la acción directa de sus maestros españoles. Después de Paul Valery no hubo en Francia, con excepción de Paul Claudel, una figura poética que influenciara en común a los poetas hispanoamericanos. En cambio, llegó una de Inglaterra: Tomás Stearns Eliot.

* * *

Si esta "Antología Comentada" ayuda al lector a entender algunos aspectos de la poesía continental en lengua hispana, cumplirá su propósito. Comprensión es lo que necesita esta América nuestra, tan contradictoria, tan ignorada y tan potencialmente futura.

Hellén Ferro
New York, marzo de 1965

CUADRO SINOPTICO DE LA
POESIA HISPANOAMERICANA

POESIA DEL PUEBLO   POESIA DE INDIVIDUOS

1 GESTAS ← POESIA EPICA

POESIA INDIGENA ← POESIA ESCOLASTICA / POESIA RENACENTISTA

POESIA POPULAR Y SATIRICA   Renacentista / Puro / Amplio — BARROCO ←

FOLKLORE POETICO — CULTERANISMO

2 POESIA PATRIOTICA ← NEOCLASICISMO

POESIA GAUCHESCA ← ROMANTICISMO { Comprometido ó revolucionario / burgués o nacional.

3 POESIA DE LA NACIONALIDAD ← MODERNISMO { Preciosista / Mundonovismo

EROTICA

4 VULGARISMO → RECITACION ← POESIA AMOROSA

Sencillismo / Proletaria / Costumbrista / Sentimental — SEXUAL

VANGUARDISMO-CULTERANISMO

NEGROIDE

Existencial Religiosa

5 POESIA NACIONALISTA ← COMUNISTA   UNIVERSALISMO

(1)

    La POESIA EPICA europea (del Medioevo —Poema de Mio Cid— y del Renacimiento —Tasso, Ariosto—) influencia a la GESTA o épica de la Conquista (Ercilla).
    La POESIA ESCOLASTICA (medioeval, tomista, agustiniana) se mezcla en América con la POESIA RENACENTISTA (neoplatónica, Petrarca, Dante).
    El producido es el BARROCO americano, que puede clasificarse en *Barroco renacentista* (Hojeda, "La Cristiada"); *Barroco puro* (Balbuena, "El Bernardo"); Barroco amplio, o *CULTERANISMO* (Sor Juana Inés de la Cruz).

9

De la POESIA ESCOLASTICA (medioeval en forma y esencia) nace la poesía INDIGENA (teatro popular misionero, "Las Cortes de la Muerte"), que proporciona temas a las GESTAS (Oña).

Frente al Barroco nace una poesía que influencia y es influenciada por la caricatura popular del teatro indígena, y que en parte proviene del folklore poético español: la POESIA POPULAR Y SATIRICA, que de populachera y *caricaturesca*, (siglo XVI), cambia a *picaresca* (Caviedes, siglo XVII), pasa a *satírica* (siglo XVIII, incluídos los fabulistas finiseculares), se convierte en *gauchesca* (siglo XIX) y en *costumbrista* y *proletaria* (en el siglo XX).

(2)

El Barroco, convertido en culteranismo, pierde fuerza a fines del XVIII. Por inercia, siguiendo el modelo peninsular, los poetas inician el NEOCLA-SICISMO. El neoclasicismo no da ningún poeta o poema importante, como poesía culta, pero influencia a la POESIA PATRIOTICA pues los poetas que hacen militancia revolucionaria escriben en ese estilo sus primeros versos (y luego lo alternarán con las formas románticas). Su antecedente se encuentra en la GESTA. La POESIA GAUCHESCA, proviene del romanticismo por su parte culta, y de la poesía popular y satírica, del folklore poético, y de la poesía patriótica —a la cual a su vez influencia—, por su parte popular. El ROMANTICISMO evoluciona desde una militancia comprometida y revolucionaria (Echeverría) a un aburguesamiento nostálgico por el pasado y admirativo por lo nacional, que comienza a perfilarse.

(3)

La POESIA DE LA NACIONALIDAD, exaltación de los valores de la Nación (en vez de los de la Patria) tiene una raíz popular amenguada pero dada en la simplicidad de sus temas familiares y está influenciada por el Romanticismo y el MODERNISMO. Este se divide en PRECIOSISTA (culto de la belleza) y Mundonovismo (refleja el nacimiento del Panamericanismo). El modernismo conserva algunos caracteres del romanticismo, contra el cual reacciona, origina una forma de poesía EROTICA, e influencia a la POESIA AMOROSA (principalmente femenina), que deriva en la poesía SEXUAL del cancionero popular.

(4)

La poesía de la Nacionalidad se convierte en VULGARISMO (o prosaísmo, en la post guerra de 1914-18, que origina la RECITACION, y que comprende diversas formas: *Sencillismo*; poesía *proletaria*; poesía *costumbrista*; poesía *sentimental*.

Las variantes de poesía proletaria y costumbrista originan la poesía NEGROIDE (afro-antillana), que recibe influencia del Vanguardismo.

Del modernismo arrancan dos manifestaciones poéticas opuestas al Vulgarismo (la dificultad de interpretar sus manifestaciones las circunscribe a una minoría escogida): VANGUARDISMO y CULTERANISMO.

(5)

El vanguardismo busca, con su lenguaje hermético, llegar a un UNIVER-SALISMO, mediante la nota sensorial, renunciando a la razón, o mediante la nota *Existencial* (conocimiento del hombre por el subconsciente). El culteranismo también quiere llegar a una poesía de valor universalista, por el camino de la filosofía existencial o por la reaparición de la poesía *Religiosa*. El Universalismo cierra la línea de poetas individualistas y culteranos.

La línea popular concluye con dos variantes: la poesía de propaganda COMUNISTA, que arranca de la poesía proletaria y de la poesía negroide. Y la POESIA NACIONALISTA, influída por la comunista por un lado y por las formas del vulgarismo en que derivó la poesía de la nacionalidad, por el otro.

El Modernismo

En nuestra "Historia de la Poesía Hispanoamericana" sostuvimos que el modernismo no consistió en una reacción contra los excesos del romanticismo sino en la manifestación de un nuevo concepto cultural vinculado a la transformación de la nacionalidad en América. No fue un movimiento decadente sino la iniciación de un nuevo período, como lo señala Arturo Torres-Ríoseco.

Los modernistas creyeron llegado el momento de que, por el camino de la cultura, del refinamiento, de la inteligencia, los apenas nacidos pueblos de América se asentaran sobre bases más sólidas. No dieron la espalda a la realidad pues todos ellos, casi sin excepción, participaron activamente en la vida política de estos países; negamos pues, por injusta, la acusación de "torre de marfil", de orgulloso aislamiento y prescindencia del medio exterior. Por el contrario, tal vez con un concepto errado y prematuro de lo que es civilización, los modernistas intentaron imponer a la idiosincrasia nativa otras formas de vida y de conducta imitadas de Europa. El medio era su principal preocupación. Si esto no fuera así habría una flagrante contradicción entre la obra y la vida de los hombres cuya poesía vamos a estudiar. Al fracasar en su intento de sustituir una forma de vida por una cultura de importación —vencido el preciosismo del primer momento por la fuerza telúrica de una América todavía salvaje, convulsionada y desorganizada— reaccionaron y entraron en la segunda faz modernista, en el Mundonovismo (expresión inventada por el chileno Francisco Contreras, amigo de Darío), de fuerte raíz nacional, y a poco, nacionalista.

En este movimiento mundonovista —poesía del mundo nuevo— se funden el modernismo primero y la Poesía de la Nación, que es paralela, que lo influye y es influenciada por él. Llamamos "poesía de la Nación" a un aburguesado final del romanticismo que ha venido cantando —pero sin darle un contenido político— a la grandeza de América, al hogar, a la Nación y a sus riquezas, al trabajo, etc. etc.

El modernismo dio confianza intelectual a los poetas de esta tierra que, por primera vez en su historia, se sintieron admirados en España y en Francia. Paradójicamente el movimiento que más tomó e imitó de Europa produjo una especie de liberación del complejo de dependencia creadora, casi complejo de inferioridad cul-

13

tural, que hería a los pueblos americanos. A partir de ese momento, la creación en América —a pesar de que las influencias continuaron llegando— adquiere cierto vigor autóctono con respecto a Europa.

En esta sección estudiaremos algunas de las características de la primera etapa del movimiento modernista; la segunda época, el mundonovismo, la encontrará el lector en la parte dedicada a Poesía Nacionalista y Comunista.

LA RENOVACION METRICA

¿En qué consistió la renovación Modernista en cuanto a la manera de versificar? En primer lugar, en la resurrección de metros que habían caído en desuso o eran muy poco empleados, el endecasílabo —tan estimado en el siglo XVI— por ejemplo; en la alteración de acentos en los versos de composiciones en uso; en la mezcla caprichosa, sólo en apariencia, de versos de medida desigual; en la unión, para formar un verso, de dos metros distintos; en el verso libre, o con ritmos tomados de otras lenguas; en la utilización de la rima al arbitrio del poeta, en monorrimos, o en flagrante alteración de las reglas establecidas; en la imitación de formas poéticas extranjeras; en la utilización de cláusulas silábicas para crear ritmos interiores.

Vamos a dar algunos ejemplos, sacados de Rubén Darío, Manuel González Prada, Manuel Gutiérrez Nájera, José Asunción Silva y otros. El lector encontrará abundante información en "Breve Historia del Modernismo", de Max Henríquez Ureña (Fondo de Cultura Económica, México 1962) y en "Historia general de la literatura española e hispanoamericana", de Emiliano Diez-Echarri y José M. Roca Franquesa (Aguilar, Madrid, 1960).

MANUEL GONZALEZ PRADA

RITMO SIN RIMA

Surge el Sol de rojo piélago,
Brillan nubes de ámbar y ópalo
En la azul inmensidad:
Oh mañana de alegría,
Eres tu la fiel imágen
De la plácida niñez.

14

Fulminando vivas ráfagas,
El fecundo Sol del trópico
Se detiene en el zenit;
Deslumbrante mediodía,
Eres fúlgido traslado
De la ardiente juventud.

RITMO SOÑADO

(Reproducción bárbara del metro alkmánico.)

Sueño con ritmos domados al yugo de rígido acento,
libres del rudo carcán de la rima.

Ritmos sedosos que efloren la idea, cual plumas de un cisne
rozan el agua tranquila de un lago.

Ritmos que arrullen con fuentes y ríos, y en el Sol de apoteosis
vuelen con alas de nube y alondra.

Ritmos que encierren dulzor de pañales, susurro de abejas,
juego de auroras y nieve de ocasos.

Ritmos que en griego crisol atesoren sonrojos de virgen,
leche de lirios y sangre de rosas.

Ritmos, oh Amada, que envuelvan tu pecho, cual lianas tupidas
cubren de verdes cadenas al árbol.

(*"Poesías selectas"*, París, s. a.)

RISPETTO

¡Felices de los muertos! Ya no miran
La luz traidora de unos claros ojos.
¡Felices de los muertos! Ya no aspiran
Dulce veneno de unos labios rojos.
¡Felices de los muertos! Ya no sienten
Voces que halagan y halagando mienten.
¡Felices de los muertos! Ya no lloran
Ni vanamente compasión imploran.
¡Felices de los muertos! Ya olvidaron,
Y de penar y combatir cesaron.

BALATA

La Tierra se engalana como novia,
Y el infinito espacio reverbera,
Que vuelve ya la dulce Primavera.

La fuente dice: —"Escucha mi lamento";
El aura: —"No desoigas mis rumores";
La rosa: —"Bebe mi oloroso aliento";
El ave: —"Aprende amor en mis amores";

Renace, oh corazón, de tus dolores:
Ama, sonríe y en la dicha espera,
Que vuelve ya la dulce Primavera.

ESPENSERINA

En el oasis de la vida humana,
El árbol del amor se mece al viento,
Brindando a la dispersa caravana
Abrigo, fruta y oloroso aliento.
Oh caminante que ávido y sediento
Quieres al árbol demandar tributo,
Rechaza la impulsión del sentimiento,
Si huir deseas de pesar y luto:
El árbol es hermoso, envenenado el fruto.

TRIOLET

Amante que se aleja de los ojos,
Se alejará también del corazón.
Deje primicias, y hallará despojos,
Amante que se aleja de los ojos.
A breve ausencia, el cardo y los abrojos
Invaden el jardín de la pasión:
Amante que se aleja de los ojos,
Se alejará también del corazón.

PAMTUM

Alzando el himno triunfal de la vida
Muge el torrente en los fértiles llanos;
Yo siento mi alma de júbilo henchida,
Viendo en las mieses cuajarse los granos.

Muge el torrente: en los fértiles llanos
Templa la sed ardorosa del trigo;
Viendo en las mieses cuajarse los granos,
Yo al sembrador de la tierra bendigo.

Templa la sed ardorosa del trigo,
Huye, y al mar el torrente se lanza;
Yo al sembrador de la tierra bendigo,
Yo me estremezco de amor y esperanza.

Huye, y al mar el torrente se lanza,
Dando a las mieses un ay de partida;
Yo me estremezco de amor y esperanza,
Alzando el himno triunfal de la vida.

("Minúsculas", 1901-1909 y 1928).

Manuel González Prada fue el introductor de estrofas y metros al estilo italianizante y francés. Casi todas estas innovaciones
son de la época juvenil de este hombre extraordinario. En el prólogo
que Carlos García Prada escribió para la "Antología Poética de
Manuel González Prada" (Editorial Cultura, México, 1940) el lector
encontrará una amplia información al respecto.

González Prada utilizó "polirritmos sin rima", tan cultivados
—y deformados hasta el abuso— por los vanguardistas posteriores.
Dio gran impulso al verso libre, al estilo de Walt Whitman, Rimbaud, Baudelaire o Laforgue. Antes de Darío, empleó el verso eneasílabo y cultivó el endecasílabo de acentos en la tercera, la séptima
y la décima sílaba. Damos un ejemplo en "Ritmo soñado", y no es
el único que podría citarse, de como empleó el metro alkmánico
(ooo/ooo. . .) antes de intentar Darío algo similar con los hexáme-
tros de "Salutación optimista" (José Eusebio Caro, el poeta colom-

17

biano fue el primero en usar un metro alkmánico en su poema "En alta mar").

El "Rispetto", de origen italiano, es monoestrófico, consta de ocho versos endecasílabos, a los cuales se agregan dos o más versos para ajustarlos al ritmo del baile; es poesía lírica, amorosa. El poeta escribió seis "rispetto". La "Balata", composición de ritmo vivo, fue utilizada en los bailes populares pero ya no se usaba en poesía castellana hasta que González Prada compuso ocho poemas de este tipo, cada uno de tres estrofas con endecasílabos que riman así: abb/cdcd/dbb. La "Espenserina", inventada por Edmundo Spenser (siglo XVI), constaba de ocho versos endecasílabos rematados por un alejandrino. En castellano, González Prada la compone con ocho versos endecasílabos rematados por un verso de trece sílabas: ababbcbcc. El "Rondel", como el rondelet, el virolao, la villanella, era la estrofa preferida del Renacimiento francés. El "Triolet" es una de sus variantes: es una estrofa de ocho versos de diversos metros, de los cuales el primero se repite tres veces y el segundo dos. La repetición del verso fue un recurso que acaparó el modernismo y heredó la vanguardia. "Los triolets de "Minúsculas", en versos endecasílabos u octosílabos, son casi todos del tipo abaaabad", dice García Prada, de quien tomamos estas referencias. El "Pantum" es un poema de origen malayo, compuesto de cuatro cuartetas de endecasílabos que riman así: abab/bcbc/cdcd/dada. (Baudelaire utilizó el "Pantum" en "Harmonie du soir"). Otras innovaciones estróficas de González Prada fueron la "Gacela", los "Laudes", los "Estornelos", los "Cuartetos persas", etc. etc.

JOSE MARTI

XLV

Sueño con claustros de mármol
donde en silencio divino
los héroes, de pie, reposan:
de noche, a la luz del alma,
hablo con ellos; de noche!
Están en fila; paseo
entre las filas; las manos
de piedra les beso; abren

los ojos de piedra; mueven
los labios de piedra, tiemblan
las barbas de piedra; empuñan
la espada de piedra; lloran.
¡Vibra la espada en la vaina!
Mudo, les beso la mano.

¡Hablo con ellos; de noche!
Están en fila; paseo
entre las filas; lloroso
me abrazo a un mármol: "¡Oh, mármol
dicen que beben tus hijos
su propia sangre en las copas
venenosas de sus dueños!
¡Que hablan la lengua podrida
de sus rufianes! ¡Que comen
juntos el pan del oprobio,
en la mesa ensangrentada!
¡Que pierden en lengua inútil
el último fuego! ¡Dicen,
oh mármol, mármol dormido,
que ya se ha muerto tu raza!"

Echame en tierra de un bote
el héroe que abrazo; me ase
del cuello; barre la tierra
con mi cabeza; levanta
el brazo: ¡el brazo le luce
lo mismo que un sol!; resuena
la piedra; ¡buscan el cinto
las manos blancas!: ¡del soclo
saltan los hombres de mármol!

("Versos libres", 1882).

XLII

En el extraño bazar
del amor, junto a la mar,
la perla triste y sin par
le tocó por suerte a Agar.

19

Agar, de tanto tenerla
al pecho, de tanto verla
Agar, llegó a aborrecerla:
majó, tiró al mar la perla.

Y cuando Agar, venenosa
de inútil furia, y llorosa
pidió al mar la perla hermosa
dijo la mar borrascosa:

"¿Qué hiciste, torpe, qué hiciste
de la perla que tuviste?
La majaste, me la diste:
yo guardo la perla triste".

("Versos sencillos", 1891).

XXXVI

Ya sé: de carne se puede
hacer una flor: se puede,
con el poder del cariño,
hacer un cielo, —¡y un niño!

De carne se hace también
el alacrán, y también
el gusano de la rosa,
y la lechuza espantosa.

("Versos sencillos", 1891).

Martí no innovó en la medida del verso pero sí en la distribución de la rima. Usó el monorrimo o bien una palabra repetida para consonar dos versos pareados. En "Versos libres" emplea el verso blanco ("Sueño con claustros de mármol/donde en divino silencio . . .). En "Ismaelillo" usa exasílabos en un poema y en otras ocho composiciones utiliza el pentasílabo y el heptasílabo pero sus preferencias enderezan al octosílabo, como en "Versos sencillos". "No obstante el uso de versos cortos la poesía suena al oído como de versos largos, y es por la estrecha vinculación de las ideas, expresadas en períodos extensos, intrincadas en el verso de frecuentes encabalgamientos", observa Beatriz Noemí Tornadú ("Ismaelillo", Huemul, Bs. As. 1963).

"Ismaelillo" y "Versos libres" (publicados póstumamente, en 1913, por González Quesada) datan de 1882 mientras que "Los versos sencillos" son de 1891.

RUBEN DARIO

WALT WHITMAN

En su país de hierro vive el gran viejo,
bello como un patriarca, sereno y santo.
Tiene en la arruga olímpica de su entrecejo,
algo que impera y vence con noble encanto.

Su alma del infinito parece espejo;
son sus cansados hombros dignos del manto;
y con arpa labrada de un roble añejo,
como un profeta nuevo canta su canto.

Sacerdote, que alienta soplo divino,
anuncia en el futuro tiempo mejor.
Dice al águila: "¡vuela!" "¡boga!" al marino,

y "¡trabaja!" al robusto trabajador.
¡Así va ese poeta por su camino
con su soberbio rostro de emperador!

("Azul", 1890).

CANCION DE OTOÑO EN PRIMAVERA

¡Juventud, divino tesoro,
ya te vas para no volver!
¡Cuando quiero llorar, no lloro . . .
y a veces lloro sin querer! . . .

Plural ha sido la celeste
historia de mi corazón.
Era una dulce niña en este
mundo de duelo y aflicción.

21

Miraba como el alba pura;
sonreía como una flor.
Era su cabellera oscura
hecha de noche y de dolor.

Yo era tímido como un niño.
Ella, naturalmente, fue,
para mi amor hecho de armiño,
Herodías y Salomé . . .

¡Juventud, divino tesoro,
ya te vas para no volver!
¡Cuando quiero llorar, no lloro . . .
y a veces lloro sin querer! . . .

La otra fue más sensitiva,
y más consoladora y más
halagadora y expresiva,
cual no pensé encontrar jamás.

Pues a su continua ternura
una pasión violenta unía.
En un peplo de gasa pura
una bacante se envolvía . . .

En sus brazos tomó mi ensueño
y lo arrulló como a un bebé . . .
Y le mató, triste y pequeño,
falto de luz, falto de fe . . .

¡Juventud, divino tesoro,
te fuiste para no volver!
¡Cuando quiero llorar, no lloro . . .
y a veces lloro sin querer! . . .

Otra juzgó que era mi boca
el estuche de su pasión,
y que me roería, loca,
con sus dientes el corazón;

poniendo en un amor de exceso
la mira de su voluntad,
mientras eran abrazo y beso
síntesis de la eternidad;

y de nuestra carne ligera
imaginar siempre un Edén,
sin pensar que la Primavera
y la carne acaban también . . .

¡Juventud, divino tesoro,
ya te vas para no volver!
¡Cuando quiero llorar, no lloro . . .
y a veces lloro sin querer! . . .

¡Y las demás! En tantos climas,
en tantas tierras, siempre son,
si no pretextos de mis rimas,
fantasmas de mi corazón.

En vano busqué a la princesa
que estaba triste de esperar.
La vida es dura. Amarga y pesa.
¡Ya no hay princesa que cantar!

Mas a pesar del tiempo terco,
mi sed de amor no tiene fin;
con el cabello gris me acerco
a los rosales del jardín . . .

¡Juventud, divino tesoro,
ya te vas para no volver!
¡Cuando quiero llorar, no lloro . . .
y a veces lloro sin querer! . . .

¡Mas es mía el Alba de oro!

("Cantos de vida y esperanza", 1905).

23

MARCHA TRIUNFAL

¡Ya viene el cortejo!
¡Ya viene el cortejo! Ya se oyen los claros clarines.
La espada se anuncia con vivo reflejo;
ya viene, oro y hierro, el cortejo de los paladines.

Ya pasa debajo los arcos ornados de blancas Minervas y Martes,
los arcos triunfales en dónde las Famas erigen sus largas trompas,
la gloria solemne de los estandartes
llevados por manos robustas de heroicos atletas.
Se escucha el ruido que forman las armas de los caballeros,
los frenos que tascan los fuertes caballos de guerra,
los cascos que hieren la tierra,
y los timbaleros
que el paso acompasan con ritmos marciales.
¡Tal pasan los fieros guerreros
debajo los arcos triunfales!

Los claros clarines de pronto levantan sus sones,
su canto sonoro,
su cálido coro,
que envuelve en un trueno de oro
la augusta soberbia de los pabellones.
El dice la lucha, la herida venganza,
las ásperas crines,
los rudos penachos, la pica, la lanza,
la sangre que riega de heroicos carmines
la tierra;
los negros mastines
que azuza la muerte, que rige la guerra.

Los áureos sonidos
anuncian el advenimiento
triunfal de la Gloria;
dejando el pecacho que guarda sus nidos,
tendiendo sus alas enormes al viento,
los cóndores llegan. ¡Llegó la victoria!

Ya pasa el cortejo.
Señala el abuelo los héroes al niño.
Ved cómo la barba del viejo
los bucles de oro circunda de armiño.
Las bellas mujeres aprestan coronas de flores,
y bajo los pórticos vence sus rostros de rosa;
y la más hermosa
sonríe al más fiero de los vencedores.
¡Honor al que trae cautiva la extraña bandera!
¡Honor al herido y honor a los fieles
soldados que muerte encontraron por mano extranjera!

Las nobles espadas de tiempos gloriosos
desde sus panoplias saludan las nuevas coronas y lauros
—las viejas espadas de los granaderos más fuertes que osos,
hermanos de aquellos lanceros que fueron centauros—.
Las trompas guerreras resuenan;
de voces los aires se llenan . . .
—A aquellas antiguas espadas,
a aquellos ilustres aceros,
que encarnan las glorias pasadas . . .
¡Y al sol que hoy alumbra las nuevas victorias ganadas,
y al héroe que guía su grupo de jóvenes fieros;
al que ama la insignia del suelo paterno;
al que ha desafiado, ceñido el acero y el arma en la mano,
los soles del rojo verano,
las nieves y vientos del gélido invierno,
la noche, y el hambre,
y el odio y la muerte, por ser por la patria inmortal,
saludan con voces de bronce las trompas de guerras que tocan
la marcha triunfal!

(1895, isla de Martín García, en Argentina).

25

SONATINA

La princesa está triste . . . ¿Qué tendrá la princesa?
Los suspiros se escapan de su boca de fresa,
que ha perdido la risa, que ha perdido el color.
La princesa está pálida en su silla de oro;
está mudo el teclado de su clave sonoro,
y en un vaso olvidada se desmaya una flor.

El jardín puebla el triunfo de los pavos reales.
Parlanchina, la dueña dice cosas banales,
y vestido de rojo piruetea el bufón.
La princesa no ríe, la princesa no siente;
la princesa persigue por el cielo de Oriente
la libélula vaga de una vaga ilusión.

¿Piensa acaso en el príncipe de Golconda o de China,
o en el que ha detenido su carroza argentina
para ver de sus ojos la dulzura de luz,
o en el rey de las islas de las rosas fragantes,
o en el que es soberano de los claros diamantes,
o en el dueño orgulloso de las perlas de Ormuz?

¡Ay!, la pobre princesa de la boca de rosa
quiere ser golondrina, quiere ser mariposa,
tener alas ligeras, bajo el cielo volar;
ir al sol por la escala luminosa de un rayo,
saludar a los lirios con los versos de mayo,
o perderse en el viento sobre el trueno del mar.

Ya no quiere el palacio, ni la rueca de plata,
ni el balcón encantado, ni el bufón escarlata,
ni los cisnes unánimes en el lago de azur.
Y están tristes las flores por la flor de la corte;
los jazmines de Oriente, los nelumbos del Norte,
de Occidente las dalias y las rosas del Sur.

¡Pobrecita princesa de los ojos azules!
Está presa en sus oros, está presa en sus tules,
en la jaula de mármol del palacio real;
el palacio soberbio que vigilan los guardas,
que custodian cien negros con sus cien alabardas,
un lebrel que no duerme y un dragón colosal.

¡Oh, quién fuera hipsipila que dejó la crisálida!
(La princesa está triste; la princesa está pálida.)
¡Oh, visión adorada de oro, rosa y marfil!
¡Quién volara a la tierra donde un príncipe existe
(la princesa está pálida; la princesa está triste),
más brillante que el alba, más hermosa que abril!

—Calla, calla, princesa —dice el hada madrina—;
en caballo con alas hacia acá se encamina,
en el cinto la espada y en la mano el azor,
el feliz caballero que te adora sin verte,
y que llega de lejos, vencedor de la Muerte,
a encenderte los labios con su beso de amor!

("Prosas profanas", 1896).

Darío innovó en la métrica, en la estrofa, en los acentos, cambió, modificó, inventó, se arriesgó. Había que romper tradiciones al mismo tiempo que recuperar tradiciones. La poesía debía perder restricciones que impidieran al poeta encontrar el molde adecuado a su manifestación.

La inquietud renovadora de Darío —sobre el que actuaban las influencias francesas, portuguesas, clásicas españolas, Martí, Díaz Mirón— se manifiesta desde temprano. En "La poesía castellana" imita estilos de sus poetas preferidos (clásicos y contemporáneos) y llega a utilizar hasta catorce metros diferentes. No era más que un alarde, como cuando en "Tu y yo" comienza con dos sílabas y va aumentando hasta 14 sílabas para después disminuir hasta dos, (este "juego" poético lo habían hecho Zorrilla y Espronceda). A Darío le quedó la afición por tal ejercicio de habilidad y lo mostró en los sonetos con dodecasílabo de seguidilla ("A Walt

Whitman"), en alejandrinos ("De invierno") o de diecisiete sílabas ("A Venus"), de "Azul".

A pesar de lo anotado, "Azul", con sus hiatos y encabalgamientos, aporta poco nuevo y es después de "Prosas profanas" cuando realmente comienza el afán innovador. Diez Echarri y Roca Franquesa (obra citada) tienen un capítulo especial dedicado a las innovaciones de Darío. Recuerdan que Boscán y Garcilaso utilizaron, como Darío, el endecasílabo italiano (que ya había sido empleado un siglo antes) y que el fabulista Tomás de Iriarte usó tanto el endecasílabo dactílico como el alejandrino francés.

Por nuestra parte, señalamos al lector algunos ejemplos donde las innovaciones de Darío se presentan claramente:

El endecasílabo dactílico aparece en "Pórtico" de "En tropel". El endecasílabo acentuado en la cuarta sílaba, como lo hizo Boscán, en "Divagación". Utiliza poco o nada la octava real aunque gusta mucho de las octavas combinadas a su placer (y de los monorrimos al estilo de los que usa en "A Lastarría", en 1888).

Usa una décima endecasílaba en el poema "En honor de las musas de carne y hueso" y rehuye por lo general la espinela (décima clásica). Eugenio de Castro, el autor de "Belosis" tan estimado por los modernistas, le inspira los dodecasílabos de "Era un aire suave" (como inspiró a Jaimes Freyre el metro libre).

Darío no era afecto al metro libre, pero lo utiliza en la primera parte de la oda "A Roosevelt". En la segunda parte de la oda (y "En lo fatal", "Los cisnes", "Retratos") usa alejandrinos. Innova en el alejandrino a partir de "Prosas profanas": "Adopta el alejandrino de ritmo anapéstico o acentuación en tercera y sexta sílaba, bien en forma pura —como lo encontramos en "Sonatina"—, bien mixtificado hábilmente con el yámbico", dicen Diez Echarri y Roca Franquesa.

En 1894 José Asunción Silva introdujo la cláusula rítmica, con base tetrasilábica, en "Nocturno" (se prescinde del número de sílabas fijas y se utilizan pies bisílabos, trisílabos, tetrasílabos). Un año después, Darío escribe "Marcha triunfal", en versos de medida libre, con cláusula rítmica de tres sílabas. En "Salutación a Leonardo" emplea la cláusula trisilábica mezclandos renglones de quince, doce, nueve y seis sílabas. Chocano utilizó un método parecido en "Los caballos de los conquistadores".

Otros metros usados por Darío son el octosílabo como en "A

Goya" (en tercetos monorrimos); el eneasílabo, "Canción de otoño en primavera"; el dodecasílabo de base trisilábica ("El cisne en la sombra parece de nieve") o el que se forma por la simple duplicación del exasílabo ("Rey de los hidalgos, señor de los tristes . . . ", de la "Letanía de Nuestro Señor Don Quijote"); el exámetro —discutido por Diez Echarri y Franquesa— del cual salió "Salutación optimista", "Salutación al Aguila" y "In memoriam". Dice Max Henríquez Ureña, de quien tomamos esta información, que José Eusebio Caro (en el poema "En alta mar") había utilizado el exámetro y que Valencia y Eduardo Marquina lo cultivaron al mismo tiempo que Darío. En "Lo Fatal" emplea el *polisíndenton* o forma poética que consiste en repetir las partículas coordinativas para dar más vigor a la enumeración (versos 5-12).

JOSE ASUNCION SILVA

NOCTURNO

Una noche,
una noche toda llena de murmullos, de perfumes y de música de alas;
una noche
en que ardían en la sombra nupcial y húmeda las luciérnagas
                                                [fantásticas,
a mi lado lentamente, contra mí ceñida toda, muda y pálida,
como si un presentimiento de amarguras infinitas
hasta el más secreto fondo de las fibras te agitara,
por la senda florecida que atraviesa la llanura,
caminabas;
y la luna llena
por los cielos azulosos, infinitos y profundos esparcía su luz blanca;
y tu sombra,
fina y lánguida,
y mi sombra,
por los rayos de la luna proyectadas,
sobre las arenas tristes
de la senda se juntaban,
y eran una,
y eran una,

y eran una sola sombra larga,
y eran una sola sombra larga,
y eran una sola sombra larga . . .

Esta noche,
solo, el alma
llena de las infinitas amarguras y agonías de tu muerte,
separado de ti misma por el tiempo, por la tumba y la distancia,
por el infinito negro
donde nuestra voz no alcanza,
mudo y solo
por la senda caminaba . . .
Y se oían los ladridos de los perros, a la luna,
a la luna pálida.
y el chirrido
de las ranas . . .
Sentí frío. Era el frío que tenían en tu alcoba
tus mejillas y tus sienes y tus manos adoradas,
entre las blancuras níveas
de las mortuorias sábanas.
Era el frío del sepulcro, era el hielo de la muerte,
era el frío de la nada.
Y mi sombra,
por los rayos de la luna proyectada,
iba sola,
iba sola,
iba sola por la estepa solitaria;
y tu sombra esbelta y ágil,
fina y lánguida,
como en esa noche tibia de la muerta primavera,
como en esa noche llena de murmullos, de perfumes y de músicas
se acercó y marchó con ella,   [*de alas,*
se acercó y marchó con ella,
se acercó y marchó con ella . . . *¡Oh, las sombras enlazadas!*
¡Oh, las sombras de los cuerpos que se juntan con las sombras de
                                                    [*las almas!*
¡Oh, las sombras que se buscan en las noches de tristezas y de
                                                    [*lágrimas!* . . .
                              ("Poesías", 1908).

DIA DE DIFUNTOS

La luz vaga . . . opaco el día . . .
la llovizna cae y moja
con sus hilos penetrantes la ciudad desierta y fría;
por el aire, tenebrosa, ignorada mano arroja
un oscuro velo opaco, de letal melancolía,
y no hay nadie que en lo íntimo no se aquiete y se recoja
al mirar las nieblas grises de la atmósfera sombría,
y al oír en las alturas
melancólicas y oscuras
los acentos dejativos
y tristísimos e inciertos
con que suenan las campanas,
las campanas plañideras,
que les hablan a los vivos
de los muertos.

Y hay algo de angustioso y de incierto
que mezcla a ese sonido su sonido,
e inarmónico vibra en el concierto
que alzan los bronces al tocar a muerto
por todos los que han sido.
Es la voz de la campana
que va marcando la hora
hoy lo mismo que mañana,
rítmica, igual y sonora;
una campana se queja
y la otra campana llora;
ésta tiene voz de vieja
y ésa de niña que ora.
Las campanas más grandes que dan un doble recio
suenan con acento de místico desprecio;
mas la campana que da la hora
ríe, no llora;
tiene en su timbre seco sutiles armonías;
su voz parece que habla de fiestas, de alegrías,
de citas, de placeres, de cantos y de bailes,
de las preocupaciones que llenan nuestros días;

31

es una voz del siglo entre un coro de frailes,
y con sus notas se ríe
escéptica y burladora
de la campana que gime,
de la campana que implora
y de cuanto aquel coro conmemora;
y es que con su retintín
ella midió el dolor humano
y marcó del dolor el fin.

Por eso se ríe del grave esquilón
que suena allá arriba con fúnebre son;
por eso interrumpe los tristes conciertos
con que el bronce santo llora por los muertos.
No le oigáis, ¡oh bronces!, no le oigáis, campanas,
que con la voz grave de ese clamoreo
rogáis por los seres que duermen ahora
lejos de la vida, libres del deseo,
lejos de las rudas batallas humanas;
seguid en el aire vuestro bamboleo,
¡no le oigáis, campanas! . . .
Contra lo imposible, ¿qué puede el deseo?

Allá arriba suena, rítmica y sonora,
esa voz de oro,
y sin que lo impidan sus graves hermanas
que rezan en coro,
suena, suena, suena ahora,
la campana del reló
y dice que ella marcó,
con su vibración sonora,
de los olvidos la hora;
que después de la velada
que pasó cada difunto
en una sala enlutada
y con la familia junto
en dolorosa actitud,
mientras la luz de los cirios
alumbraba el ataúd

y las coronas de lirios;
que después de la tristura,
de los gritos de dolor,
de las frases de amargura,
del llanto conmovedor,
marcó ella misma el momento
en que, con la languidez
del luto, huyó el pensamiento
del muerto, y el sentimiento
seis meses más tarde ... o diez.

Y hoy, día de los muertos ..., ahora que flota
en las nieblas grises la melancolía,
en que la llovizna cae gota a gota
y con sus tristezas los nervios embota,
y envuelve en un manto la ciudad sombría;
ella, que ha marcado la hora y el día
en que a cada casa lúgubre y vacía
tras el luto breve volvió la alegría;
ella, que ha marcado la hora del baile
en que al año justo un vestido aéreo
estrena la niña, cuya madre duerme
olvidada y sola en el cementerio;
suena indiferente a la voz del fraile
del esquilón grave a su canto serio;
ella, que ha marcado la hora precisa
en que a cada boca que el dolor sellaba
como por encanto volvió la sonrisa,
esa precursora de la carcajada;
ella, que ha marcado la hora en que el viudo
habló de suicidio y pidió el arsénico,
cuando aun en la alcoba recién perfumada
flotaba el aroma del ácido fénico;
y ha marcado luego la hora en que mudo
por las emociones con que el gozo agobia,
para que lo unieran con sagrado nudo
a la misma iglesia fue con otra novia;
¡ella no comprende nada del misterio
de aquellas quejumbres que pueblan el aire,

y lo ve en la vida todo jocoserio;
y sigue marcando con el mismo modo,
el mismo entusiasmo y el mismo desgaire
la huída del tiempo, que lo borra todo!

Y eso es lo angustioso y lo incierto
que flota en el sonido;
ésa es la nota irónica que vibra en el concierto
que alzan los bronces al tocar a muerto
por todos los que han sido.
Es la voz fina y sutil
de vibraciones de cristal
que con acento juvenil,
indiferente al bien y al mal,
mide lo mismo la hora vil
que la sublime y la fatal,
y resuena en las alturas
melancólicas y oscuras,
sin tener en su tañido
claro, rítmico y sonoro,
los acentos dejativos
y tristísimos e inciertos
de aquel misterioso coro
con que suenan las campanas . . .
¡las campanas plañideras
que les hablan a los vivos
de los muertos! . . .

("Poesías", 1908).

En 1894 José Asunción Silva publica "Nocturno" del cual dice Ureña: "La forma era desusada y novedosa. Esa medida elástica, en la que se mezclan versos asonantados de cuatro, ocho, doce, dieciséis y veinte sílabas (siempre múltiplos de cuatro), en mitad de los cuales aparece excepcionalmente algún exasílabo, cuando no un decasílabo repetidos tres veces consecutivas, para producir, por contraste con las cláusulas tetrasilábicas, una armonía superior, desconcertó a muchos lectores".

Silva confesaba que había sacado la idea del metro o cláusula rítmica del "Nocturno" de una fábula de Iriarte: "A una mona/muy

34

taimada/dijo un día/cierta urraca . . . " Es bueno recordar que "Nocturno" nunca fue una composición de amor sino que está dedicada a la memoria de Elvira, una hermana de Silva muerta en 1891. Recordemos también que los otros dos "nocturnos" son composiciones de distinta índole: sus verdaderos nombres son "Ronda" (de 1889, también dedicada a una muerta) y "Dime" ("¡Oh dulce niña pálida" . . .) Ambos poemas son de tipo erótico. En "Día de difuntos" está presente la forma de composición que utilizó Poe en "Las campanas", imitada en la traducción de Pérez Bonalde. "Día de difuntos" es una composición multimétrica: solamente deja de usar el metro de quince; combina toda clase de versos, desde los de cuatro a dieciséis sílabas y también, a veces, las cláusulas rítmicas como en "Nocturno".

DIEGO VICENTE TEJERA

UN RAMO DE VIOLETAS

Y en cuatro falanges los ángeles juntos
la bóveda cruzan con vuelo sonoro,
o espléndidos aros formando en el éter,
del astro de plata palpitan en torno.
O se despliegan y ondulan
como ríos luminosos,
hasta perderse del cielo
en los confines remotos.
¿Lo ves, niña mía?
¿Te encantan sus rostros?
¡Qué fulgor tan dulce
despiden tus ojos!
Angeles blancos,
ángeles róseos,
azules unos,
dorados otros.
Tienen
todos
arpas
de oro.

("Un ramo de violetas", 1876).

35

LA DUQUESA JOB

En dulce charla de sobremesa,
mientras devoro fresa tras fresa,
y abajo ronca tu perro Bob,
te haré el retrato de la duquesa
que adora a veces el duque Job.

No es la condesa que Villasana
caricatura, ni la poblana
de enagua roja, que Prieto amó;
no es la criadita de pies nudosos,
ni la que sueña con los gomosos
y con los gallos de Micoló.

Mi duquesita, la que me adora,
no tiene humos de gran señora:
es la griseta de Paul de Kock.
No baila Boston, y desconoce
de las carreras el alto goce
y los placeres del five o'clock.

Pero ni el sueño de algún poeta,
ni los querubes que vió Jacob,
fueron tan bellos cual la coqueta
de ojitos verdes, rubia griseta,
que adora a veces el duque Job.

Si pisa alfombras, no es en su casa;
si por Plateros alegre pasa
y la saluda Madam Marnat,
no es, sin disputa, porque la vista,
sí porque a casa de otra modista
desde temprano rápida va.

No tiene alhajas mi duquesita;
pero es tan guapa, y es tan bonita,
y tiene un cuerpo tan v'lan, tan pschutt;
de tal manera trasciende a Francia,

que no la igualan en elegancia
ni las clientes de Hélene Kossut.

Desde las puertas de la Sorpresa
hasta la esquina del Jockey Club,
no hay española, yankee o francesa,
ni más bonita, ni más traviesa
que la duquesa del duque Job.

¡Cómo resuena su taconeo
en las baldosas! ¡Con qué meneo
luce su talle de tentación!
¡Con qué airecito de aristocracia
frunce los labios — ¡Mimí Pinsón!

Si alguien la alcanza, si la requiebra,
ella, ligera como una cebra,
sigue camino del almacén;
pero ¡ay del tuno si alarga el brazo!:
¡nadie le salva del sombrillazo
que le descarga sobre la sien!

¡No hay en el mundo mujer más linda!
Pie de andaluza, boca de guinda,
esprit rociado de Veuve Clicquot;
talle de avispa, cutis de ala,
ojos traviesos de colegiala
como los ojos de Louise Theó!
. . . .
. . . .
Desde las puertas de la Sorpresa
hasta la esquina del Jockey Club,
no hay española, yankee o francesa,
ni más bonita ni más traviesa
que la duquesa del duque Job.

(1884. *"Poesías"*, 1896).

EL HADA VERDE

(CANCION DEL BOHEMIO)

¡En tus abismos, negros y rojos,
fiebre implacable, mi alma se pierde;
y en tus abismos miro los ojos,
los ojos verdes del hada verde!

Es nuestra musa glauca y sombría,
la copa rompe, la lira quiebra,
y a nuestro cuello se enrosca impía
como culebra!

Llega y nos dice: —¡Soy el olvido;
yo tus dolores aliviaré!
Y entre sus brazos, siempre dormido,
yace Musset.

¡Oh musa verde! Tú la que flotas
en nuestras venas enardecidas,
tú la que absorbes, tú la que agotas
almas y vidas!

En las pupilas concupiscencia;
juego en la mesa donde se pierde
con el dinero, vida y conciencia,
en nuestras copas eres demencia . . .
¡oh musa verde!

Son ojos verdes los que buscamos,
verde el tapete donde jugué,
verdes absintios los que apuramos,
y verde el sauce que colocamos
en tu sepulcro, pobre Musset!

(1887)

38

SALVADOR DIAZ MIRON

EL FANTASMA

Blancas y finas, y en el manto apenas
visibles, y con aire de azucenas,
las manos — que no rompen mis cadenas —.

Azules y con oro enarenados,
como las noches limpias de nublados,
los ojos — que contemplan mis pecados —.

Como albo pecho de paloma el cuello,
y como crin de sol barba y cabello,
y como plata el pie descalzo y bello.

Dulce y triste la faz; la veste zarca.
Así, del mal sobre la inmensa charca,
Jesús vino a mi unción, como a la barca.

Y abrillantó a mi espíritu la cumbre
con fugaz cuanto rica certidumbre,
como con tintas de refleja lumbre.

Y suele retornar; y me reintegra
la fe que salva y la ilusión que alegra;
y un relámpago enciende mi alma negra.

Cárcel de Veracruz, 14 de diciembre de 1893.
("Lascas", 1906)

RICARDO JAIMES FREYRE

ÆTERNUM VALE

Un Dios misterioso y extraño visita la selva.
Es un Dios silencioso que tiene los brazos abiertos.
Cuando la hija de Thor espoleaba su negro caballo,
le vió erguirse, de pronto, a la sombra de un añoso fresno.
Y sintió que se helaba su sangre
ante el Dios silencioso que tiene los brazos abiertos.

39

De la fuente de Imer, en los bordes sagrados, más tarde,
la Noche a los Dioses absortos reveló el secreto;
el Aguila negra y los Cuervos de Odín escuchaban,
y los Cisnes que esperan la hora del canto postrero;
y a los Dioses mordía el espanto
de ese Dios silencioso que tiene los brazos abiertos.

En la selva agitada se oían extrañas salmodias;
mecía la encina y el sauce quejumbroso viento;
el bisonte y el alce rompían las ramas espesas,
y a través de las ramas espesas huían mugiendo.
En la lengua sagrada de Orga
despertaban del canto divino los divinos versos.

Thor, el rudo, terrible guerrero que blande la maza
—en sus manos es arma la negra montaña de hierro—,
va a aplastar, en la selva, a la sombra del árbol sagrado,
a ese Dios silencioso que tiene los brazos abiertos.
Y los dioses contemplan la maza rugiente,
que gira en los aires y nubla la lumbre del cielo.
. . . .
Ya en la selva sagrada no se oyen las viejas salmodias,
ni la voz amorosa de Freya cantando a lo lejos;
agonizan los dioses que pueblan la selva sagrada,
y en la lengua de Orga se extinguen los divinos versos.

Sólo, erguido a la sombra de un árbol,,
hay un Dios silencioso que tiene los brazos abiertos.

                    ("Castalia bárbara", 1899).

JOSE SANTOS CHOCANO

LOS CABALLOS DE LOS CONQUISTADORES

¡Los caballos eran fuertes!
¡Los caballos eran ágiles!
Sus pescuezos eran finos y sus ancas
relucientes y sus cascos musicales . . .
¡Los caballos eran fuertes!
¡Los caballos eran ágiles!
¡No! No han sido los guerreros solamente,

ue corazas y penachos y tizonas y estandartes,
los que hicieron la conquista
de las selvas y los Andes:
los caballos andaluces, cuyos nervios
tienen chispas de la raza voladora de los árabes,
estamparon sus gloriosas herraduras
en los secos pedregales,
en los húmedos pantanos,
en los ríos resonantes,
en las nieves silenciosas,
en las pampas, en las sierras, en los bosques y en los valles.
¡Los caballos eran fuertes!
¡Los caballos eran ágiles!

Un caballo fue el primero,
en los tórridos manglares,
cuando el grupo de Balboa caminaba
despertando las dormidas soledades,
que, de pronto, dio el aviso
del Pacífico Oceano, porque ráfagas de aire
al olfato le trajeron
las salinas humedades;
y el caballo de Quesada, que en la cumbre
se detuvo, viendo, al fondo de los valles,
el fuetazo de un torrente
como el gesto de una cólera salvaje,
saludó con un relincho
la sabana interminable . . .
y bajó, con fácil trote,
los peldaños de los Andes,
cual por unas milenarias escaleras
que crujían bajo el golpe de los cascos musicales . . .
¡Los caballos eran fuertes!
¡Los caballos eran ágiles!

¿Y aquel otro de ancho tórax,
que la testa pone en alto, cual queriendo ser más grande,
en que Hernán Cortés un día,
caballero sobre estribos rutilantes,

desde México hasta Honduras,
mide leguas y semanas, entre rocas y boscajes?
¡Es más digno de los lauros
que los potros que galopan en los cánticos triunfales
con que Píndaro celebra las olímpicas disputas
entre el vuelo de los carros y la fuga de los aires!
Y es más digno todavía
de las Odas inmortales
el caballo con que Soto, diestramente
y tejiendo sus cabriolas como él sabe,
causa asombro, pone espanto, roba fuerzas
y, entre el coro de los indios, sin que nadie
haga un gesto de reproche, llega al trono de Atahualpa
y salpica con espumas las insignias imperiales . . .
¡Los caballos eran fuertes!
¡Los caballos eran ágiles!

El caballo del beduino
que se traga soledades;
el caballo milagroso de San Jorge,
que tritura con sus cascos los dragones infernales;
el de César en las Galias;
el de Aníbal en los Alpes;
el centauro de las clásicas leyendas,
mitad potro, mitad hombre, que galopa sin cansarse
y que sueña sin dormirse
y que flecha los luceros y que corre más que el aire;
todos tienen menos alma,
menos fuerza, menos sangre
que los épicos caballos andaluces
en las tierras de la Atlántida salvaje,
soportando las fatigas,
las espuelas y las hambres,
bajo el peso de las férreas armaduras
y entre el fleco de los anchos estandartes,
cual desfile de heroísmo coronados
con la gloria de Babieca y el dolor de Rocinante . . .
En mitad de los fragores
decisivos del combate,

los caballos con sus pechos
arrollaban a los indios y seguían adelante;
y, así, a veces, a los gritos de ¡Santiago!,
entre el humo y el fulgor de los metales,
se veía que pasaba, como un sueño,
el caballo del Apóstol a galope por los aires . . .
¡Los caballos eran fuertes!
¡Los caballos eran ágiles!

Se diría una epopeya
de caballos singulares,
que a manera de hipogrifos desalados
o cual río que se cuelga de los Andes,
llegan todos,
empolvados, jadeantes,
de unas tierras nunca vistas
a otras tierras conquistables;
y, de súbito, espantados por un cuerno
que se hincha de huracanes,
dan nerviosos un relincho tan profundo,
que parece que quisiera perpetuarse . . .
y, en las pampas sin confines,
ven las tristes lejanías, y remontan las edades,
y se sienten atraídos por los nuevos horizontes,
se aglomeran, piafan, soplan . . . y se pierden al escape:
detrás de ellos una nube,
que es la nube de la gloria, se levanta por los aires . . .
¡Los caballos eran fuertes!
¡Los caballos eran ágiles!

("Alma América", 1906).

Las innovaciones ¿quién fue el primero? ¿quién se atrevió antes? de los Modernistas fueron muchas. Señalarlas en particular sobrepasaría a esta obra. Hagamos, en general, algunas observaciones:

Juan Pérez Bonalde tradujo, en 1887, en versos de dieciséis sílabas, "El cuervo", de Edgar Poe, cuya importancia innovadora es obvio destacar. Diego Vicente Tejera (cub. 1848-1903), en "Un ramo de violetas" (1871), empleó, dice Ureña, estrofas casi amorfas de versos cortos y se valió, además, de combinaciones y metros entonces no usuales como el dodecasílabo formado por cuatro cláusulas trisilábicas. En su poema "En la hamaca" revive la combinación estrófica usada por Jorge Manrique en las estancias a la muerte de su padre. Pero termina en palabra aguda los versos 3º y 6º. Gutiérrez Nájera se aficionó al verso de diez sílabas, compuesto de cinco más cinco: "Crepúsculo", "Lápida", "Del libro azul", "El hada verde" 1887), "La duquesa Job". Empleó, además, un verso de diez sílabas pero con distinto ritmo en "Ondas muertas" (1887) y en "Mariposas", del mismo año. Manejó el verso de doce sílabas compuesto de dos exasílabos en "De blanco" 1888) y "A la Corregidora" (1895). Salvador Díaz Mirón duplicó el decasílabo, utilizando versos de veinte sílabas, en "Gris perla", usó dieciséis sílabas en los versos de "La gigante" y el monorrimo en los tercetos endecasilábicos de "El fantasma". Ricardo Jaimes Freyre en "El canto del mal" usa versos compuestos de trece y dieciséis sílabas; en "Aeternum vale" renglones de quince, dieciséis y diecisiete sílabas, con un decasílabo interpolado de tanto en tanto. "Jaimes Freyre —dice Max Henríquez Ureña— renovó la teoría de la versificación: conforme a su tesis, los versos no se miden por cláusulas rítmicas, como en el sistema que ideó Andrés Bello y amplió Eduardo de la Barra, sino por períodos prosódicos, que no pueden tener más de ocho slabas. Se basa, para establecerlo así, en que los versos menores de nueve sílabas pueden mezclarse unos con otros cuando son de igual medida, aunque tenga ritmo diferente, sin ser ingratos al oído". José Santos Chocano creó un verso de diecisiete sílabas (siete más diez) en "Submarina". Ya vimos como en "Los caballos de los conquistadores", utiliza el metro elástico, con cláusula rítmica fija. Amado Nervo empleó en "El metro de doce" (en "Los jardines interiores 1905), como ya lo había hecho Lope de Vega, un dodecasílabo formado por cuatro cláusulas trisilábicas. En fin, Julián del Casal, utiliza el monorrimo en "En el campo", composición de 1893. En "La agonía de Petronio" usa sixtinas endecasílabas-rimando 1 con 2, 3 con 6 y 4 con 5. En "El camino de Damasco" usa serventesios lo mismo que en "Nihilismo". En "Crepuscular" cuartetos dodecasílabos, en versos de 12 sílabas, forma esta usada tímidamente por Gertrudis Gómez de Avellaneda, y preferidas por Casal después del endecasílabo y el octosílabo al modo de Boscán y Garcilaso. Según anota Rafael Estenger en "Poesías cubanas" (La Habana, 1948).

EL PRECIOSISMO MODERNISTA

La primera etapa del modernismo se caracteriza por la búsqueda del refinamiento, sinónimo de cultura, de inteligencia, de pensamiento profundo, que los poetas consideraban necesario para la todavía salvaje pero ya presente nacionalidad americana. Rubén Darío, con "Divagación" y "Era un aire suave" hace una especie de inventario de ese preciosismo más cercano al rococó francés y al español de fines del siglo XVIII, que a la escuela parnasiana que inspira a otros representantes del modernismo (como Guillermo Valencia) o de la Poesía de la Nación.

RUBEN DARIO

ERA UN AIRE SUAVE . . .

Era un aire suave, de pausados giros;
el hada Harmonía ritmaba sus vuelos,
e iban frases vagas y tenues suspiros
entre los sollozos de los violoncelos.

Sobre la terraza, junto a los ramajes,
diríase un trémulo de liras eolias
cuando acariciaban los sedosos trajes,
sobre el tallo erguidas, las blancas magnolias.

La marquesa Eulalia risas y desvíos
daba a un tiempo mismo para dos rivales:
el vizconde rubio de los desafíos
y el abate joven de los madrigales.

Cerca, coronado con hojas de viña,
reía en su máscara Término barbudo,
y como un efebo que fuese una niña,
mostraba una Diana su mármol desnudo.

Y bajo un boscaje del amor palestra,
sobre rico zócalo al modo de Jonia,
con un candelabro prendido en la diestra
volaba el Mercurio de Juan de Bolonia.

45

La orquesta perlaba sus mágicas notas;
un coro de sones alados se oía;
galantes pavanas, fugaces gavotas
cantaban los dulces violines de Hungría.

Al oír las quejas de sus caballeros,
ríe, ríe, ríe la divina Eulalia,
pues son su tesoro las flechas de Eros,
el cinto de Cipria, la rueca de Onfalia.

¡Ay de quien sus mieles y frases recoja!
¡Ay de quien del canto de su amor se fíe!
Con sus ojos lindos y su boca roja,
la divina Eulalia ríe, ríe, ríe.

Tiene azules ojos; es maligna y bella;
cuando mira, vierte viva luz extraña;
se asoma a sus húmedas pupilas de estrella
el alma del rubio cristal de Champaña.

Es noche de fiesta, y el baile de trajes
ostenta su gloria de triunfos mundanos.
La divina Eulalia, vestida de encajes,
una flor destroza con sus tersas manos.

El teclado armónico de su risa fina
a la alegre música de un pájaro iguala,
con los staccati de una bailarina
y las locas fugas de una colegiala.

¡Amoroso pájaro que trinos exhala
bajo el ala a veces ocultando el pico,
que desdenes rudos lanza bajo el ala,
bajo el ala aleve del leve abanico!

Cuando a media noche sus notas arranque
y en arpegios áureos gima Filomela,
y el ebúrneo cisne, sobre el quieto estanque,
como blanca góndola imprima su estela,

la marquesa alegre llegará al boscaje,
boscaje que cubre la amable glorieta
donde han de estrecharla los brazos de un paje,
que siendo su paje será su poeta.

Al compás de un canto de artista de Italia
que en la brisa errante la orquesta deslíe,
junto a los rivales, la divina Eulalia,
la divina Eulalia ríe, ríe, ríe.

¿Fue acaso en el tiempo del rey Luis de Francia,
sol con corte de astros, en campo de azur,
cuando los alcázares llenó de fragancia
la regia y pomposa rosa Pompadour?

¿Fue cuando la bella su falda cogía
con dedos de ninfa, bailando el minué,
y de los compases el ritmo seguía
sobre el tacón rojo, lindo y leve`el pie?

¿O cuando pastoras de florido valles
ornaban con cintas sus albos corderos,
y oían, divina Tirsis de Versailles,
las declaraciones de los caballeros?

¿Fue en ese buen tiempo de duques pastores,
de amantes princesas y tiernos galanes,
cuando entre sonrisas, y perlas, y flores,
iban las casacas de los chambelanes?

¿Fue acaso en el Norte o en el Mediodía?
Yo el tiempo y el día y el país ignoro,
pero sé que Eulalia ríe todavía,
¡y es cruel y eterna su risa de oro!

("*Prosas profanas*", 1896).

47

COLORES Y PALABRAS ANTAGONICAS

La utilización del color tenía un propósito impresionista definido: transmitir la sensación de un momento, fijar, captar el momento. A la vez, implicaba un símbolo pues el calificativo de color reemplazaba a otras expresiones o palabras "gastadas" por el uso o los demás poetas. Así como Rimbaud (en "Voyelles") identifica a los colores con las vocales, en los modernistas ciertas dignidades, estados espirituales, intenciones, se expresan mediante la "impresión" de un color (Gutiérrez Nájera, "El hada verde", Darío, "Sinfonía en gris mayor").

Tampoco debe considerarse una arbitraria búsqueda de originalidad la utilización del "calificativo raro", de las palabras antagónicas —de las que hay identificables ejemplos en todos los poemas de esta sección— que combinan dos vocablos que en apariencia no deberían ir juntos (pocas veces la unión implica una incorrección gramatical). Creemos que la adjetivación "rara" obedeció a la necesidad de ir más allá de las palabras del lenguaje común para comunicar atmósfera. Aquél fue el comienzo, todavía razonable, de las experiencias ultraístas y superrealistas —de Huidobro a Neruda— que intentaron años más tarde dar a conocer zonas ignotas del hombre. Martí habla de "pinos de luz", Darío de "el triunfo de los pavos reales", Díaz Mirón de "un ungüento de suaves caricias", etc. etc. La reiteración de una misma palabra o de un ritornello, como en "De blanco", de Gutiérrez Nájera, lleva igual intención.

En "Divagación" Rubén Darío hace más que un "inventario" del vocabulario preciosista usado por los modernistas de la primera época: es un poema que ejemplariza una estética, el calificativo raro, el color, y también —inconsciente— la visión superrealista del futuro: compárese este poema con "Fiesta popular de ultratumba", de Herrera y Reissig (la construcción es similar), y haciendo abstracción del vocabulario "rubendariano" véase como las imágenes se escapan a terrenos explorados posteriormente.

MANUEL GUTIERREZ NAJERA

DE BLANCO

¿Qué cosa más blanca que cándido lirio?
¿Qué cosa más pura que místico cirio?
¿Qué cosa más casta que tierno azahar?
¿Qué cosa más virgen que leve neblina?
¿Qué cosa más santa que el ara divina de gótico altar?

De blancas palomas el aire se puebla;
con túnica blanca, tejida de niebla,
se envuelve a lo lejos feudal torreón;
erguida en el huerto la trémula acacia,
al soplo del viento sacude con gracia su níveo pompón.

¿No ves en el monte la nieve que albea?
La torre muy blanca domina la aldea;
las tiernas ovejas triscando se van;
de cisnes intactos el lago se llena;
columpia su copa la enhiesta azucena,
y su ánfora inmensa levanta el volcán.

Entremos al templo: la hostia fulgura;
de nieve parecen la canas del cura,
vestido con alba de lino sutil;
cien niñas hermosas ocupan las bancas,
y todas vestidas con túnicas blancas
en ramos ofrecen las flores de Abril.

Subamos al coro; la Virgen propicia
escucha los rezos de casta novicia,
y el cristo de mármol expira en la cruz;
sin mancha se yerguen las velas de cera;
de encaje es la tenue cortina ligera
que ya transparenta del alba la luz.

Bajemos al campo: tumulto de plumas,
parece el arroyo de blancas espumas
que quiere, cantando, correr y saltar;
su airosa mantilla de fresca neblina
terció la montaña; la vela latina
de barca ligera se pierde en el mar.

Ya salta del lecho la joven hermosa,
y el agua refresca sus hombros de diosa,
sus brazos ebúrneos, su cuello gentil.
Cantando y risueña se ciñe la enagua,
y trémulas brillan las gotas del agua
en su árabe peine de blanco marfil.

¡Oh mármol! ¡Oh nieves! ¡Oh inmensa blancura,
que esparces doquiera tu casta hermosura!
¡Oh tímida virgen! ¡Oh casta vestal!
Tú estás en la estatua de eterna belleza;
de tu hábito blando nació la pureza,
¡al ángel das alas, sudario al mortal!

Tú cubres al niño que llega a la vida,
coronas las sienes de fiel prometida,
al paje revistes de rico tisú.
¡Qué blancos son, reinas, los mantos de armiño!
¡Qué blanca es, ¡oh madres!, la cuna del niño!
¡Qué blanca, mi amada, qué blanca eres tú!

En sueños ufanos de amores contemplo
alzarse muy blancas las torres de un templo
y oculto entre lirios abrirse un hogar;
y el velo de novia prenderse a tu frente,
cual nube de gasa que cae lentamente
y viene en tus hombros su encaje a posar.

(1888 "Poesías", 1896).

RUBEN DARIO

DIVAGACION

¿Vienes? Me llega aquí, pues que suspiras,
un soplo de las mágicas fragancias
que hicieron los delirios de las liras
en las Grecias, las Romas y las Francias.

¡Suspira así! Revuelen las abejas,
al olor de la olímpica ambrosía,
en los perfumes que en el aire dejas;
y el dios de piedra se despierte y ría.

Y el dios de piedra se despierte y cante
la gloria de los tirsos florecientes
en el gesto ritual de la bacante
de rojos labios y nevados dientes.

En el gesto ritual que en las hermosas
Ninfalias guía a la divina hoguera,
hoguera que hace llamear las rosas
en las manchadas pieles de pantera.

Y pues amas reír, ríe, y la brisa
lleve el son de los líricos cristales
de tu reir, y haga temblar la risa
la barba de los Términos joviales.

. . . .
¿Te gusta amar en griego? Yo las fiestas
galantes busco, en donde se recuerde,
al suave son de rítmicas orquestas,
la tierra de la luz y el mirto verde.

(Los abates refieren aventuras
a las rubias marquesas. Soñolientos
filósofos defienden las ternuras
del amor con sutiles argumentos,

mientras que surge de la verde grama,
en la mano el acanto de Corinto,
una ninfa a quien puso un epigrama
Beaumarchais sobre el mármol de su plinto.

Amo más que la Grecia de los griegos
la Grecia de la Francia, porque en Francia,
al eco de las Risas y los Juegos,
su más dulce licor Venus escancia.

Demuestran más encantos y perfidias,
coronadas de flores y desnudas,
las diosas de Clodión que las de Fidias;
unas cantan francés, otras son mudas.

Verlaine es más que Sócrates; y Arsenio
Houssaye supera al viejo Anacreonte.
En París reinan el Amor y el Genio.
Ha perdido su imperio el dios bifronte.

("Prosas Profanas", 1896).

INTIMIDAD MODERNISTA

Junto con el preciosismo del vocabulario, con la simbología del cisne, con la utilización de metros y palabras desusados, la intimidad en la descripción de ambientes es una de las características del modernismo. Esta intimidad es menos impresionista de lo que podría suponerse y menos decadente de lo que hoy parece. Hereda del romanticismo, de la novela romántica en especial, el misterio y el exotismo ambiental pero no es un invento total de los poetas en busca de "sensaciones". La decoración finisecular, la decoración de "la belle époque" a la cual imitaban las grandes familias agropecuarias de América, era recargada, abundaban los *blanc-de-chine*, las telas egipcias o persas, las plumas y las sedas. Afirmar que aquellos eran decorados decadentes de una época que se deshacía es muy discutible: tan decadente como los cromados de la década del treinta. Era una moda. Y esa moda se traslucía en la ambientación modernista, correspondía a una estética de la época. Agréguese a esto que muchas palabras que hoy se nos antojan añejas, "decadentes", como las que emplea Leopoldo Lugones en "El solterón" eran de uso corriente en aquel entonces y se usaban con un sentido más realista que impresionista (para ubicar al personaje cuyo estado espiritual se quería mostrar, como en "Leyendo a Silva", de Valencia). Adviértase la similitud en el proceso creador de los poemas que transcribimos.

Recordemos también que casi sin excepción los poetas del movimiento modernista tienen muy bellos y claros poemas con paisajes luminosos, quizás —en muchos casos— más imaginados e imprecisos que los parisinos interiores de los poemas que van a leerse.

JOSE ASUNCION SILVA

TALLER MODERNO

Por el aire del cuarto, saturado
de un olor de vejeces peregrino,
del crepúsculo el rayo vespertino
va a desteñir los muebles de brocado.

El piano está del caballete al lado
y de un busto del Dante el perfil fino,
del arabesco azul de un jarro chino,
medio oculta el dibujo complicado.

Junto al rojizo orín de una armadura,
hay un viejo retablo, donde inquieta,
brilla la luz del marco en la moldura,

y parecen clamar por un poeta
que improvise del cuarto la pintura
las manchas de color de la paleta.

("Poesías", edición póstuma, 1908)

RUBEN DARIO

DE INVIERNO

En invernales horas, mirad a Carolina.
Medio apelotonada, descansa en el sillón,
envuelta con su abrigo de marta cibelina
y no lejos del fuego que brilla en el salón.

El fino angora blanco junto a ella se reclina,
rozando con su hocico la falda de Alencon,
no lejos de las jarras de porcelana china
que medio oculta un biombo de seda del Japón.

Con sus sutiles filtros la invade un dulce sueño:
entro, sin hacer ruido; dejo mi abrigo gris;
voy a besar su rostro, rosado y halagüeño
como una rosa roja que fuera flor de lis;
abre los ojos; mírame, con su mirar risueño,
y en tanto cae la nieve del cielo de París.

("Azul", 1890).

JULIAN DEL CASAL

NEUROSIS

Noemí, la cálida pecadora
de los cabellos color de aurora
y las pupilas de verde mar,
entre cojines de raso lila,
con el espíritu de Dalila
deshoja el cáliz de un azahar.

Arde a sus plantas la chimenea
donde la leña chisporrotea
lanzando en torno seco rumor,
y alzada tiene su tapa el piano
en que vaga su blanca mano
cual mariposa de flor en flor.

Un biombo rojo de seda china
abre sus hojas en una esquina
con grullas de oro volando en cruz,
y en curva mesa de fina laca
ardiente lámpara se destaca
de la que surge rosada luz.

Blanco abanico y azul sombrilla,
con unos guantes de cabritilla,
yacen encima del canapé,
mientras en taza de porcelana,
hecha con tintes de la mañana,
humea el alma verde del te.

Pero ¿qué piensa la hermosa dama?
¿Es que su príncipe ya no la ama
como en los días de amor feliz,
o que en los cofres del gabinete
ya no conserva ningún billete
de los que obtuvo por un desliz?

¿Es que la rinde cruel anemia?
¿Es que en sus búcaros de Bohemia
rayos de luna quiere encerrar,
o que, con suave mano de seda,
del blanco cisne que amaba Leda
ansía las plumas acariciar?

¡ay!, es que en horas de desvarío
para consuelo del regio hastío
que en su alma esparce quietud mortal,
un sueño antiguo la ha aconsejado
beber en copa de ónix labrado
la roja sangre de un tigre real.

("Bustos y rimas", 1893)

LEYENDO A SILVA

Vestía traje suelto de recamado biso
en voluptuosos pliegues de un color indeciso,

y en el diván tendida, de rojo terciopelo,
sus manos, como vivas parásitas de hielo,

sostenían un libro de corte fino y largo,
un libro de poemas delicioso y amargo,

. . . .

sus cuerpos de serpiente dilatan las mayúsculas
que desde el ancho margen acechan las minúsculas,

o trazan por los bordes caminos plateados
los lentos caracoles, babosos y cansados.

. . . .

La luna, como un nimbo de Dios, desde el Oriente
dibuja sobre el llano la forma evanescente

de un lánguido mancebo que el tardo paso guía,
como buscando un alma, por la pampa vacía.

Busca a su hermana; un día la negra Segadora
—sobre la mies que el beso primaveral enflora—

abatiendo sus alas, sus alas de murciélago.
hirió a la virgen pálida sobre el dorado piélago,

que cayó como un trigo . . . Amiguitas llorosas
la vistieron de lirios, la ciñeron de rosas;

céfiro de las tumbas, un bardo israelita
le cantó cantos tristes de la raza maldita

a ella, que en su lecho de gasas y de blondas,
se asemejaba a Ofelia mecida por las ondas;

por ella va buscando su hermano entre las brumas,
de unas alitas rotas las desprendidas plumas,

y por ella . . . "Pasemos esta doliente hoja
que mi ser atormenta, que mi sueño acongoja",

dijo entre sí la dama del recamado biso
en voluptuosos pliegues de color indeciso,

y prosiguió del libro las hojas volteando,
que ensalza en áureas rimas de son calino y blando

los perfumes de Oriente, los vívidos rubíes
y los joyeros mórbidos de sedas carmesíes.
Leyó versos que guardan como gastados ecos
de voces muertas; cantos a ramilletes secos

que hacen crujir, al tacto, cálices inodoros;
metros que reproducen los gemebundos coros

de las locas campanas que en El día de Difuntos
despiertan con sus voces los muertos cejijuntos

lanzados en racimos entre las sepulturas
a beberse la sombra de sus noches oscuras . . .

. . . .

. . . Y en el diván tendida, de rojo terciopelo,
sus manos, como vivas parásitas de hielo,

doblaron lentamente la página postrera
que, en gris, mostraba un cuervo sobre una calavera . . .

y se quedó pensando, pensando en la amargura
que acendran muchas almas; pensando en la figura

del bardo, que en la calma de una noche sombría,
puso fin al poema de su melancolía.

("Ritos" 1914).

EL SOLTERON

Largas brumas violetas
flotan sobre el río gris,
y allá en las dársenas quietas
sueñan oscuras goletas
con un lejano país.

El arrabal solitario
tiene la noche a sus pies,
y tiembla su campanario
en el vapor visionario
de ese paisaje holandés.

El crepúsculo perplejo
entra a una alcoba glacial,
en cuyo empañado espejo
con soslayado reflejo
turba el agua del cristal.

58

El lecho blanco se hiela
junto al siniestro baúl,
y en su herrumbrada tachuela
envejece una acuarela
cuadrada de felpa azul.

En la percha del testero,
el crucificado frac
exhala un fenol severo,
y sobre el vasto tintero
piensa un busto de Balzac.

La brisa de las campañas
con su aliento de clavel
agita las telarañas
que son inmensas pestañas
del desusado ˙cancel.

Allá por las nubes rosas
las golondrinas, en pos
de invisibles mariposas,
trazan letras misteriosas
como escribiendo un adiós.

En la alcoba solitaria,
sobre un raído sofá
de cetrona centenaria,
junto a su estufa precaria,
meditando un hombre está.

Tendido en postura inerte
masca su pipa de boj,
y en aquella calma advierte
¡Qué cercana está la muerte
del silencio del reloj!

En su garganta reseca
gruñe una biliosa hez,
y bajo su frente hueca
la verdinegra jaqueca
maniobra un largo ajedrez.

¡Ni un gorjeo de alegrías!
¡Ni un clamor de tempestad!
Como en las cuevas sombrías,
en el fondo de sus días
bosteza la soledad.

Y con vértigos extraños,
en su confusa visión
de insípidos desengaños,
ve llegar los grandes años
con sus cargas de algodón.

. . . .

En el desolado río
se agrisa el tono punzó
del crepúsculo sombrío,
como un imperial hastío
sobre un otoño de gro.

Y el hombre medita. Es ella
la visión triste que en un
remoto nimbo descuella:
es una ajada doncella
que le está aguardando aún.

Vago vapor le amilana,
y va a escribirla por fin
desde su informe nirvana . . .
La carta saldrá mañana
y en la carta irá un jazmín.

La pluma en sus dedos juega;
ya el pliego tiene el doblez
y su alma en lo azul navega.
A los veinte años de brega
va a decir "tuyo" otra vez.

No será trunca ni ambigua
su confidencia de amor
sobre la vitela exigua.
¡Si esa carta es muy antigua! . . .
Ya está turbio el borrador.

Tendrá su deleite loco,
blancas sedas de amistad
para esconder su ígneo foco.
La gente reirá un poco
de esos novios de otra edad.

Ella, la anciana, en su leve
candor de virgen senil,
será un alabastro breve.
Su aristocracia de nieve
nevará un tardío abril.

Sus canas, en paz suprema,
a la alcoba sororal
darán olor de alhucema,
y estará en la suave yema
del fino dedo el dedal.

Cuchicheará a ras del suelo
su enagua un vago fru-frú,
¡y con qué afable consuelo
acogerá el terciopelo
su elegancia de bambú! . . .

Así está el hombre soñando
en el aposento aquel,
y su sueño es dulce y blando;
mas la noche va llegando
y aún está blanco el papel.

Sobre su visión de aurora,
un tenebroso crespón
los contornos descolora,
pues la noche vencedora
se le ha entrado al corazón.

Y como enturbiada espuma,
una idea triste va
emergiendo de su bruma:
¡Qué mohosa está la pluma!
¡La pluma no escribe ya!

(*Los crepúsculos del jardín, 1905*).

EROTICA

Los modernistas, a medida que de las marquesas y los cisnes pasan a redescubrir el paisaje americano, introducen imágenes eróticas de positivo riesgo, sin temor al escándalo. El afrancesamiento de la sociedad, la debilidad de la Iglesia (aparentemente fuerte, pero apoltronada y a la vez atacada por el liberalismo político e intelectual de la época), la pacatería burguesa, más ficticia que real que comenzaba a sentir el impacto de las transformaciones sociales, permitieron este tipo de poesía que asombra en España donde ningún poeta culto desde hacía muchos años se había atrevido a tanto.

La influencia del naturalismo y del realismo en la novela —es el apogeo de Emilio Zola— hacen que la figura de la mujer deje de ser idealizada como en los románticos y sea sustituída por una carnalidad directa. Ejemplos de esto se encuentran en Martí: "Mucho señora, daría . . ."; Casal: "Júpiter y Europa", "La hembra" Nájera: "Para un menú"; Silva: "Ronda", "Dime"; Darío: "Leda", "La hembra del pavo real"; Valencia: "Palemón, el Estilita"; Lugones: "Oceánida":

Al mismo tiempo que un desencanto respecto a la mujer sustituye a la idealización romántica —es una idealización al revés la de los modernistas, una visión negativa— el perenne romanticismo de América hace que los poetas se lamenten de la decepción que sufren. El resultado será la reanudación del romanticismo, de la poesía amorosa, en la postguerra de 1914 (con figuras como el argentino Arturo Capdevila, por ejemplo), con una nueva idealización femenina, y la puesta en orden de las cosas por las mujeres, que protestan por igual frente a la idealización como ante la condenación que su sexo sufre.

JOSE MARTI

AMOR DE CIUDAD GRANDE

De gorja son y rapidez los tiempos.
Corre cual luz la voz; en alta aguja,
cual nave despeñada en sirte horrenda,
húndese el rayo, y en ligera barca
el hombre, como alado, el aire hiende.
¡Así el amor, sin pompa ni misterio
muere, apenas nacido, de saciado!
¡Jaula es la villa de palomas muertas
y ávidos cazadores! ¡Si los pechos
se rompen de los hombres, y las carnes
rotas por tierra ruedan, no han de·verse
dentro más que frutillas estrujadas!

Se ama de pie, en las calles, entre el polvo
de los salones y las plazas muere
la flor el día en que nace. Aquella virgen
trémula que antes a la muerte daba
la mano pura que a ignorado mozo;
el goce de temer aquel salirse
del pecho el corazón; el inefable
placer de merecer el grato susto
de caminar de prisa en derechura
del hogar de la amada, y a sus puertas
como un niño feliz romper en llanto;
y aquel mirar, de nuestro amor al fuego,
irse tiñendo de color las rosas, .
¡ea que son patrañas! Pues, ¿quién tiene
tiempo de ser hidalgo? ¡Bien que sienta,
cual áureo vaso o lienzo suntuoso,
dama gentil en casa de magnate!
¡O si se tiene sed, se alarga el brazo
y a la copa que pasa se la apura!
Luego, la copa turbia al polvo rueda,
¡y el hábil catador —manchado el pecho
de una sangre invisible— sigue alegre,

coronado de mirtos, su camino!
¡No son los cuerpos ya sino desechos,
y fosas, y jirones! ¡Y las almas
no son como en el árbol fruta rica
en cuya blanda piel la almíbar dulce
en su sazón de madurez rebosa,
sino fruta de plaza que a brutales
golpes el rudo labrador madura!

¡La edad es ésta de los labios secos!
¡De las noches sin sueño! ¡De la vida
estrujada en agraz! ¿Qué es lo que falta
que la ventura falta? Como liebre
azorada, el espíritu se esconde,
trémulo huyendo al cazador que ríe,
cual en soto selvoso, en nuestro pecho;
y el deseo, de brazo de la fiebre,
cual rico cazador recorre el soto.
¡Me espanta la ciudad! ¡Toda está llena
de copas por vaciar, o huecas copas!

Tengo miedo, ¡ay de mí!, de que este vino
tósigo sea, y en mis venas luego
cual duende vengador los dientes clave!
¡Tengo sed, mas de un vino que en la tierra
no se sabe beber! ¡No he padecido
bastante aún, para romper el muro
que me aparta, ¡oh dolor! de mi viñedo!
¡Tomad vosotros, catadores ruines
de vinillos humanos, esos vasos
donde el jugo de lirio a grandes sorbos
sin compasión y sin temor se bebe!
¡Tomad! ¡Yo soy honrado, y tengo miedo!

("Versos libres", 1882).

Adviértase cuán interesante y conmovedor es este poema de Martí. La transformación de la sociedad en que vive llega a asustarlo: lo material triunfa sobre lo espiritual y lo deja insatisfecho.

El amor, al perder su misterio, se convierte en "copa vacía". La mujer decepciona al liberarse. A la inquietud del gran poeta cubano sucede paulatinamente una mayor tranquilidad para tratar estos temas eróticos: del exotismo de Darío, simbólico, al desencanto de Gutiérrez Nájera, o a la firmeza masculina, audaz, de Leopoldo Lugones.

RUBEN DARIO

LA HEMBRA DEL PAVO REAL

En Ecbatana fue una vez,
o más bien creo que en Bagdad . . .
Era en una rara ciudad,
bien Samarcanda o quizás Fez.

La hembra del pavo real
estaba en el jardín desnuda
mi alma amorosa estaba muda
y habló la fuente de cristal.

Habló con su trino y su alegro
y su stacatto y son sonoro,
y venían del bosque negro
voz de plata y llanto de oro.

La desnuda estaba divina,
salomónica y oriental:
era una joya diamantina
la hembra del pavo real.

Los brazos eran dos poemas
ilustrados de ricas gemas.
Y no hay un verso que concentre
el trigo y albor de palomas,
y lirios y perlas y aromas,
que había en los senos y el vientre.

Era una voluptuosidad
que sabía a almendra y a nuez
y a vinos que gustó Simbad . . .
En Ecbatana fue una vez,
o más bien creo que en Bagdad.

En las gemas resplandecientes
de las colas de los pavones
caían gotas de las fuentes
de los Orientes de ilusiones.

La divina estaba desnuda.
Rosa y nardo dieron su olor . . .
Mi alma estaba extasiada y muda
y en el sexo ardía una flor.

En las terrazas decoradas
con un gesto extraño y fatal
fue desnuda ante mis miradas
la hembra del pavo real.

("El canto errante", 1907).

MANUEL GUTIERREZ NAJERA

PARA UN MENU

¡Las novias pasadas son copas vacías;
en ellas pusimos un poco de amor;
el néctar tomamos . . . huyeron los días . . .
traed otras copas con nuevo licor!

Champagne son las rubias de cutis de azalia;
Borgoña los labios de vivo carmín;
los ojos oscuros son vino de Italia,
¡los verdes y claros son vino del Rhin!

Las bocas de grana son húmedas fresas,
las negras pupilas escancian café,
son ojos azules las llamas traviesas
¡que trémulas corren como almas del té!

67

La copa se apura, la dicha se agota;
de un sorbo tomamos mujer y licor . . .
Dejemos las copas . . . Si queda una gota,
¡que beba el lacayo las heces de amor!

(1888)

LEOPOLDO LUGONES

OCEANIDA

El mar, lleno de urgencias masculinas,
bramaba alrededor de tu cintura,
y como un brazo colosal, la oscura
ribera te amparaba. En tus retinas

y en tus cabellos, y en tu astral blancura
rieló con decadencias opalinas,
esa luz de las tardes mortecinas
que el agua pacífica perdura.

Palpitando a los ritmos de tu seno,
hinchóse en una ola el mar sereno;
para hundirte en sus vértigos felinos

su voz te dijo una caricia vaga,
y al penetrar entre tus muslos finos,
la onda se aguzó como una daga.

("*Los crepúsculos del jardín*", 1905).

ENRIQUE GONZALEZ MARTINEZ

PARABOLA DE LA CARNE FIEL

Aquel que celebra sus nupcias en la hora
de la otoñal cordura, ceñido de laurel,
bajó la vista al suelo . . . La carne pecadora
se acurrucó a sus plantas como una bestia fiel.

Posó en ella los ojos y dijo: "Bienvenida",
¡Oh, sangre de mi sangre! Yo te ofrezco un sitial
cerca del mío; siéntate, pobre carne dolida
que hueles a mi santa noche primaveral.

Cuando mis sueños iban a la estelar techumbre
y en fuga aventurera se embriagaba el añil;
tú fijabas mis pasos a la tierra hecha lumbre,
pujante y lujuriosa bajo el soplo de abril.

¡Oh, fenecidas horas que vivís en presente!
¡Labios de miel y grana como fresco botón!
¡Senos de nardo y rosa en que posé la frente!
¡Brazos que érais guirnaldas para mi corazón!

Me diste el sabor íntegro de la virtud completa
la dualidad que mira de frente al porvenir
fundiste en tus crisoles: al hombre y al poeta,
en un afán de canto y un ansia de vivir.

Tú morirás un día, ¡oh, carne pecadora!
cuando en silencio el alma no sepa ya cantar,
cuando la esfinge muda, cogiendo la sonora
lira de nuestras manos, la precipite al mar.

Mas hoy ven a mi lado y goza de mi fiesta;
bebe en mi propio vaso la ola de carmín
en que fermenta el ósculo . . . ¡Acaso será ésta
la postrimera copa del último festín!

("Parábolas", 1919).

CONFESION Y MESIANISMO

La consecuencia, a veces fatal, de la pseudo torre de marfil en que se aislan los modernistas es el desasosiego, la angustia, los sueños frustrados. De esto nacen los poemas de tipo confesional y algo mesiánicos. No son autobiográficos aunque lo parezcan (los modernistas son más introvertidos de lo que vulgarmente se cree al leer sus "declaraciones" de principios). No pretenden tampoco definir al movimiento (que no es una escuela, ni tiene reglas estrictas como las enunciadas por Verlaine o Breton para el simbolismo o el superrealismo). Muestran una aspiración —lo que debería ser— seguida la mayoría de las veces de una confesión de impotencia o derrota. Suelen, asimismo, anunciar un cambio de modalidad en la mente del poeta; y formular la oferta de nuevos principios. El ejemplo mejor de esto es el poema inicial de "Cantos de vida y esperanza" (1905). En él, Darío no solamente anuncia su cambio hacia el Mundonovismo (los poemas nacionalistas y antiimperialistas, con los problemas de América tratados poéticamente), sino que hacen una recapitulación de su poética anterior y sin renegar de ella —porque nadie se cambia el alma como un traje— da un adiós a sus encantadores cisnes y avanza hacia el nuevo mundo que se le presenta, arrastrando tras de sí —y siendo arrastrado— a la mayoría de los poetas de su tiempo. Obsérvese que el poema está dedicado a José Enrique Rodó, el gran enunciador de la teoría americanista con su libro "Ariel" (1900).

Adviértase la oposición entre la estética "comprometida" —como se diría hoy— de Martí, llena de luminosidad, de optimismo, de fe en el hombre imperfecto, con la de Julián del Casal, temeroso, inseguro, sensual, frustrado, a pesar de su inspiración excepcional. Véase que el sentimiento de "compromiso" que va a eclosionar con el mundovinismo aparece claramente expresado en "Sursum", de Salvador Díaz Mirón, hombre de combate, americanista de alma (y como Darío, Díaz Mirón dedica su famoso poema a un prohombre de América: Justo Sierra).

JOSE MARTI

VERSOS SENCILLOS

I

Yo soy un hombre sincero
de donde crece la palma;
y antes de morirme, quiero
echar mis versos del alma.

Yo vengo de todas partes,
y hacia todas partes voy:
arte soy entre las artes;
en los montes, monte soy.

Yo sé los nombres extraños
de las yerbas y las flores,
y de mortales engaños,
y de sublimes dolores.

Yo he visto en la noche oscura
llover sobre mi cabeza
los rayos de lumbre pura
de la divina belleza.

Alas nacer vi en los hombros
de las mujeres hermosas,
y salir de los escombros,
volando, las mariposas.

He visto vivir a un hombre
con el puñal al costado,
sin decir jamás el nombre
de aquella que lo ha matado.

Rápida, como un reflejo,
dos veces vi el alma, dos:
cuando murió el pobre viejo,
cuando ella me dijo adiós.

Temblé una vez —en la reja,
a la entrada de la viña—,
cuando la bárbara abeja
picó en la frente a mi niña.

Gocé una vez, de tal suerte
que gocé cual nunca: cuando
la sentencia de mi muerte
leyó el alcaide llorando.

Oigo un suspiro a través
de las tierras y la mar,
y no es un suspiro: es
que mi hijo va a despertar.

Si dicen que del joyero
tome la joya mejor,
tomo a un amigo sincero
y pongo a un lado el amor.

Yo he visto al águila herida
volar al azul sereno,
y morir en su guarida
la víbora del veneno.

Yo sé bien que cuando el mundo
cede, lívido, al descanso,
sobre el silencio profundo
murmura el arroyo manso.

Yo he puesto la mano osada,
de horror y júbilo yerta,
sobre la estrella apagada
que cayó frente a mi puerta.

Oculto en mi pecho bravo
la pena que me lo hiere:
el hijo de un pueblo esclavo
vive por él, calla y muere.

Todo es hermoso y constante,
todo es música y razón,
y todo, como el diamante,
antes que luz es carbón.

Yo sé que el necio se entierra
con gran lujo y con gran llanto,
y que no hay fruta en la tierra
como la del camposanto.

Callo, y entiendo, y me quito
la pompa del rimador;
cuelgo de un árbol marchito
mi muceta de doctor.

V

Si ves un monte de espumas,
es mi verso lo que ves:
mi verso es un monte, y es
un abanico de plumas.

Mi verso es como un puñal
que por el puño echa flor:
mi verso es un surtidor
que da un agua de coral.

Mi verso es de un verde claro
y de un carmín encendido:
mi verso es un ciervo herido
que busca en el monte amparo.

Mi verso al valiente agrada;
mi verso, breve y sincero,
es del vigor del acero
con que se funde la espada.
              (1891)

JULIAN DEL CASAL

EN EL CAMPO

Tengo el impuro amor de las ciudades,
y a este sol que ilumina las edades
prefiero yo del sol las claridades.

A mis sentidos lánguidos arroba,
más que el olor de un bosque de caoba,
el ambiente enfermizo de una alcoba.

Mucho más que las selvas tropicales,
plácenme los sombríos arrabales
que encierran las vetustas capitales.

A la flor que se abre en el sendero,
como si fuese terrenal lucero,
olvido por la flor de invernadero.

Más que la voz del pájaro en la cima
de un árbol todo en flor, a mi alma anima
la música armoniosa de una rima.

Nunca a mi corazón tanto enamora
el rostro virginal de una pastora,
como un rostro de regia pecadora.

Al oro de la mies en primavera,
yo siempre en mi capricho prefiriera
el oro de teñida cabellera.

No cambiara sedosas muselinas
por los velos de nítidas neblinas
que la mañana prende en las colinas.

Más que el raudal que baja de la cumbre,
quiero oír a la humana muchedumbre
gimiendo en su perpetua servidumbre.

El rocío que brilla en la montaña
no ha podido decir a mi alma extraña
lo que el llanto al bañar una pestaña.

Y el fulgor de los astros rutilantes
no trueco por los vívidos cambiantes
del ópalo, la perla o los diamantes.

("Bustos y rimas", 1893).

Del Casal, es, seguramente, el mejor ejemplo del poeta "decadente", descreído y angustiado por ese afán de cultura y refinamiento que atacó a los modernistas —"la fiebre americana" la hemos llamado— y "En el campo" es su poema más característico. "Las flores del mal" están aquí presentes (Baudelaire influyó a veces directamente a los modernistas como en "Ejemplo", de Salvador Díaz Mirón, de su libro "Lascas" (1906).

El "escapismo", anatema lanzado contra el modernismo, existió, evidentemente pero en poetas como Del Casal, enfermos, temerosos de la vida, o en Herrera y Reissig, capaz de encerrarse en una "torre de los panoramas" para huír la responsabilidad de la vida diaria, de relación. Pero, de una manera activa o espiritual, los poetas del modernismo, como los del postmodernismo, participaron activamente del ambiente circundante. Otro ejemplo del escapismo de Julián del Casal es su poema "Nostalgias".

MANUEL GUTIERREZ NAJERA

PARA ENTONCES

Quiero morir cuando decline el día
en alta mar y con la cara al viento;
donde parezca sueño la agonía,
y el alma, un ave que remonta el vuelo.

No escuchar en los últimos instantes,
ya con el cielo y con el mar a solas,
más voces ni plegarias sollozantes
que el majestuoso tumbo de las olas.

Morir cuando la luz, triste retira
sus áureas redes de la onda verde,
y ser como ese sol que lento expira:
algo muy luminoso que se pierde.

Morir, y joven antes que destruya
el tiempo aleve la gentil corona;
cuando la vida dice aún: soy tuya,
aunque sepamos bien que nos traiciona.
(1887. Publicado en "Poesías", en 1896).

SALVADOR DIAZ MIRON

SURSUM

A Justo Sierra (Fragmento)

Sacro blandón que en la capilla austera
arde sin tregua como ofrenda clara,
y consume su pábilo y su cera
por disipar la lobreguez del ara;
vaso glorioso en donde Dios resume
cuanto es amor, y que para alto ejemplo
gasta y pierde su llama y su perfume
por incensar en derredor el templo;
sublime Don Quijote que ambiciona
caer al fin entre el fragor del rayo,
torcida y despuntada la tizona
y abierto y rojo por delante el sayo;
ave fénix que en fúlgidas empresas
aviva el fuego de su hoguera dura
y muere convirtiéndose en pavesas
de que renace victoriosa y pura . . .
¡Eso es el bardo en su fatal destierro!
Cantar a Filis por su dulce nombre
cuando grita el clarín: ¡despierta, hierro!
¡Eso no es ser poeta ni ser hombre!

. . . .

76

¡Rompe en un himno que parezca un trueno!
El mal que impera de la choza al solio;
todo es dolor o iniquidad o cieno:
pueblo, tropa, senado y capitolio.
¡Canta la historia al porvenir que asoma,
como Suetonio y Tácito la escriben!
¡Cántala así, mientras en esta Roma
Tiberios reinen y Seyanos priven!
¡Abre la puerta al entusiasmo ausente,
mueve de un grito el desusado gonce,
y como a chorros de fusión ardiente,
vierte en los miembros el vigor del bronce!
¡Derrama el verbo cuyos soplos crean
la fe que anima y el valor que salva,
y que a tu acento nuestras almas sean
como tinieblas que atraviesa el alba!
Para el poeta de divina lengua
nada es estéril, ni la misma escoria,
si cuando bulle en derredor es mengua,
sobre esa mengua esparcirás la gloria!

(1884).

El tono de "Sursum" puede confundirse con el de la poesía patriótica. Díaz Mirón, enemigo de Porfirio Díaz, luchó apasionadamente. Fue a la cárcel y su proceso duró cuatro años —en legítima defensa disparó un tiro a un adversario político—, cuando salió ya el modernismo se había adueñado de él: publicó "Lascas" (1901). Sin embargo, es una incitación a adoptar una conducta, más que a luchar por la libertad —obviamente implicada en el concepto principal— lo que enuncia Díaz Mirón, que en "A Gloria" expone otra faz de su "confesión" y "mesianismo". Este poema podría situarse con "Los cisnes" y "A Roosevelt" de Darío, por la repercusión que tuvo en la incipiente poesía nacionalista.

RUBEN DARIO

CANTOS DE VIDA Y ESPERANZA

A J. Enrique Rodó.

I

Yo soy aquel que ayer no más decía
el verso azul y la canción profana,
en cuya noche un ruiseñor había
que era alondra de luz por la mañana.

El dueño fuí de mi jardín de sueño,
lleno de rosas y de cisnes vagos;
el dueño de las tórtolas, el dueño
de góndolas y liras en los lagos;

y muy siglo diez y ocho, y muy antiguo,
y muy moderno; audaz, cosmopolita
con Hugo fuerte y con Verlaine ambiguo,
y una sed de ilusiones infinita.

. . . .

En mi jardín se vió una estatua bella;
se juzgó mármol y era carne viva;
un alma joven habitaba en ella,
sentimental, sensible, sensitiva.

. . . .

Como la Galatea gongorina
me encantó la marquesa verleniana,
y así juntaba a la pasión divina
una sensual hiperestesia humana;

todo ansia, todo ardor, sensación pura
y vigor natural; y sin falsía,
y sin comedia y sin literatura . . . :
si hay un alma sincera esa es la mía.

La torre de marfil tentó mi anhelo;
quise encerrarme dentro de mí mismo,
y tuve hambre de espacio y sed de cielo
desde las sombras de mi propio abismo.

. . . .

Mi intelecto libré de pensar bajo,
bañó el agua castalia el alma mía,
peregrinó mi corazón y trajo
de la sagrada selva la armonía.

¡Oh, la selva sagrada! ¡Oh, la profunda
emanación del corazón divino
de la sagrada selva! ¡Oh, la fecunda
fuente cuya virtud vence al destino!

. . . .

El alma que entra allí debe ir desnuda,
temblando de deseo y fiebre santa,
sobre cardo heridor y espina aguda:
así sueña, así vibra y así canta.

Vida, luz y verdad, tal triple llama
produce la interior llama infinita;
el arte puro como Cristo exclama:
Ego sum lux et veritas et vita!

Y la vida es misterio; la luz ciega
y la verdad inaccesible asombra;
la adusta perfección jamás se entrega
y el secreto ideal duerme en la sombra.

Por eso ser sincero es ser potente;
de desnuda que está, brilla la estrella
el agua dice el alma de la fuente
en la voz de cristal que fluye d'ella.

Tal fue mi intento, hacer del alma pura
mía una estrella, una fuente sonora,
con el horror de la literatura
y loco de crepúsculo y de aurora.

Pasó una piedra que lanzó una honda;
pasó una flecha que aguzó un violento.
La piedra de la honda fué a la onda,
y la flecha del odio fuese al viento.

La virtud está, en ser tranquilo y fuerte;
con el fuego interior todo se abrasa;
se triunfa del rencor y de la muerte,
¡y hacia Belén . . . la caravana pasa!

("Cantos de vida y esperanza", 1905).

AMADO NERVO

AUTOBIOGRAFIA

*¿Versos autobiográficos? Ahí están mis canciones,
allí están mis poemas: yo, como las naciones
venturosas, y, a ejemplo de la mujer honrada,
no tengo historia: nunca me ha sucedido nada,
¡oh, noble amiga ignota! que pudiera contarte.*

*Allá en mis años mozos, adiviné del Arte
la armonía y el ritmo, caros al Musageta,
y, pudiendo ser rico, preferí ser poeta.*

*—¿Y después?
—He sufrido como todos y he amado.
—¿Mucho?
—Lo suficiente para ser perdonado . . .*

("Serenidad", 1914).

80

FINAL DEL CISNE MODERNISTA

Gutiérrez Nájera había aludido al cisne como un elemento más de la belleza del paisaje, sereno y armonioso ("La serenata de Schubert"); Darío lo convierte en el equivalente de la belleza perfecta, para luego, con "Los cisnes" de "Cantos de Vida y Esperanza", transformarlo en imagen del poeta mismo y de la misión que éste tiene en el mundo. Valencia en "Los camellos" y González Martínez en "Tuércele el cuello...", identifican al poeta con animales pero, en realidad, no se apartan del último símbolo ideado por Darío. El famoso soneto de González Martínez, de 1910, llegó ya demasiado tarde y en realidad iba dirigido a los imitadores de Darío, que seguían en Versailles mientras aquél estaba ya en América. Pero en el poema de González Martínez (como en "Lo fatal", de Rubén Darío) se anuncia la poesía de tipo introspectivo, que derivará —luego del hermetismo de la primera postguerra— en la poesía existencial de nuestro tiempo ("Huye de toda forma...").

Muerto el cisne preciosista, encaminado el Modernismo hacia el nacionalismo americanista a través del mundonovismo —su segunda etapa—, el movimiento comienza a dispersarse, pierde cohesión, admite otras corrientes estéticas que le llegan de la Poesía de la Nación, que ha corrido paralela a él, o de las nuevas influencias europeas que ya se advierten: Herrera y Reissig preanuncia el superrealismo americano con su humorada "Fiesta popular de ultratumba" y Alvaro Armando Vasseur traduce ese humorismo un poco cínico —el de "La duquesa Job", de Nájera— en distorsión de forma (en "Pst!..."). Huidobro comienza a ser figura en América y la información ultraísta, superrealista, vanguardista, llega al mismo tiempo que la torre de marfil, esta vez sí, auténtica y declarada, en que se encerrarán los poetas de la postguerra de 1918 (Valery sustituye a Mallarmé, "La jeune parque" a "L'aprés midi d'un faune").

La poesía de la Nación había influído al modernismo cuando el modernismo abría sus puertas y describía el paisaje. Lentamente al paisaje recreado, parnasiano (el de Valencia, por ejemplo) se sucede un paisaje más realista, más fresco, que aunque dibujado con técnica y lenguaje modernistas esencialmente tiene más que ver con la poesía que canta a la nacionalidad. A los paisajes de Lugones y de Herrera y Reissig, (en los de este último ya actúa el costumbrismo, todavía disfrazado), se sucederá el prosaísmo realista de Fernández Moreno o Pezoa Véliz. Pero el fenómeno "vulgarista" no se produce como reacción contra el modernismo, que se había superado a sí mismo, sino que —aunque conserve elementoss del modernismo obedece a la influencia de las transformaciones sociales y políticas del mundo de postguerra. En nuestra "Historia de la Poesía Hispanoamericana" hemos explicado extensamente este final del modernismo.

RUBEN DARIO

EL CISNE

Fue en una hora divina para el género humano,
El cisne antes cantaba sólo para morir.
Cuando se oyó el acento del Cisne wagneriano
fue en medio de una aurora, fue para revivir.

Sobre las tempestades del humano océano
se oye el canto del Cisne; no se cesa de oír,
dominando el martillo del viejo Thor germano
o las trompas que cantan la espada de Arganthir.

¡Oh Cisne! ¡Oh sacro pájaro! Si antes la blanca Helena
del huevo azul de Leda brotó de gracia llena,
siendo de la Hermosura la princesa inmortal,
bajo tus blancas alas la nueva Poesía
concibe en una gloria de luz y de armonía
la Helena eterna y pura que encarna el ideal.

("Prosas profanas", 1896).

ENRIQUE GONZALEZ MARTINEZ

TUERCELE EL CUELLO AL CISNE . . .

Tuércele el cuello al cisne de engañoso plumaje
que da su nota blanca al azul de la fuente;
él pasea su gracia no más, pero no siente
el alma de las cosas ni la voz del paisaje.

Huye de toda forma y de todo lenguaje
que no vayan acordes con el ritmo latente
de la vida profunda . . . y adora intensamente
la vida, y que la vida comprenda tu homenaje.

Mira al sapiente buho cómo tiende las alas
desde el Olimpo, deja el regazo de Palas
y posa en aquel árbol el vuelo taciturno . . .

El no tiene la gracia del cisne, mas su inquieta
pupila que se clava en la sombra, interpreta
el misterioso libro del silencio nocturno.

("*Los senderos ocultos*", 1911).

JULIO HERRERA Y REISSIG

FIESTA POPULAR DE ULTRATUMBA

Un gran salón. Un trono. Cortinas. Graderías.
(Adonis ríe con Eros de algo que ha visto en Aspasia.)
Las lunas de los espejos muestran sus pálidos días,
y hay en el techo y la alfombra mil panoramas de Asia.

Las lámparas se consumen en amarillas lujurias,
y las estufas se encienden en pubertades de fuego.
(Entran Sátiros, Gorgonas, Ménades, Ninfas y Furias,
mientras recita unos versos el viejo patriarca griego.)

Unos pajes a la puerta visten dorado uniforme;
cruzan la sala doncellas ornadas con velos blancos.
(Anuncian: están Goliat y una señora biforme
que tiene la mitad pez, Barba Azul y sus dos zancos.)

Un buen Término se ríe de un efebo que se baña.
Todos tiemblan de repente. (Entra el Hércules nervudo.)
Grita Petronio: "¡Salerno!" Grita Luis Once: "¡Champaña!"
Grita un pierrot: "¡Menelao con un cuerno y un escudo!"

83

Todos ríen; sólo guardan seriedad Juno y Mahoma,
el gran César y Pompeyo, Belisario y otros nobles
que no fueron muy felices en el amor. Se oyen dobles
funerarios: es la Parca que se asoma. . .

Todos tiemblan; los más viejos rezan, se esconden, murmuran.
Safo le besa la mano. Se oye de pronto un gran ruido,
es Venus que llega: todos se desvisten, tiemblan, juran,
se arrojan al suelo, y sólo se oye un inmenso rugido
de fiera hambrienta: los hombres se abalanzan a la diosa.

(Ya no hay nadie que esté en calma, todos perdieron el juicio.)
Todos la besan, la muerden, con una furia espantosa,
y Adonis llora de rabia . . . En medio de ese desquicio

el Papa Borgia está orando (mientras pellizca a una niña);
tan sólo un bardo protesta: Lamartine, con voz airada;
para restaurar el orden se llamó a Marat. La riña
duró un minuto, y la escena vino a terminar en nada.

Con el ala en un talón entra Mercurio; profundo
silencio halló el mensajero. El gran Voltaire guiñó un ojo,
como queriendo decir: ¡Cuánto pedante en el mundo
que piensa con los talones! Juan lo miró de reojo,
y un periodista que había se puso serio y muy rojo.

Entra Aladino y su lámpara. Entran Cleopatra y Filipo.
Entra la Reina de Saba. Entran Salomón y Creso.
(Con las pupilas saltadas se abalanzó un burgués rico,
un banquero perdió el habla y otro se puso muy tieso.)

"Mademoiselle Pompadour", anuncia un paje. Mil notas
vibran de pronto; los hombres aparecen con peluca.
(Un calvo aplaude, y de gozo brinca una vieja caduca).
Comienza el baile: pavanas, rondas, minués y gavotas.

Bailan Nemrod y Sansón, Anteo, Quirón y Eurito;
bailan Julieta, Eloísa, Santa Teresa y Eulalia,
y los centauros Caumantes, Grineo, Medón y Clito.
(Hércules, no; le ha prohibido bailar la celosa Onfalia.)

Entra Baco, de repente; todos gritan: "¡Vino! ¡Vino!
(Borgoña, Italia y Oporto, Jerez, Chipre, Cognac, Caña,
Ginebra y hasta Aguardiente), ¡viva el pámpano divino,
vivan Noé y Edgard Poe, Byron, Verlaine y el Champaña!"

Esto dicho, se abalanzan a un tonel. Un fraile obeso
cayó, debido, sin duda (más que al vino), al propio peso.
Como sintieron calor, Apuleyo y Anacreonte
se bañaron en un cubo. Entra de pronto Caronte.

(Todos corren a ocultarse.) No faltó algún moralista
español (ya se supone) que los llamara beodos;
el escándalo tomaba una proporción no vista,
hasta que llegó Saturno, y gritando de mil modos,
dijo que de buenas ganas iba a comerlos a todos.

Hubo varios incidentes. Entra Atila y se hunde el piso.
Eolo apaga unas bujías. Habla Dantón: se oye un trueno.
En el vaso en que Galeno
y Esculapio se sirvieron, ninguno servirse quiso.

Un estoico de veinte años, atacado por el asma,
se hallaba lejos de todos. "Denle pronto este jarabe",
dijo Hipócrates, muy serio. Byron murmuró, muy grave:
"Aplicadle una mujer en forma de cataplasma".

Una risa estrepitosa sonó en la sala. De rojo
vestido un dandy gallardo, dióle la mano al poeta
que tal ocurrencia tuvo. (El gran Byron, que era cojo,
tanto como presumido, no abandonó su banqueta,
y tuvo para Mefisto la inclinación más discreta).

En esto hubo discusiones sobre cuál de los suicidas
era más digno de gloria. Dijo Julieta: "Yo he sido
una reina del amor; hubiera dado mil vidas
por juntarme a mi Romeo". Dijo Werther: "Yo he cumplido"

con un impulso sublime de personal arrogancia.
Hablaron Safo y Petronio, y hasta Judas el ahorcado;
por fin habló el cocinero del famoso Rey de Francia,
el bravo Vatel: "Yo — dijo— con valor me he suicidado
por cosas más importantes, ¡por no encontrar un pescado!"

Todos soltaron la risa. (Grita un paje: "Está Morfeo".)
Todos callan, de repente . . . todos se quedan dormidos.
Se oyen profundos ronquidos.
(Entra en cuclillas un loco que se llama Devaneo.)

("Las pascuas del tiempo", 1900).

ALVARO ARMANDO VASSEUR

¡ P T S !

Yo tenía una "villa"
y la perdí.
¡Pts! Me la estafaron
así . . .

No era la casa
dosde nací,
allá en la antigua Cámaras
esquina Sarandí.

Era en Santa Lucía,
pueblo en que viví
interminables años.
(Santa Lucía,
desolación,
cara a mi
corazón.)
Y donde os conocí.

86

¡Oh, Elena! ¡Oh, Clotilde!
¡Oh, Marí!
Dorados asadores
en quienes vivo
ardí . . .

Yo tenía una "villa"
y la perdí.
¡Pts! Me la estafaron,
así . . .

. . . .

Revivo la famosa mañana
en que partí;
el sol, en cada lágrima
de los rociados campos
brillaba, como la Fe en mí.

(Me veo solo en marcha a la Estación;
solo no, me seguía Bibí.
"¡Pobre Bibí, no te puedo llevar!",
le dije, acariciándolo.
hasta que desaparecí).
Y él se quedó mirándome, mirándome

El tren: ¡Montevideo!
El mar: los Buenos Aires
donde fui.
Mi pasaje era hasta la Asunción.

Pasaje de primera. Si
bajé fue por una guitarra.
(¡Oh, serenatas de la adolescencia,
"tristes" de la Pampa, "estilos" orientales,
décimas de Ricardo Gutiérrez y
"nocturno" de Acuña! ¡Oh, serenatas!)
Bajé y quedé allí.

Tenía quince años, jaquet, anteojos verdes,
quimeras de argonauta y
un billete de a mil (¡el oro a 400!)
y la flor de Leví . . .

¡La flor entre las flores! En esos días
la perdí . . .
"Apurate, che", decía en el horrendo trance
la inconmovible Hurí . . .

. . . .

Yo tenía una "villa"
y la perdí.
¡Pts! Me la estafaron,
así . . .

Al llegar me instalé en El Tortoni.
En él conocí
amigos de corazón de oro, argentino,
cuyo recuerdo aún me sabe a benjuí . . .

. . . .

¡Almafuerte! Yo vi en Trenque Lauquezo,
en el umbral pampeano, la escuela del Rabbí. . .
Pero fue en La Plata donde comí en su mesa,
donde su amigo fui.

¡Su amigo! Más de una vez me dijo, en cólera
contra mí:
"¡Usted será un Rubén Darío!" Y era tal su desdén
que me ofendí.

"¡Un saltimbanqui errante!
¡Un cantor porque sí!"
(¡El, que era un misionero "terrible" como Dante,
"puro" como el Rabbí!)

88

"¡Pero, qué bien guisa el condenao! ¡Qué tortillas
fríe!", pensaba para mí;
hasta que un día me escribió implacable:
"¡No venga más aquí!"

Yo tenía una "villa"
y la perdí.
¡Pts! Me la estafaron,
así . . .

. . . .

Era cuando "La Siringa" iniciaba
su "do-re-mi" . . .
Cuando Rubén —noctámbulo divino— rimaba
entre las copas de "Anes" —fresas de crema Chantilly—;
y Leopoldo, buscador de oro, soñaba
un Sinaí . . . ;
/ y D. Francisco en su jardín de Flores
cantaba el laboreo de las Razas
en la gran mina argentina; y
Grandmontagne, de vuelta de las Pampas
con "Teodoro Foronda", filtraba en "La Vasconia"
sidra espumante y "chacolí";
y Ghiraldo, ya inquieto de utopía,
plañía: "Felices vosotros los imbéciles",
etcétera (ahora su peluca se ha vuelto carmesí);
y Belisario, calvo ya del fuego patrio,
con su voz como el cuerno de Roldán
sentía chica la prisión de "El Aguila" . . .
(Aún no acechaba en la Opera los estragos del lloro
de "Mimí" . . .)

Y los grillos en coro
crí, crí, crí.

89

Era cuando Groussac, harto de tantas Vísperas,
lanzaba su ¡halalí!
clamando:
"Aquí
hace falta genio;
aquí!"
Y los ecos de América
y España repetían:
"¡Aquí!"
"¡Aquí!"

. . . .

Yo tenía una "villa"
y la perdí.
¡Pts! Me la estafaron,
así.

(*"El vino de la sombra", 1917*).

Este curioso poema de Alvaro Armando Vasseur es representativo del definitivo ocaso del modernismo. Alude, en los versos a Almafuerte, pseudónimo de Pedro B. Palacios, a Rubén Darío, a Leopoldo Lugones, a Paul Groussac, a Belisario Roldán, a Alberto Ghiraldo, a Francisco Grandmontagne. La métrica ya no admira aunque estaba dentro de las innovaciones del movimiento; con cínico humorismo revisa a las figuras primordiales y alude a aquellas que se oponían al preciosismo rubendariano; hay erótica en los versos, y es evidente el prosaismo que ya triunfaba en un sector militante de poetas.

CARLOS PEZOA VELIZ

TEODORINDA

Tiene quince años ya Teodorinda,
la hija de Lucas el capataz;
el señorito la halla muy linda;
tez de durazno, boca de guinda . . .
¡Deja que crezca dos años más!

Carne, frescura, diablura, risa;
tiene quince años no más . . . ¡olé!
y anda la moza siempre de prisa,
cual si a la brava pierna maciza
mil cosquilleos hiciera el pie . . .

Cuando a la aldea de la montaña
su erguido porte, fascina, daña . . .
con otras mozas va en procesión,
y más de un mozo de sangre huraña
brinda por ella vaca y lechón.

¡Si espanta el brío, la airosa facha
de la muchacha . . . ! ¡Qué floración!
Carne bravía, pierna como hacha,
anca de bestia, brava muchacha
para las hambres de su patrón!

Antes que el alba su luz encienda
sale del rancho, toma el morral
y a paso alegre cruza la hacienda
por los pingajos de la merienda
o la merienda de un animal.

Linda muchacha, crece de prisa . . .
¡Cuídala, viejo, como a una flor!
Esa muchacha llena de risa
es un bocado que el tiempo guisa
para las hambres de su señor.

Todos los peones están cautivos
de sus contornos, pues que es verdad
que en sus contornos medio agresivos,
tocan clarines extralascivos
sus tres gallardos lustros de edad.

Sangre fecunda, muslo potente,
seno tan fresco como una col;
como la tierra, joven, ardiente;
como ella brava y omnipotente
bajo la inmensa gloria del sol.

Cuando es la tarde, sus pasos echa
por los trigales llenos de luz;
luego las faldas brusca repecha . . .
El amo, cerca del trigo, acecha,
y la echa un beso por el testuz . . .

("*Poesías*", 1927).

La Nacionalidad

EL PAISAJE DE LA NACION

Ya hemos hablado, al cerrar la sección dedicada al modernismo, del paisaje modernista propiamente dicho. O es un paisaje idealizado —de Gutiérrez Nájera, de esencia romántica, a Guillermo Valencia, parnasiano— o bien se impregna de sol, de belleza descriptiva, de amor a la tierra y los poetas presentan una doble faz, frecuente en los representantes del movimiento: por una parte siguen la estética sistematizada por Rubén Darío, por la otra se independizan de ella y aún utilizando métricas y adjetivación modernista se ajustan en esencia —que es lo que importa en los poemas— a la poesía de la nacionalidad. Tal es, por ejemplo claro, los sonetos de Herrera y Reissig en "Los éxtasis de la montaña".

Esta "poesía de la Nación" o de la nacionalidad, que influye, es influencia, y corre paralela al modernismo, inicia el elogio de América, y lentamente, al volverse territorial, va a llegar a la "poesía del nacionalismo" que le da un contenido político y social. Por otro lado, al caer en el localismo ciudadano —al cantar al hogar, a las instituciones establecidas, a la Patria que se convierte en Nación—, se produce una "vulgarización", un incorporar al paisaje temas triviales, de la vida diaria. Esto ocurre cuando los grandes movimientos sociales, el nacimiento de las clases proletarias, vienen a perturbar la aburguesada tranquidad de la clase dominante. El paisaje de la poesía de la Nación se vuelve entonces hacia el interior de las ciudades, al barrio suburbano y el poeta canta a la ciudad o la provincia nativas. Esta es una forma del nacionalismo, menos agresiva que la que veremos en la sección correspondiente.

Para advertir la línea telúrica americanista, de valoración del paisaje nativo, hemos escogido como antecedente "La agricultura de la zona tórrida", de Andrés Bello, escrito en 1827. Continuaremos después con un poema que data de 1882, de Rafael Obligado, titulado "El hogar paterno", seguiremos después con un fragmento de la oda "A los granados y las mieses", de Leopoldo Lugones, de 1910, para acabar con los admirables versos de "La suave patria", de 1921, de Ramón López Velarde. Podríamos citar, también, los nombres de Rafael Pombo, en su última época, o de José Eustasio Rivera con su admirable "Tierra de promisión", también de 1921, pero no queremos confundir al lector dando demasiados ejemplos que él mismo puede hallar si se atiene a la línea que señalamos.

ANDRES BELLO

LA AGRICULTURA DE LA ZONA TORRIDA
(*FRAGMENTOS.*)

¡Salve, fecunda zona,
Que al sol enamorado circunscribes
El vago curso, y cuanto ser se anima
En cada vario clima,
Acariciada de su luz; concibes!
Tú tejes al verano su guirnalda,
De granadas espigas; tú la uva
Das a la hirviente cuba;
No de púrpura fruta, o roja, o gualda,
A tus florestas bellas
Falta matiz alguno; y bebe en ellas
Aromas mil el viento;
Y greyes van sin cuento
Paciendo tu verdura, desde el llano
Que tiene por lindero el horizonte,
Hasta el erguido monte,
De inaccesible nieve siempre cano.
Tú das la caña hermosa
De do la miel se acendra,
Por quien desdeña el mundo los panales;
Tú en urnas de coral cuajas la almendra
Que en la espumante jícara rebosa;
Bulle carmín viviente en tus nopales,
Que afrenta fuera al múrice de Tiro,
Y de tu añil la tinta generosa
Emula es de la lumbre del záfiro.
El vino es tuyo que la herida agave [1]
Para los hijos vierte
Del Anahuac feliz; y la hoja es tuya,
Que, cuando de suave
Humo en espiras vagarosas huya,
Solazará el fastidio al ocio inerte.
Tú vistes de jazmines
El arbusto sabeo,[2]

Y el perfume le das que en los festines,
La fiebre insana templará a Lieo.
Para tus hijos la prócera palma
Su vario feudo cría,
Y el ananá sazona su ambrosía;
Su blanco pan la yuca;
Sus rubias pomas la patata educa;
Y el algodón despliega al aura leve
Las rosas de oro y el vellón de nieve.
Tendida para tí la fresca parcha
En enramadas de verdor lozano,
Cuelga de sus sarmientos trepadores
Nectáreos globos y franjadas flores;
Y para tí el maíz, jefe altanero
De la espigada tribu, hincha su grano;
Y para tí el banano
Desmaya al peso de su dulce carga;
El banano, primero
De cuantos concedió bellos presentes
Providencia a las gentes
Del ecuador feliz con mano larga.
. . . .
¡Oh! ¡los que afortunados poseedores
Habéis nacido de la tierra hermosa,
En que reseña hacer de sus favores,
Como para ganaros y atraeros,
Quiso Naturaleza bondadosa!
Romped el duro encanto
Que os tiene entre murallas prisioneros.
El vulgo de las artes laborioso,
El mercader que necesario al lujo
Al lujo necesita,
Los que anhelando van tras el señuelo
Del alto cargo y del honor ruidoso,
La grey de aduladores parásita,
Gustosos pueblen ese infecto caos:
El campo es vuestra herencia: en él gozaos.
¿Amáis la libertad? El campo habita,
No allá donde el magnate

Entre armados satélites se mueve,
Y de la moda, universal señora,
Y a la fortuna la insensata plebe,
Va la razón al triunfal carro atada,
Y el noble al aura popular adora.
¿O la virtud amáis? ¡Ah, que el retiro,
La solitaria calma
En que, juez de sí misma, pasa el alma
A las acciones muestra,
Es de la vida la mejor maestra!
¿Buscáis durables goces,
Felicidad, cuánta es al hombre dada
Y a su terreno asiento, en que vecina
Está la risa al llanto, y siempre ¡ah! siempre
Donde halaga la flor, punza la espina?
Id a gozar la suerte campesina;
La regalada paz, que ni rencores
Al labrador, ni envidias acibaran;
La cama que mullida le preparan
El contento, el trabajo, el aire puro;
Y el sabor de los fáciles manjares
Que dispendiosa gula no le aceda;
Y el asilo seguro
De sus patrios hogares
Que a la salud y al regocijo hospeda
El aura respirad de la montaña,
Que vuelve al cuerpo laso
El perdido vigor, que a la enojosa
Vejez retarda el paso,
Y el rostro a la beldad tiñe de rosa.
¿Es allí menos blanda por ventura
De amor la llama, que tembló el recato?
¿O menos aficiona la hermosura
Que de extranjero ornato
Y afeites impostores no se cura?
¿O el corazón escucha indiferente
El lenguaje inocente
Que a los efectos sin disfraz expresa,
Y a la intención ajusta la promesa?

No del espejo importuno ensayo
La risa se compone, el paso, el gesto;
Ni falta allí carmín al rostro honesto
Que la modestia y la salud colora,
Ni la mirada que lanzó al soslayo
Tímido amor, la senda al alma ignora.

. . . .

¡Oh jóvenes naciones, que ceñida
Alzáis sobre el atónito occidente
De tempranos laureles la cabeza!
Honrad el campo, honrad la simple vida
Del labrador, y su frugal llaneza,
Así tendrán en vos perpetuamente
La libertad morada,
Y freno la ambición, y la ley templo,
Las gentes a la senda
De la inmortalidad, ardua y fragosa,
Se animarán citando vuestro ejemplo,
Lo emulará celosa
Vuestra posteridad; y nuevos nombres
Añadiendo la fama
A los que ahora aclama,
"Hijos son éstos, hijos
(Pregonará a los hombres)
De los que vencedores superaron
De los Andes la cima:
De los que en Bocayá, los que en la arena
De Maipo, y en Junín, y en la campaña
Gloriosa de Apurima
Postrar supieron al león de España.

(1877)

Andrés Bello, polemista, maestro, gramático, poeta, escribió "Alocución a la poesía" (fragmento de un poema que debió llamarse "América") en 1823 y una silva "A la agricultura de la zona tórrida" en 1827. En ambos poemas, el paisaje Americano aparecía ofrecido al hombre de la ciudad con sensibilidad virgiliana —Bello era neoclásico aunque ya conociera, por erudito, al romanticismo naciente—, incitando a huír de las pasiones y a refugiarse en el trabajo creador de una América nueva, que podría aprender mucho de Europa, pero también enseñar mucho al viejo continente. Bello puede ser considerado el primer poeta "nacionalista" de este continente. Claro está que todavía él soñaba con fronteras abiertas y no naciones separadas por desconfianza recíproca. Su nacionalismo era continental.

(1) *Agave*: pita o magüey, de donde se extrae el pulque; (2) el *arbusto sabeo*: el café, del reino Sabá (Yemen) venía el moka; *parcha* (3): nombre venezolano de la pasionaria.

RAFAEL OBLIGADO

EL HOGAR PATERNO

¡Oh mis islas amadas, dulce asilo
de mi primera edad!
¡Añosos algarrobos, viejos talas
donde el boyero me enseñó a cantar!

¿Por qué os dejé, para encerrar mi vida
en la estrecha ciudad;
para arrojar mi corazón de niño
de las pasiones en el turbio mar? ...

Como un cisne posado en las riberas
del ancho Paraná,
así, blanco y risueño, se divisa
a la distancia mi paterno hogar.
. . . . .
Allí está mi pasado, de mi vida
la inocencia y la paz:
allí mi madre me acaricia, niño,
y mis hermanas en redor están.

No bien despunta el sol en el oriente,
tierno beso nos da;
de rodillas, oramos; y, en seguida,
puerta franca ... *¡la luz, la libertad!*

Como bandadas de enjaulados pájaros,
por aquí, por allá,
al campo el uno, a la barranca el otro,
nos echábamos todos a volar.

"—Cuidado con los nidos", nos decía
mi madre, en el umbral;
pero digan horneros y zorzales
si les valió la maternal piedad.

Lejos ya de su vista, a un algarrobo
trepaba el más audaz,
y con los ojos de mil ansias llenos,
esperaban en grupo los demás.

En el horno de barro, construído
para vivir y amar,
introducía sus rosados dedos
el pequeño aprendiz de gavilán;

Y, del pico o el ala destrozada,
¡nunca vista crueldad!
asiendo los polluelos, uno a uno
los arrojaba con desdén triunfal.

Y era entonces de ver el alboroto
y el bullicioso afán
de aquel enjambre de inocentes niños
que así destruía un inocente hogar.
. . . .
¡Oh dulces años! Por entonces era
nuestro goce mayor
hurtar las flores que en las islas se abren,
y de sus aves escuchar la voz.

Las pasionarias, las achiras de oro
y el seíbo punzó,
eran ofrendas que mi madre amaba
porque a sus hijos se las daba Dios.

¡Ingrato, ingrato si el recuerdo suyo
arrancó al corazón,
si yendo en pos del oropel mundano
el hombre olvida lo que el niño amó!

(Vuelta de abligado, 1882).

Rafael Obligado (arg. 1851-1920) fue, con Olegario Víctor Andrade y Carlos Guido y Spano, el cantor de la Nación. Escribió poemas patrióticos de exaltado entusiasmo y continuó, con "Santos Vega", la poesía gauchesca. Sus cantos al hogar rebosan paz y amor por su tierra. *Boyero:* pájaro del litoral argentino. *Algarrobo, tala, seibo:* árboles americanos. *Pasionarias, achiras:* flores.

LEOPOLDO LUGONES

A LOS GANADOS Y LAS MIESES
(Fragmento)

Un verde matinal lustra los campos,
Donde el Otoño, en languidez dichosa,
Con dorado de soles que se atardan
Va dilatando madureces blondas.

A través de la pampa, un río turbio
De fertilidad, rueda silenciosa
Su agua que tiene por modesta fuente
La urna de tierra de la tribu autóctona.
Negrea un monte en la extensión, macizo
Como un casco de buque cuya proa
Entra en el agua azul del horizonte.
Avanzando a lo inmenso de la zona,
La civilización del árbol junta
En la fresca bandera de su sombra.
Hiende el cerco su párrafo de alambre
Sobre el verdor de las praderas solas,
Que en divergentes líneas de dibujo
Allá a lo lejos insinúan lomas.
Y mientras desde la invisible estancia

Algún gallo los campos alboroza,
Aventando su ráfaga de hierro
El recio tren las extensiones corta.
Entonces, en el fondo del paisaje,
Retozado por yeguas que se azoran,
Y que desordenando su carrera,
Con fiero empaque las cabezas tornan,
Como si el viento paralelo fuese
Rienda suelta en sus bocas,
Con su franco testuz un toro inmóvil,
La mañana magnífica enarbola.
Una sangre excelente engarza su ojo
Con bravío coral. Fuego de aurora
Parece que se atarda empurpurando
En su tostada piel. Su poderosa
Fábrica, funda en los enjutos remos
Una gravedad brusca y categórica.

Y los vastos cuadriles y los flancos
Que así parece ponderar la norma
Del muro nacional, y el rudo pecho
Que en la crasa marmella se desborda,
Acumulando en la cerviz su fuerza
Como en un tronco de coraje, aploman
El macizo trapecio de la testa
Donde es patrón de raza el asta corta.

Embellecido de pradera, absorbe
Con anchuroso aliento las aromas
Del trébol y el hinojo palpitante
En su nariz la estabular argolla.
En la húmeda penca de su morro
Irisa el sol una hebra perezosa,
Y la luz en el ágata del cuerno,
Fija un bélico lustre de arma corva.
Soplos de brisa matinal le barren

Con tibia suavidad la crespa cola;
Y con mirada extensa en que el encanto

De la campiña pálida reposa,
Abarca el fiero macho su dominio,
Enviando a la dehesa retozona
El mugido remoto y entrañable
Que su viril profundidad prolonga.

Piérdese el tren por los desiertos campos,
Al paso que en vedijas perezosas
Se deshace en sus blancas balas de humo
Por las cañadas húmedas de sombra.
En vasta dispersión pace el rebaño
Que entre el profuso pastizal engorda,
Asegurando al semental pujante
Su plantel de lucientes vaquillonas.
Allá el torito que con duro gesto
Su amenazante decisión entona,
Clavado como un trompo cava tierra;
Y el nudoso ternero se alborota,
Mientras con un desgano de bostezo
Le brama la lechera cavernosa.
Allá el buey de las sólidas tareas,
Su enorme y dulce sencillez conforma
A la razón de su deber, que ataca
Un dominio ingenioso en la persona.
Allá la vaca fértil como el campo,
Su sustancia elabora
En el músculo, en la ubre y en la pella,
Con su grave plenitud geórgica.
Si anda parece que en su marcha pende
El talego del rico; si reposa
Su aspecto familiar de cofre tosco
Es la seguridad del pobre. La honda
Paz de los campos en su ser vegeta;
Dice su inmediación la casa próspera;
Y cuando en formidable ansia de asalto
Siembra el amor su entraña calurosa,
Con resistente conmoción de yunque
Cimenta la riqueza creadora.

Rugosos como *frutos* los carneros
Que la suarda barniza en crasas motas,
O como carros de heno acolchonados,
Las cabezas unánimes agobian.
Unos chorrean la pendiente lana
En rapacejos rústicos de colcha.
El vellón de esos de testuz cerrado
Como un terrón, en las tajadas *fofas*
En que lo parten para verlo, enseña
Cual tajado melón ternuras rosas.

Sobre sus tiernas patas de alfeñique
Jadean las borregas dormilonas.
El morrueco salaz que las encela,
Les vibra al flanco su matraca ronca.
Perseverantes razas tipifican
Las caras negras y las blancas colas;
Y las cándidas nubes del contorno
Con su aglomeración deslumbradora,
Que delínea en mundo de rebaños
La haz de la profunda Patagonia,

(*"Odas Seculares"*, 1910).

Entre las muchas faces de Leopoldo Lugones (arg. 1874-1938) el gran poeta argentino que tanto influyó en la poesía del modernismo y del postmodernismo, figura la de cantar al trabajo creador de la Nacionalidad. Entre sus "Odas Seculares" (compuestas en 1910 para recordar el centenario de la revolución que inició la independencia argentina) y "La Agricultura de la Zona Tórrida", de Bello, hay solamente una diferencia de años. El concepto es el mismo, en lo referente a escoger un paisaje pero a utilizarlo como fondo para una intención de construcción, de trabajo que funda la grandeza del país, de admiración e incitación a la tarea, de reconocimiento por la labor del humilde. "Odas Seculares" es el libro más nacionalista de Lugones —que se mezcló peligrosamente a movimientos de extrema derecha hacia el año 30, lo cual indudablemente lo llevó a la decepción y al suicidio—; si por un lado está el canto al trabajo, por el otro se advierten, ya latentes, el nacionalismo disfrazado de alocución patriótica a lo Víctor Hugo. Ha dicho Luis Emilio Soto, uno de los buenos estudiosos de la obra de Lugones: "Con el tránsito del funambulismo preciosista (alude a "Lunario sentimental", publicado en 1909, del cual hablamos en la sección Vanguardia) al acento épico de "Odas Seculares" (1910), el autor despistó una vez más a los seguidores. Lugones se sustrajo siempre al pesimismo, trasegado de los cánones europeos a la escuela modernista. Sus geórgicas (criollas) exaltan la comunión laboriosa del hombre con la tierra, la ósmosis transformadora del nativo y el inmigrante en patriarcal hermandad... También el verso añora la tradición virgiliana y horaciana dentro de modulaciones de sensibilidad moderna. De ahí la famosa "Oda a los ganados y las mieses" sin otro parentesco con la "Silva americana" de Andrés Bello que el común intento de liberación espiritual del Nuevo Mundo a la distancia de un siglo. Lugones, entre algunos baches de realismo a ratos prosaicos, eleva el canto civil sobre un fragante fondo de "pampa gringa".

RAMON LOPEZ VELARDE

LA SUAVE PATRIA

PROEMIO

Yo que sólo canté de la exquisita
partitura del íntimo decoro,
alzo hoy la voz a la mitad del foro,
a la manera del tenor que imita
la gutural modulación del bajo,
para cortar a la epopeya un gajo.

Navegaré por las olas civiles
con remos que no pesan, porque van
como los brazos del correo chuan
que remaba la Mancha con fusiles.

Diré con una épica sordina:
la Patria es impecable y diamantina.

Suave Patria: permite que te envuelva
en la más honda música de selva
con que me modelaste por entero
al golpe cadencioso de las hachas,
entre risas y gritos de muchachas
y pájaros de oficio carpintero.

PRIMER ACTO

Patria: tu superficie es el maíz,
tus minas el palacio del Rey de Oros,
y tu cielo las garzas en desliz
y el relámpago verde de los loros.

El Niño Dios te escrituró un establo
y los veneros de petróleo el diablo.

. . . .

INTERMEDIO
(Cuauhtémoc)

Joven abuelo: escúchame loarte,
único héroe a la altura del arte.

Anacrónicamente, absurdamente,
a tu nopal inclínase el rosal;
al idioma del blanco, tú lo imantas
y es surtidor de católica fuente
que de responsos llena el victorial
zócalo de ceniza de tus plantas.

SEGUNDO ACTO

Suave Patria: tú vales por el río
de las virtudes de tu mujerío;
tus hijas atraviesan como hadas,
o destilando un invisible alcohol,
vestidas con las redes de tu sol,
cruzan como botellas alambradas.

107

Suave Patria: te amo no cual mito,
sino por tu verdad de pan bendito,
como a niña que asoma por la reja
con la blusa corrida hasta la oreja
y la falda bajada hasta el huesito.

Inaccesible al deshonor, floreces;
creeré en tí mientras una mexicana
en su tápalo lleve los dobleces
de la tienda, a las seis de la mañana
y al estrenar su lujo, quede lleno
el país, del aroma del estreno.

Como la sota moza, Patria mía,
en piso de metal, vives al día,
de milagro, como la lotería.

Tu imagen el Palacio Nacional,
con tu misma grandeza y con tu igual
estatura de niño y de dedal.

Te dará, frente al hambre y al obús,
un higo San Felipe de Jesús.

Suave Patria, vendedora de chía:
quiero raptarte en la cuaresma opaca,
sobre un garañón, y con matraca,
y entre los tiros de la policía.

Tus entrañas no niegan un asilo
para el ave que el párvulo sepulta
en una caja de carretes de hilo,
y nuestra juventud, llorando, oculta
dentro de tí, el cadáver hecho poma
de aves que hablan nuestro mismo idioma.

Si me ahogo en tus julios, a mí baja
desde el vergel de tu peinado denso
frescura de rebozo y de tinaja,
y si tirito, dejas que me arrope
en tu respiración azul de incienso
y en tus carnosos labios de rompope.

Por tu balcón de palmas bendecidas
el Domingo de Ramos, yo desfilo
lleno de sombra, porque tú trepidas.

Quieren morir tu ánima y tu estilo,
cual muriéndose van las cantadoras
que en las ferias, con el bravío pecho

empitonando la camisa, han hecho
la lujuria y el ritmo de las horas.

Patria, te doy de tu dicha la clave:
sé siempre igual, fiel a tu espejo diario;
cincuenta veces es igual el ave
taladrada en el hilo del rosario,
y es más feliz que tú, Patria suave.

Sé igual y fiel; pupilas de abandono;
sedienta voz, la trigarante faja
en tus pechugas al vapor y un trono
a la intemperie, cual una sonaja:
la carreta alegórica de paja.

(1921).

López Velarde (mex. 1888-1921) con su sobrio catolicismo, con su amor a su tierra, con su talento, escribió uno de los poemas más notables de la poesía mexicana, "La dulce patria", que recién apareció recogida en volumen en "El son del corazón", libro póstumo publicado en 1932. Dice Federico de Onís: "El tema de su poesía es local, regional: la provincia, que a veces se extiende hasta abarcar la patria mexicana; la emoción es vernacular, tradicional, católica; el arte es innovador y universal. Su obra, cortada por la muerte temprana, revela una gran originalidad creadora... que hacen de él probablemente el más original y valioso poeta de México posterior al modernismo". Anderson Imbert nos previene: "Y que no nos engañe el mapa aparentemente elemental de su país poético: la provincia, el catolicismo, la amada, el dolor juvenil... En ese país, que se ve tan sencillo en el mapa, están ocurriendo en verdad cosas extrañas, secretas, complejas, misteriosas. Por ejemplo: la religiosidad de López Velarde es de raíz erótica... "La suave patria" nos habla de su provincia mexicana, pero el poeta no se queda allí: sin salirse de su propio jardín viaja por los jardines de otras literaturas. Curioso "exotismo interior". Su veneración por Leopoldo Lugones ("el más excelso, el más hondo poeta de habla castellana", decía) explica su parecido con otros poetas de su época, también lugonianos".

EL PAISAJE DE LA CIUDAD

América finisecular se asienta en una burguesía terrateniente que mira orgullosamente a la Nación configurada (con pueblos todavía en lucha, dominados por un capital extranjero, amenazados por revoluciones y dictaduras). Algunas dictaduras, como la de Porfirio Díaz en México, logran una estabilidad institucional. En otros países donde han concluído las guerras civiles, la inmigración, la prosperidad económica —agrícola y ganadera—, la estabilidad política, lleva a un convencimiento de que la Nación ha nacido. La Patria pasa a ser una nostalgia del pasado y los héroes ejemplos cívicos que los poetas muestran a las nuevas generaciones (la poesía Patriótica que nació como militancia romántica ha dejado de testimoniar los acontecimientos en el momento que ocurren). Las clases burguesas creen en la cultura como en un dogma. De ellas nace el modernismo: solamente una cultura avanzada podrá dar respaldo moral y político a las nuevas naciones.

Con el cantar orgulloso al paisaje de la Nación —como López Velarde, como en Lugones— nacen, tal vez como consecuencia lógica, los nacionalismos ciudadanos. Se exaltan las virtudes del hogar —Juan de Dios Peza, Carlos Guido y Spano— y los hábitos y tipos de la ciudad, donde asoman los primeros problemas sociales del conglomerado ciudadano. Hemos preferido tomar ejemplos de esta evolución que llevará a los fuertes nacionalismos estatales de las postguerra de 1918 y 1945 —al mezclarse la poesía del paisaje de la ciudad con la de militancia política— entre los poetas de Argentina. No quiere decir esto que hagamos exclusión de los demás países, donde el canto a la Nación y su paso al localismo —a través muchas veces de la adopción del vulgarismo (temas vulgares, prosaicos, cotidianos)— se produce de igual modo, a pesar de matices lógicos.

Veamos cómo del patriarcal Carlos Guido y Spano se pasa a Baldomero Fernández Moreno, que adopta un sencillismo inspirado en la vida mínima y cotidiana de su ciudad, para culminar en el culteranismo de Jorge Luis Borges disfrazado por un elaborado prosaísmo.

Entre Fernández Moreno y Borges, el tango —la canción de Buenos Aires— adquiere preponderancia poética, como expresión del íntimo ser del habitante de la ciudad. Un poeta menor, Evaristo Carriego, incorpora a la poesía los temas del tango, a los que Borges y sus continuadores —el escritor Ernesto Sábato ha escrito un ensayo muy interesante sobre el tango— dan rango metafísico. Otro poeta muy personal, Carlos de la Púa intenta hacer la poesía en el particular argot del bajo fondo, mientras que poetas cultos como Enrique Santos Discepolo escriben las mejores letras de tango, llenas de la desencantada filosofía ciudadana y representativas de la idiosincrasia popular. Otro poeta, Fernando Guibert, plasmará en versos las teorías "metafísicas" que los ultraístas tejieron alrededor del tango.

Detrás del canto a la Nación y del canto a las ciudades —en México y Perú hay muchos ejemplos equiparables a los argentinos— vendrá el nacionalismo, influído por la lucha antiimperialista (iniciada por los modernistas que se convirtieron en mundonovistas) y el nacimiento del comunismo en América. Los poetas se verán entonces obligados a elegir entre la militancia que implica la subordinación de la poesía a un objetivo no poético —como Pablo Neruda— o una poesía culta que cada vez se aparta más de lo popular para llegar a lo existencial, como Borges, Ricardo Molinari, Octavio Paz.

CARLOS GUIDO Y SPANO

TROVA

He nacido en Buenos Aires
¡Qué me importa los desaires
Con que me trate la suerte!
Argentino hasta la muerte
He nacido en Buenos Aires

Tierra no hay como la mía;
Ni Dios Otra inventaría
¡Que más bella y noble fuera!
¡Viva el sol de mi bandera!
Tierra no hay como la mía.

Hasta el aire aquí es sabroso;
Nace el hombre alegre, brioso,
Y las mujeres son lindas
Como en el árbol las guindas:
Hasta el aire aquí es sabroso.

¡Oh Buenos Aires mi cuna!
¡De mi noche amparo y luna!
Aunque en placeres desbordes,
Oye estos dulces acordes
¡Oh Buenos Aires mi cuna!

. . . .

Triunfa, Baila, Canta, Ríe;
La fortuna te sonríe,
Eres libre eres hermosa;
Entre sueños color de rosa
Triunfa, baila, canta, ríe.

¡Cuántos medran a tu sombra!
Tu campiña es verde alfombra,
Tus astros vivos topacios;
Habitando tus palacios
¡Cuántos medran a tu sombra!

Bajo de un humilde techo
Vivo en tanto satisfecho
Bendiciendo tu hermosura,
Que bien cabe la ventura
Bajo de un humilde techo.

La riqueza no es la dicha
Si perdí la última ficha
Al azar de la existencia,
Saqué en limpio esta sentencia:
La riqueza no es la dicha.

¡He nacido en Buenos Aires
¡Qué me importan los desaires
Con que me trate la suerte!
Argentino hasta la muerte
He nacido en Buenos Aires.

("Ecos lejanos", 1895).

Carlos Guido y Spano (arg. 1827-1918), fue autor de dos libros, 'Hojas al viento" (1871) y "Ecos lejanos" (1895), de este último tomamos "Trova", donde el localismo preanuncia el canto a la ciudad que iniciará Fernández Moreno. Guido y Spano llegó a ser un patriarca de la poesía en Argentina, los niños de las escuelas iban a visitarlo como a una gloria nacional. Hoy su poesía, sobria y romántica pero sin demasiado vuelo, ha quedado al margen del interés del lector. Pero su influencia fue enorme y es desde este punto que se le debe mirar para medir las consecuencias que sus poemas tuvieron.

BALDOMERO FERNANDEZ MORENO

SETENTA BALCONES Y NINGUNA FLOR

Setenta balcones hay en esta casa,
setenta balcones y ninguna flor...
¿A sus habitantes, Señor, qué les pasa?
¿Odian el perfume, odian el color?
La piedra desnuda de tristeza agobia,
¡dan una tristeza los negros balcones!
¿No hay en esta casa una niña novia?
¿No hay algún poeta bobo de ilusiones?
¿Ninguno desea ver tras los cristales

113

una diminuta copia de jardín?
¿En la piedra blanca trepar los rosales,
en los hierros negros abrirse un jazmín?
Si no aman las plantas no amarán el ave,
no sabrán de música, de rimas, de amor.
Nunca se oirá un beso, jamás se oirá un clave ...
¡Setenta balcones y ninguna flor!

("Ciudad", 1917).

ROMANCE DE MIS CHAPAS DE MEDICO

¿En dónde estaréis ahora,
mis pobres chapas de médico,
en qué sótano, en qué altillo,
en que baúl o ropero?
Chapas que fuisteis un día,
veinte años hace, lo menos,
esperanza de mis padres,
galardón de mis esfuerzos.
Brillantes como dos soles,
en mi horizonte subiendo,
de haber nacido redondas
lo hubiérais sido perfectos.
Cumplidas chapas de bronce,
amigas de tanto tiempo,
en la ciudad y en el campo
mi bandera y mi señuelo.
Pero, que erais mostrando
mi nombre en letras de fuego,
negación de aquello mismo
que proclamábais al viento.
Transeúnte que pasaba,
mirando zaguán adentro,
se le nublaba el doctor
y presentía el soneto.
¡Cuánto sol habéis sufrido,
cuánto sudeste y pampero,

114

cuánta sombra, cuánta luna,
cuánto tumulto y silencio,
cuánto distinto perfume,
desde la nafta al romero!
¡Cómo os pulía al principio
con mis gamuzas de ensueño!
Nunca bruñó con más pulso
sus arneses un guerrero,
y a fe que fuisteis adargas
contra lanzones adversos.
¡Cómo os veía, torcidas
en cucuruchos de argento,
trompetas para mi gloria,
para mi abundancia, cuernos!
¡Y qué abandono después,
y qué indiferencia luego,
cuando empezaron abrirse,
entre níqueles y espejos,
poemas en mis recetas,
hongos en mis instrumentos!
¡Y que lágrimas corrían
por vuestros rostros severos,
al verme venir al alba
cansado y medio desecho!
Y no de consultas graves
con colegas estafermos,
sino de botillerías,
redacciones y ateneos,
o de un simple divagar
de compinches y luceros.
Yo os pido chapas perdón
si una tarde un carpintero
os arrancó de mi puerta
y yo de mi propio pecho.
La culpa no es de ninguno
y ya estamos todos viejos.

("Yo, médico; yo, catedrático", 1936).

Con Baldomero Fernández Moreno (arg. 1886-1950) se inicia
en Argentina el proceso de vulgarización del lenguaje poético. No
es que el poeta sea vulgar, muy lejos de esto, sino que canta a
temas cotidianos, sencillos. La utilización de ese lenguaje sencillo,
que se aparta del lujo modernista de la primera época o del canto
panamericano de su segunda etapa, tuvo gran fortuna y Fernández
Moreno influyó no solamente a los poetas de su generación sino
a los que, en los países vecinos, buscaban nuevas formas de expresión.

EVARISTO CARRIEGO

LA COSTURERITA QUE DIO
AQUEL MAL PASO...

La costurerita que dio aquel mal paso . . .
—y lo peor de todo, sin necesidad—
con el sinvergüenza que no la hizo caso
después . . . —según dicen en la vecindad—

se fue hace dos días. Ya no era posible
fingir por más tiempo. Daba compasión
verla aguantar esa maldad insufrible
de las compañeras ¡tan sin corazón!

Aunque a nada llevan las conversaciones,
en el barrio corren mil suposiciones,
y hasta en algo grave se llega a creer.

¡Qué cara tenía la costurerita,
qué ojos más exraños esa tardecita
que dejó la casa para no volver!

Evaristo Carriego (arg. 1883-1912), poeta ciudadano, cantó
al suburbio, a los arrabales de Buenos Aires. Su poesía sensiblera
se unió con la poesía del tango y los Ultraístas, no solamente por
capricho excéntrico, sino por el localismo que caracterizó al movimiento, lo ensalzaron más allá de sus méritos. Borges escribió
uno de sus primeros ensayos sobre él.

CARLOS DE LA PUA

FABRIQUERA

Musa del arrabal, musa mistonga,
triste fruto del vicio y la pasión,
naciste destinada a la milonga,
al arruyo de un tango de salón.

Piba bonita que el andar taquero
te vende sin pensarlo, sin querer,
y entre el mugre piropo canfinflero
llegás hasta las puertas del taller.

. . . .

Para vos estos versos rantifusos
hechos de zurda, sí, de corazón.
Como a tu vida triste, los impuso
el arruyo de un tango compadrón.

Carlos Raúl Muñoz del Solar firmó con el pseudónimo de Carlos de la Púa (arg. 1898-1950). Periodista y poeta mezclado al ultraísmo, intentó en un libro titulado "La crencha engrasada" (1928) hacer poesía en lenguaje lunfardo, del bajo fondo de Buenos Aires. Fue, incluso, más allá de los mismos tangos y entenderlo resulta cada vez más difícil a medida que las palabras del argot se pierden, se transforman o cambian de sentido. *Fabriquera*: obrera de una fábrica. *Mistonga*: pobre. *Milonga*: se dice "ir a la milonga", ir a un lugar donde se bailen tangos o milongas. *Arruyo*: arrullo, se cambia la ll por y. *Taquero*: de tacón, caminar provocativamente. *Te vende sin pensarlo*: Denuncia sin que ella se lo proponga. *Piropo*: requiebro. *Canfinflero*: fanfarrón. *Rantifusos*: humildes. *De zurda*: de corazón, con sentimiento. *Compadrón*: cadencioso.

ENRIQUE SANTOS DISCEPOLO

CAMBALACHE (Tango)

Que el mundo fue y será una porquería
ya lo sé...
(¡En el quiniento seis
y en el dos mil también!)
Que siempre ha habido chorros,
maquiavelos y estafaos,
contentos y amargaos,
valores y dublé...
Pero que el siglo veinte
es un despliegue
de maldá insolente
ya no hay quien lo niegue.
Vivimos revolcaos en un merengue
y en mismo lodo
todos manoseaos...
¡Hoy resulta que es lo mismo
ser derecho que traidor...!
¡Ignorante, sabio, chorro,
generoso o estafador...!
¡Todo es igual! ¡Nada es mejor!
¡Lo mismo es un burro
que un gran profesor!
No hay aplazaos ni escalafón
los inmorales nos han igualao.
Si uno vive en la impostura
y otro roba en su ambición
da lo mismo que si es cura,
colchonero, rey de basto,
caradura o polizón...!
¡Qué falta de respeto,
qué atropello a la razón!
¡Cualquiera es un señor!
¡Cualquiera es un ladrón!
Mezclao con Stavisky van Don Bosco
y "La Mignon"
Don Chicho y Napoleón,

Carnera y San Martín...
Igual que en la vidriera irrespetuosa
de los cambalaches
se ha mezclao la vida
y herida por un sable sin remaches
ves llorar la Biblia
contra un calefón.
¡Siglo veinte, cambalache
problemático y febril...!
¡El que no llora no mama
y el que no afana es un gil!
¡Dale nomás! ¡Dale que va!
¡Que allá en el horno
nos vamos a encontrar!
¡No pienses más,
sentate a un lado,
que a nadie importa
si naciste honrao!
Es lo mismo el que labura
noche y día como un buey
que el que vive de los otros,
que el que mata, que el que cura
o está fuera de la ley.

Enrique Santos Discepolo (1828-1951) escribió las letras más memorables de los tangos argentinos. El expresó mejor que ningún otro esa filosofía popular que ha hecho que escritores como Borges, Martínez Estrada o Ernesto Sábato, encuentren observaciones trascendentes en el tango y lo consideren más que una canción, el reflejo de la personalidad de una ciudad a través del tiempo. Discepolo era un hombre culto, autor de teatro también de tipo popular (el sainete) donde alcanzó un puesto destacado.

Chorros: ladrones. *Estafaos*: Estafados, es frecuente la supresión de la d. *Escalafón*: ascenso en un empleo. *Rey de basto*: carta de la baraja. El tango "Cambalache" debe haberse escrito al comenzar la década del 30. *Polizón*: polizonte, alude a los inmigrantes clandestinos. *Don Chicho*: famoso gangster. *Carnera*: boxeador muy popular. *Cambalache*: venta de cosas viejas. *Afana*: robar. *Gil*: tonto. *Labura*: trabaja.

JORGE LUIS BORGES

LA FUNDACION MITOLOGICA DE BUENOS AIRES

¿Y fue por este río con traza de quillango
que doce naos vinieron a fundarme la patria?
Irían a los tumbos los barquitos pintados
entre los camalotes de la corriente zaina.

Pensando bien la cosa supondremos que el río
era bermejo entonces como oriundo del cielo,
con su estrellita roja para marcar el sitio
en que ayunó Juan Díaz y los indios comieron.

Lo cierto es que mil hombres y otros mil arribaron
por un mar que tenía cinco lunas de anchura
y aún estaba repleto de sirenas y endriagos
y de piedras imanes que enloquecen la brújula.

Cavaron un zanjón. Dicen que fue en Barracas
Pero son fantasías de los gringos sureros.
Lo de los cuatro ranchos no es más que una guayaba.
Fue una manzana entera y en mi barrio: en Palermo.

Una manzana entera pero en mitá del campo.
Zamarreada de auroras y lluvias y suestadas.
La manzana pareja que persiste en mi barrio:
Guatemala, Serrano, Paraguay, Gurruchaga.

Un almacén rosado como rubor de chica
brilló y en la trastienda lo inventaron al truco.
Y a la vuelta pusieron una marmolería
para surtir de lunas al espacio desnudo.

Una cigarrería sahumó como una rosa
la nochecita nueva, zalamera y agreste.
No faltaron zaguanes y novias besadoras.
Sólo faltó una cosa: la vereda de enfrente.

A mí se me hace cuento que empezó Buenos Aires:
La juzgo tan eterna como el agua y el aire.
                    ("Cuaderno San Martín", 1920).

La versión que damos de este poema, que en posteriores versiones se titula "Fundación mitológica de Buenos Aires", es la que
apareció en la "Exposición de la actual poesía argentina", de Pedro
Juan Viganale y César Tiempo (1927). Las variantes de la versión
definitiva, que transcribimos a continuación, son interesantes para
un estudio de la evolución espiritual de Borges desde aquellos días
que tan cerca estaba, a través del ultraísmo, del sentimiento ciudadano:

"¿Y fue por este río de sueñera y de barro
que las proas vinieron a fundarme la patria?
. . . .
y de piedras imanes que enloquecen la brújula.
Prendieron unos ranchos trémulos en la costa,
durmieron extrañados. Dicen que en el Riachuelo
pero son embelecos fraguados en la Boca.
Fue una manzana entera y en mi barrio: en Palermo.
Una manzana entera pero en mitá del campo
presenciada de auroras y lluvias y suestadas.
La manzana pareja que persiste en mi barrio:
Guatemala, Serrano, Paraguay, Gurruchaga.
Un almacén rosado, como revés de naipe
brilló y en la trastienda conversaron un truco;
el almacén rosado floreció en un compadre
ya patrón de la esquina, ya resentido y duro.
El primer organito salvaba el horizonte
con su achacoso porte, su habanera y su gringo.
El corralón seguro ya opinaba: IRIGOYEN,
algún piano mandaba tangos de Saborido.
Una cigarrería sahumó como una rosa
el desierto. La tarde se había ahondado en ayeres,
los hombres compartieron un pasado ilusorio.
Sólo faltó una cosa: la vereda de enfrente.
A mí se me hace cuento que empezó Buenos Aires:
La juzgo tan eterna como el agua y el aire".

Quillango: manta, generalmente de piel de guanaco, de color amarillento. *Naos:* naves, castellano antiguo. *Zaina:* rojiza como la piel de los caballos llamados "zainos". *Bermejo:* azulado. *Juan Díaz de Solís:* descubridor del Río de La Plata. *Barracas, Palermo, La Boca:* barrios tradicionales de Buenos Aires. *Gringo:* extranjero, terminó por referirse al inmigrante italiano radicado en Buenos Aires. *Guayaba:* mentira, en argot porteño. *Mitá:* mitad. *Suestadas:* viento del Sureste, que provoca peligrosas crecientes en el Río de La Plata. *Sueñeras:* ensoñación. *"Conversaron un truco":* jugaron a los naipes. El truco es un juego en que los jugadores se cambian advertencias mediante frases de ingenio. *Compadre:* bravucón. *Irigoyen:* presidente argentino de gran popularidad. *Saborido:* compositor de tangos.

EL GENERAL QUIROGA VA EN COCHE AL MUERE

El madrejón desnudo ya sin una sé de agua
y la luna atorrando por el frío del alba
y el campo muerto de hambre, pobre como una araña.

El coche se hamacaba rezongando la altura:
un galerón enfático, enorme, funerario.
Cuatro tapaos con pinta de muerte en la negrura
tironeaban seis miedos y un valor desvelado.

Junto a los postillones jineteaba un moreno.
Ir en coche a la muerte, ¡qué cosa más oronda!
El general Quiroga quiso entrar al infierno
llevando seis o siete degollados de escolta.

Esa cordobesada bochinchera y ladina
(meditaba Quiroga) ¿qué ha de poder con mi alma?
Aquí estoy afianzado y metido en la vida
como la estaca pampa bien metida en la pampa.

Yo que he sobrevivido a millares de tardes
y cuyo nombre pone retemblor en las lanzas,
¿Muere acaso el pampero, se mueren las espadas?
no he de soltar la vida por estos pedregales.

Pero en llegando al sitio nombrado Barranca Yaco
sables a filo y punta menudiaron sobre él:
muerte de mala muerte se lo llevó al riojano
y una de puñaladas lo mentó a Juan Manuel.

Luego (ya bien repuesto) penetró como taita
en el infierno negro que Dios le hubo marcado
y a sus órdenes iban, rotas y desangradas,
las ánimas en pena de fletes y cristianos.

("Luna de enfrente", 1925.)

La versión que ofrecemos figura en la "Antología de la poesía española e hispanoamericana", de Federico de Onís. Las variantes introducidas por Borges, índice de su predominio que, en su espíritu crítico iba teniendo lo especulativo sobre lo sentimental, son las siguientes:

"Pero al brillar el día sobre Barranca Yaco
sables a filo y punta, etc...
....
Ya muerto, y ade pie, ya inmortal, ya fantasma,
se presentó al infierno que Dios le había marcado
y a sus órdenes iban, rotas y desangradas,
las ánimas en pena de hombres y de caballos".

El poema pareciera estar narrado por algún orillero, hombre de los barrios bajos de Buenos Aires. Es curioso que, en la primera versión, utilice dos veces el modo gaucho —que era también el de la gente del arrabal— de decir "tapaos", en vez de "tapados" (embozados) y "nombrao" en vez de "nombrado", mientras que en ambas versiones usa "marcado" y no "marcao".

La expresión "ya sin una sé de agua" la hemos encontrado en "Los trabajos de Pio Cid", de Ganivet. *Madrejón:* campo árido y pedregoso. *Atorrando:* lunfardo porteño, vagando. *Rezongando la altura:* protestando, resistiendo la altura, balanceándose. *Pinta:* figura. *Oronda:* cómoda. *Bochinera:* ruidosa. *Ladina:* traidora, aviesa. *Y una de puñaladas:* entre las puñaladas alguien debió vivar a Juan Manuel de Rosas, que mandó asesinar a Facundo Quiroga, el caudillo federal que más resistencia oponía al tirano argentino. *Taita:* malevo, compadre, bravo. *Fletes:* caballos. *Cristianos:* hombres.

POEMA CONJETURAL

*El doctor Francisco Laprida, asesinado el día 22
de septiembre de 1829 por los montoneros de
Aldao, piensa antes de morir:*

Zumbaban las balas en la tarde última.
Hay viento y hay cenizas en el viento,
se dispersan el día y la batalla
deforme, y la victoria es de los otros.
Vencen los bárbaros, los gauchos vencen.
Yo, que estudié las leyes y los cánones,
yo, Francisco Narciso de Laprida,
cuya voz declaró la independencia
de estas crueles provincias, derrotado,
de sangre y de sudor manchado el rostro,
sin esperanzas ni temor, perdido,
huyo hacia el Sur por arrabales últimos.
Como aquel capitán del Purgatorio
que, huyendo a pie y ensangrentando el llano,
fue cegado y tumbado por la muerte
donde un oscuro río pierde el nombre,
así habré de caer. Hoy es el término.
La noche lateral de los pantanos
me acecha y me demora. Oigo los cascos
de mi caliente muerte que me busca
con jinetes, con belfos y con lanzas.
Yo que anhelé ser otro, ser un hombre
de sentencias, de libros, de dictámenes,
a cielo abierto yaceré entre ciénagas;
pero me endiosa el pecho inexplicable
un júbilo secreto. Al fin me encuentro
con mi destino sudamericano.
A esta ruinosa tarde me llevaba
el laberinto múltiple de pasos
que mis días tejieron desde un día
de la niñez. Al fin he descubierto
la recóndita clave de mis años,
la suerte de Francisco de Laprida,

la letra que faltaba, la perfecta
forma que supo Dios desde el principio.
En el espejo de esta noche alcanzo
mi insospechado rostro eterno. El círculo
se va a cerrar. Yo aguardo que así sea.
Pisan mis pies la sombra de las lanzas
que me buscan. Las befas de mi muerte,
los jinetes, las crines, los caballos,
se ciernen sobre mí . . . Ya el primer golpe,
ya el duro hierro que me raja el pecho,
el íntimo cuchillo en la garganta.

("Cuaderno San Martín", 1929).

El culto al coraje, heredado de los poetas gauchescos, está presente en muchos poemas de Borges. De igual modo, la idea del *fatum* irremediable que conduce a la perdición. Ambos temas aparecen señalados en "El general Quiroga va en coche al muere" y en "Poema conjetural". Tanto Quiroga como Francisco Narciso Laprida (presidente del Congreso de Tucumán que declaró la independencia argentina; fue asesinado durante las guerras de la anarquía, lo mismo que Facundo Quiroga) son héroes condenados. He aquí un tema que era muy frecuente en el tango —que lo había tomado de la poesía gauchesca— y que Borges recoge cultamente. La concepción de la muerte sin escape se amplía en los poemas posteriores y así vemos en "Poemas de los dones" que el concepto muerte no significa nada: el destino es irredimible y no mudable; el hombre, y cada hombre *es* todos los hombres, está condenado a vivir en un vacío al que ha llamado *tiempo*, tratando de llenar una parte del mismo con el concepto "vida" (indiferenciado y uno mismo, en el fondo, que el concepto *"muerte"*).

LA NOCHE CICLICA

A SILVINA BULLRICH

Lo supieron los arduos alumnos de Pitágoras:
Los astros y los hombres vuelven cíclicamente;
Los átomos fatales repetirán la urgente

Afrodita de oro, los tebanos, las ágoras.
En edades futuras oprimirá el centauro
Con el casco solípedo el pecho del lapita;
Cuando Roma sea polvo, gemirá en la infinita
Noche de su palacio fétido el minotauro.
Volverá toda noche de insomnio: minuciosa.
La mano que esto escribe renacerá del mismo
vientre. Férreos ejércitos construirán el abismo.
(El filólogo Nietzsche dijo la misma cosa).
No sé si volveremos en un ciclo segundo
Como vuelven las cifras de una fracción periódica;
Pero sé que una oscura rotación pitagórica
Noche a noche me deja en un lugar del mundo.
Que es de los arrabales. Una esquina remota
Que puede ser del norte, del sur o del oeste,
Pero que tiene siempre una tapia celeste,
Una higuera sombría y una vereda rota.
Ahí está Buenos Aires: El tiempo que a los hombres
Trae el amor o el oro, a mí apenas me deja
Esta rosa apagada, esta vana madeja
De calles que repiten los pretéritos nombres
De mi sangre: Laprida, Cabrera, Soler, Suárez . . .
Nombres en que retumban (ya secretas) las dianas,
Las repúblicas, los caballos y las mañanas,
Las felices victorias, las muertes militares.
Las plazas agravadas por la noche sin dueño
Son los patios profundos de un árido palacio
Y las calles unánimes que engendran el espacio
Son corredores de vago miedo y de sueño.
Vuelve la noche cóncava que descifró Anaxágoras:
Vuelve a mi carne humana la eternidad constante
Y el recuerdo ¿el proyecto? de un poema incesante:
"Lo supieron los árduos alumnos de Pitágoras . . ."
(Publicado en el diario "La Nación" de Buenos Aires, el 6 de
octubre de 1940).

El del "eterno retorno" es uno de los temas siempre presente
en los poemas de Borges. "La noche cíclica" es un buen ejemplo
de su técnica: nunca mezcla el porteñismo con sus ideas filosóficas

126

sino que los combina teniendo buen cuidado de aislar uno de otro aunque vayan enlazados en el total del poema.

Así, pues, en la poesía de Borges anotamos un costumbrismo localista y nacionalista, a través de su exaltación de la ciudad o del valor del hombre argentino. En esta faz, por la herencia gauchesca, Borges es romántico y poeta patriótico nacionalista. Paralelamente, es un "ejemplarizador" de las teorías de Nietzsche del eterno retorno —todas las cosas vuelven a ser como fueron alguna vez—, de alguna filosofía oriental sobre la verdad de la apariencia y la figura (¿cuál es más real, la imagen o el cuerpo que la proyecta?) y del fatalismo de una sobrevivencia sin felicidad ni redención.

¿Qué quedó del ultraísmo que Borges aprendió en España, aunque ya existía en Buenos Aires, y que cuajó en "Prisma" (1921), una revista mural, y en "Proa" (1922-1924)? De la broma dislocada en metáforas absurdas, pronto abandonada por la mayor parte de los ultraístas que se agruparon alrededor de la revista "Martín Fierro" (1924-1929), quedó en Borges la idea de mezclar la filosofía oriental con el porteñismo que había sustituído al criollismo gauchesco. Y de esa broma nace ese intento de poesía existencial, más pronunciado a través de los años, que veremos florecer en Argentina y los demás países americanos en la postguerra de 1945.

POEMA DE LOS DONES

Nadie rebaje a lágrima o reproche
Esta declaración de la maestría
De Dios, que con magnífica ironía
Me dio a la vez los libros y la noche.

De esta ciudad de libros hizo dueños
A unos ojos sin luz, que sólo pueden
Leer en las bibliotecas de los sueños
Los insensatos párrafos que ceden

Las albas a su afán. En vano el día
Les prodiga sus libros infinitos,
Arduos como los arduos manuscritos
Que perecieron en Alejandría.

De hambre y de sed (narra una historia griega)
Muere un rey entre fuentes y jardines;
Yo fatigo sin rumbo los confines
De esta alta y honda biblioteca ciega.

Enciclopedias, atlas, el Oriente
y el Occidente, siglos, dinastías,
Símbolos, cosmos y cosmogonías
Brindan los muros, pero inútilmente.

Lento en mi sombra, la penumbra hueca
Exploro con el báculo indeciso,
Yo, que me figuraba el Paraíso
Bajo la especie de una biblioteca.

Algo, que ciertamente no se nombra
Con la palabra AZAR, rige estas cosas;
Otro yo recibió en otras borrosas
Tardes los muchos libros y la sombra.

Al errar por las lentas galerías
Suelo sentir con vago horror sagrado
Que soy el otro, el muerto, que habrá dado
Los mismos pasos en los mismos días.

¿Cuál de los dos escribe este poema
De un yo plural y de una sola sombra?
¿Qué importa la palabra que me nombra
Si es indiviso y uno el anatema?

Groussac, o Borges, miro este querido
Mundo que se deforma y que se apaga
En una pálida ceniza vaga
Que se parece al sueño y al olvido.

Este poema, que Borges incorporó a su "Antología personal" ("Sur", 1961) apareció en "El Hacedor", en 1960, junto con otros poemas entre los cuales se destaca "Los espejos". La idea, muy antigua en Borges de que todos los hombres son un solo hombre porque cada hombre crea el mundo que mira o sueña, reaparece en "Poema de los dones". Paul Groussac, crítico y erudito francés (1848-1929) estaba casi ciego cuando fue director de la Biblioteca Nacional, cargo que Borges —en igual condición física— ejercía al escribir los versos anotados. La adjetivación es muy característica del poeta que, en realidad, hereda la utilización de palabras aparentemente antagónicas de sus predecesores, "el adjetivo raro" de los modernistas: "insensatos párrafos", "fatigo sin rumbo los confines", etc. Pero el poema que comienza púdicamente confesional concluye en el terreno metafísico. Borges ha abandonado el sentimiento ciudadano sin abandonar un lenguaje de falso sencillismo, lleno de culteranismos disfrazados ("declaración de la maestría"). Tal vez debiéramos haber incluído el "Poema de los dones" en la sección de poesía culterana y existencial, pero para dar unidad a la exposición de la evolución del poeta preferimos ubicarlo aquí.

EL PAISAJE EN LOS ULTIMOS AÑOS

No podríamos cerrar esta sección sin aludir, aunque fuera someramente, al paisaje y la evolución del concepto de paisaje en los últimos años. El romanticismo, al buscar elementos dramáticos para expresar las emociones extravertidas de sus personajes, había descubierto el paisaje americano. La poesía gauchesca de Argentina aportó una precisión realista en la descripción de los elementos de ese paisaje y afirmó, al mismo tiempo, la admiración de sus hijos por esta tierra. Es la poesía de la Nación o de la Nacionalidad, que será el antecedente de la poesía nacionalista, en la cual el paisaje desempeña una función muy importante al recordar —frente a los intentos de dominación extranjera, ya sea por las armas o por el medio económico— los valores tradicionales. El modernismo crea un paisaje de tapicería rococó, intimista de interior (al cual opondrá el prosaismo los paisajes proletarios de la ciudad, que estudiamos en esta misma sección). Pero como los poetas modernistas participan activamente de la vida que los rodea, aún utilizando las formas métricas o el vocabulario modernista, se escapan a lo esencial de la poesía de la Nación, a la valoración del paisaje nativo. Herrera y Reissig, como ya dijimos, es un buen ejemplo, y lo son también Leopoldo Lugones, y los poemas de "Tierra de Promisión" de José Eustasio Rivera.

En la línea del realismo gauchesco, la poesía social se vuelve naturalista y afea el panorama (salvo cuando, como Neruda en "Canto General", la inspiración del poeta traiciona su propósito prosaico). En la línea de idealización paisajista para expresar los sentimientos profundos del hombre, como ocurrió en la vanguardia y en especial con el superrealismo, la poesía filosófica toma elementos del paisaje, aparentemente descriptivos, tales como los empleados por Ricardo Molinari, Octavio Paz o Carlos Pellicer, en su poesía existencial, que veremos en la sección Culteranismo. Lamentamos tener que referir al lector a las otras secciones de esta antología; pero rara vez el paisaje atrae al poeta por el paisaje mismo, sino por lo que el poeta quiere expresar o señalar a través de él, sentimientos, nacionalismos, ideas.

JULIO HERRERA Y REISSIG

EL DOMINGO

Te anuncia un ecuménico amasijo de hogaza,
que el instinto del gato incuba antes que el horno.
La grey que se empavesa de sacrílego adorno,
te sustancia en un módico pavo real de zaraza . . .

Un rezongo de abejas beatifica y solaza
tu sopor, que no turban ni la rueca ni el torno . . .
Tú irritas a los sapos líricos del contorno;
y plebeyo te insulta doble sol en la plaza . . .

¡Oh, domingo! La infancia del espíritu te sueña,
y el pobre mendicante que es el que más te ordeña . . .
Tu genio bueno a todos cura de los ayunos,

la Misa te prestigia con insignes vocablos,
y te bendice el beato rumiar de los vacunos
que sueñan en el tímido Bethlem de los establos . . .

("Los éxtasis de la montaña", 1904).

130

LA SOMBRA DOLOROSA

Gemían los rebaños. Los caminos
llenábanse de lúgubres cortejos;
una congoja de holocaustos viejos
ahogaba los silencios campesinos.

Bajo el misterio de los velos finos,
evocabas los símbolos perplejos,
con tus húmedos ojos mortecinos.
hierática, perdiéndote a lo lejos

Mientras, unidos por un mal hermano,
me hablaban con suprema confidencia
los mudos apretones de tu mano,

manchó la soñadora transparencia
de la tarde infinita el tren lejano,
aullando de dolor hacia la ausencia.

("Los parques abandonados", 1908).

LEOPOLDO LUGONES

SALMO FLUVIAL

TORMENTA

Erase una caverna de agua sombría el cielo;
el trueno, a la distancia, rodaba su peñón;
y una remota brisa de conturbado vuelo,
se acidulaba en tenue frescura de limón.

Como caliente polen exhaló el campo seco
un relente de trébol lo que empezó a llover.
Bajo la lenta sombra, colgada en denso fleco,
se vio al cardal con vívidos azules florecer.

131

Una fulmínea verga rompió el aire al soslayo;
sobre la tierra atónita cruzó un pavor mortal;
y el firmamento entero se derrumbó en un rayo
como un inmenso techo de hierro y de cristal.

LLUVIA

Y un mimbreral vibrante fue el chubasco resuelto
que plantaba sus líquidas varillas al trasluz,
o en pajonales de agua se espesaba revuelto,
descerrajando al paso su pródigo arcabuz.

Saltó la alegre lluvia por taludes y cauces;
descolgó del tejado sonoro caracol;
y luego, allá a lo lejos, se desnudó en los sauces,
transparente y dorada bajo un rayo de sol.

CALMA

Delicia de los árboles que abrevó el aguacero.
Delicia de los gárrulos raudales en desliz.
Cristalina delicia del trino del jilguero.
Delicia serenísima de la tarde feliz.

PLENITUD

El cerro azul estaba fragante de romero,
y en los profundos campos silbaba la perdiz.

("*Libro de los paisajes*", 1917).

DELECTACION MOROSA

*La tarde, con ligera pincelada
Que iluminó la paz de nuestro asilo,
Apuntó en su matiz crisoberilo
Una sutil decoración morada.*

*Surgió enorme la luna en la enramada;
Las hojas agravaban su sigilo,
Y una araña, en la punta de su hilo,
Tejía sobre el astro, hipnotizada.*

*Poblóse de murciélagos el combo
Cielo, a la manera de chinesco biombo:
Tus rodillas exangues sobre el plinto*

*manifestaban la delicia inerte,
Y a nuestros pies un río de jacinto
Corría sin rumor hacia la muerte.*

("Los crepúsculos del jardín": "Los doce gozos", 1905)

No viene al caso recordar aquí la polémica sobre si Herrera influyó a Lugones, o Lugones a Herrera. "Los éxtasis de la montaña", de 1904 aparecieron un año antes que "Los crepúsculos del jardín". Sin embargo, está ya definitivamente probado que los poemas de este libro de Lugones eran conocidos —incluso por Herrera y Reissig— antes de ser reunidos en volumen. La polémica habla de amargos personalismos o de nacionalismos mal encauzados. Lo que importa es que, casi simultáneamente, dos grandes poetas hayan producido dos obras de fundamental importancia por su originalidad y espíritu renovador para la poesía que estudiamos. Ambos poetas siguieron la ventaja de los aciertos impresionistas, tales como "Salvo Pluvial" de su "Libro de los paisajes" (1917), donde hay notas realistas al describir los pájaros de su país que anticiparán los "Romances de Río Seco", su obra póstuma.

JOSE EUSTASIO RIVERA

TIERRA DE PROMISION

Lóbrego, en alta noche, a paso lento
regresa un toro por la pampa umbría;
y, husmeando el mustio pajonal, confía
vagos mugidos al miedoso viento.

Torvo, bajo el moriche corpulento
afilando las astas, extravía;
y al fin, en la estrellada lejanía,
surge como borroso monumento.

Absorto en las ilímites sabanas,
mira radiar las pléyades cercanas
sobre las sienes del palmar suspenso...

¡Después, hondo bramido de amargura,
brusco silencio en la majada oscura,
temblar de estrellas en el orbe inmenso!

("*Tierra de promisión*", 1921).

Rivera, que obtendría el enorme éxito de su novela "La Vo-
rágine" en 1925, publicó "Tierra de promisión", poemas trabajados
con pureza parnasiana —a pesar de que el poeta oponía un fuerte
nacionalismo a la moda dejada por Valencia— pero con esencia
romántica, en 1921. Los años han valorado estos sonetos donde
las sabanas —llanuras— colombianas son personaje principal.

Del Nacionalismo al Comunismo

El nacionalismo es una herencia romántica en la poesía de América. La idealización de la Patria por los proscriptos, desterrados políticos (por los tiranos o por los últimos restos del poder español) creó —junto con el tema de la nostalgia— el orgullo de pertenecer a la tierra por la cual luchaban. El famoso soneto "Al partir", de Gertrudis Gómez de Avellaneda, "A Emilia", de José María Heredia; "Patria y mujer" o "Al buen Pedro", de José Martí, son claros ejemplos. Citamos nombres de poetas cubanos pero igual línea de nostalgia, orgullo y deseo de libertad, cada vez más apremiante, se desarrolla en los otros países.

La poesía patriótica, que era poesía de militancia, escrita sobre la marcha de los acontecimientos, esencialmente romántica —implicaba "el compromiso" de morir por la libertad de América, no de un solo pueblo—, se convirtió en el período de las organizaciones nacionales en poesía nostálgica de un pasado ejemplar y heroico. Solamente cuando el modernismo entra en su segunda época el mundonovismo, y se vuelve nacionalista y militante, la poesía patriótica —ya localista— volverá a ser activa. Todavía la segunda parte del modernismo se apoya en el Panamericanismo. Pero la lucha antiimperialista le da pronto el carácter nacionalista que hasta hoy corre sin llegarse a confundir, aunque a veces lo parezca, con la poesía comunista.

La idea de fraternidad continental desde Miranda, existía como aspiración y teoría. Olegario Víctor Andrade, por ejemplo, (arg. 1839-1882) en "Atlántida", 1881, sustenta ideas acerca de una raza americana futura similares a las de José Vasconcelos. El poeta gauchesco (aunque escribió poemas católicos fervientes) Estanislao del Campo (arg. 1834-1882) también dedicó numerosos poemas a América. Pero el mundonovismo panamericanista introdujo, con "Cantos de vida y esperanza" (1905) que lo sistematizó, un elemento que va a contribuir a que se expresen esos nacionalismos que tan particular fisonomía dan hoy a los pueblos: la lucha contra la intromisión económica —y no solamente militar— del extranjero, la lucha contra el "imperialismo", ya fuere éste alemán, inglés o estadounidense. Sin embargo, es conveniente aclarar que todavía se diferencia sin esfuerzo a "Wall Street" del pueblo de los EE. UU. (será el comunismo a partir del año 30 quien confunda los términos en hábil propaganda). Todos los poetas "antiimperialistas", Manuel Ugarte, en Argentina, el mismo Darío, visitan el país del norte. Excepcionalmente algunos demuestran más agresividad y hablan de los "yanquis", en común como designación de todos los habitantes de EE. UU. El "Canto General", de 1950, de Pablo Neruda, es la culminación de la poesía nacionalista que se verá amenazada de absorción por la poesía comunista en la postguerra de 1945.

Reunir algunos de los poemas más famosos de Rubén Darío de la época mundonovista es interesante. En primer lugar porque si se los lee con atención se advierte que en ningún momento Darío tuvo odio por los EE. UU. Por el contrario sentía por este país una admiración rayana en la fascinación. El poema "A Roosevelt" valora al presidente, aunque con altivez serena —sin la efusión extremada de Chocano— prevenga a los estadounidenses sobre el futuro de América. El famoso verso "¿Tantos millones de hombres hablaremos inglés?", tan explotado entonces y ahora, es una protesta, pero más que contra EE. UU., contra los mismos habitantes de América hispana que enajenaban o traicionaban su libertad. El poema "A Colón" apareció en "El canto errante" (1907) pero data de 1882. Es una crítica severa, amarga y triste contra los hombres de hispanoamérica. Poniendo al poema en el año en que fue escrito aparece como una expresión de dolor legítimo, que explicará el cambio de meta enunciado en el prólogo de "Cantos de vida y esperanza" (1905), donde figura "A Roosevelt" y "Los cisnes". Es decir, ya estaba escrita aunque no publicada la desilusión americanista de Darío; precisamente en el momento en que se le va a poner como bandera poética de ese americanismo. Se comprende, pues, el enojo y la polémica que debe haber provocado un poema como "Salutación al Aguila", que comienza: "Bien vengas, mágica Aguila...", escrito en 1906. Esto es un año después de "A Roosevelt" y un año antes de que se decidiera a publicar "A Colón". Lo cual quiere decir que su desencanto americanista persistía y luchaba por manifestarse dentro de él. Cada vez miraba con más esperanza —a pesar del imperialismo— hacia la organización y disciplina del país del Norte. En un enamorado de la cultura, de la belleza, cansado de deambular por países convulsionados, esta reacción es bastante explicable. Transcribimos fragmentos de "Salutación al Aguila" pero no para dar partes "interesadas" del poema sino porque obviamente es desparejo y de inspiración pobre, reflejo de los apesadumbrados momentos que Darío vivía en aquel entonces.

José Santos Chocano, el poeta aventurero, de vida tan azarosa, escribió "Alma América" en 1906. Allí, aludiendo al Canal de Panamá, cuya construcción se debatía con pasión —y la política será la base de la poesía nacionalista—, apareció su famoso ataque a EE. UU. titulado "La Epopeya del Pacífico". Pero, nuevamente en Chocano, más agresivo que Darío, existe el respeto y la admiración por el poder organizado de EE. UU.: "Y la América debe, ya que aspira a ser libre, imitarles primero e igualarles después". De esta poesía "antiimperialista", pero no "anti-EE. UU.", nacerán los poetas del nacionalismo, propiamente dicho: ya no panamericanistas, sino localistas, que con su fanático amor al terruño contribuyen a delimitar aún más las fronteras de los países hermanos. Damos algunos ejemplos poéticos de este tipo de poesía, que exalta la belleza del suelo natal o emplea la ironía o la burla (Muñoz Rivera, Lloréns Torres, Pellicer). La poesía nacionalista tiene una alta manifestación en la poesía folklórica, cuyo antecedente natural es la poesía gauchesca argentina. Recordemos aquí los poemas "indoamericanistas" contenidos en el libro "Tala", de Gabriela Mistral.

Ofrecemos dos ejemplos pero es fácil encontrar otros, de esa poesía "socialista" que desde principios de siglo hasta pasado el año 30 agitó a la política y dejó indiferentes a las masas que miraban a estos poetas teóricos, intelectuales, románticos de largas melenas, con tranquila condescendencia. El anarquismo, el socialismo, el comunismo incipiente, son de poca efectividad proselitista, incluso cuando después de 1930, Nicolás Guillén de un contenido social a la poesía negroide.

La guerra de 1939 va a cambiar las cosas. Los movimientos nacionalistas, la lucha contra el imperialismo en crisis, la derrota alemana y el triunfo soviético, son buenos caldos de cultivo para que nazca una poesía de propaganda y militancia, subordinada a sus ideales comunistas. Su representante más destacado es Pablo Neruda. De éste transcribimos varios poemas que marcan su evolución a partir del superrealismo (al que a veces regresa, como escape, a pesar de la obligación que se impuso de escribir "para las masas"). Lo mismo que en César Vallejo, también comunista (véase la sección Vanguardia), la conversión de Neruda está llena de vaivenes en el terreno político: comienza con los resentimientos que expresa satíricamente en "Canto General" al hablar de los "poetas celestes", sigue con el comunismo apasionado y sectario, y bastante ingenuo, de "Las uvas y el viento", (1954) y tiene las variantes posteriores, casi confesionales, de poemas como "Pido silencio", "Soliloquio en tinieblas" y "Fin de fiesta". No se necesita recurrir a Freud para advertir la causa de las vacilaciones, dudas, angustias, que asaltan al gran poeta que enajenó su libertad de creación por seguir un ideal.

RUBEN DARIO

A COLON

¡Desgraciado almirante! Tu pobre América,
tu india virgen y hermosa de sangre cálida,
la perla de tus sueños, es una histérica
de convulsivos nervios y frente pálida.

Un desastroso espíritu posee tu tierra:
donde la tribu unida blandió sus mazas,
hoy se enciende entre hermanos perpetua guerra,
se hieren y destrozan las mismas razas.

Al ídolo de piedra reemplaza ahora
el ídolo de carne que se entroniza,
y cada día alumbra la blanca aurora
en los campos fraternos sangre y ceniza.

Desdeñando a los reyes, nos dimos leyes
al son de los cañones y los clarines,
y hoy al favor siniestro de negros bueyes
fraternizan los Judas con los Caínes.

Bebiendo la esparcida savia francesa
con nuestra boca indígena semi-española,
día a día cantamos la Marsellesa
para acabar danzando la Carmañola.

Las ambiciones pérfidas no tienen diques,
soñadas libertades yacen deshechas.
¡Eso no hicieron nunca nuestros caciques,
a quienes las montañas daban las flechas!

140

Ellos eran soberbios, leales y francos,
ceñidas las cabezas de raras plumas;
¡ojalá hubieran sido los hombres blancos
como los Atahualpas y Moctezumas!

Cuando en vientres de América cayó semilla
de la raza de hierro que fue de España,
mezcló su fuerza heroica la gran Castilla
con la fuerza del indio de la montaña.

¡Plugiera a Dios las aguas antes intactas
no reflejaran nunca las blancas velas;
ni vieran las estrellas estupefactas
arribar a la orilla tus carabelas!

Libres como las águilas, vieran los montes
pasar los aborígenes por los boscajes,
persiguiendo los pumas y los bisontes
con el dardo certero de sus carcajes.

Que más valiera el jefe rudo y bizarro
que el soldado que en fango sus glorias finca,
que ha hecho gemir al Zipa bajo su carro
y temblar las heladas momias del Inca.

La cruz que nos llevaste padece mengua;
y tras encanalladas revoluciones,
la canalla escritora mancha la lengua
que escribieron Cervantes y Calderones.

Cristo va por las calles flaco y enclenque,
Barrabás tiene esclavos y charreteras,
y las tierras de Chibch, Cuzco y Palenque
han visto engalonadas a las panteras.

Duelos, espantos, guerras, fiebre constante
en nuestra senda ha puesto la suerte triste:
¡Cristóforo Colombo, pobre Almirante,
ruega a Dios por el mundo que descubriste!

("El canto errante", 1907).

141

"A Colón", data de 1882, y es la contrarréplica a "Salutación del optimista", que debió escribir por la misma época. Véase el prefacio a esta sección.

LOS CISNES

(A Juan R. Jiménez)

¿Qué signos haces, oh cisne, con tu encorvado cuello
al paso de los errantes y errantes soñadores?
¿Por qué tan silencioso de ser blanco y ser bello,
tiránico a las aguas e impasible a las flores?

Yo te saludo ahora como en versos latinos
te saludara antaño Publio Ovidio Nasón.
Los mismos ruiseñores cantan los mismos trinos,
y en diferentes lenguas es la misma canción.

A vosotros mi lengua no debe ser extraña.
A Garcilaso vísteis, acaso, alguna vez . . .
Soy un hijo de América, soy un nieto de España . . .
Quevedo pudo hablaros en verso en Aranjuez.

Cisnes, los abanicos de vuestras alas frescas
den a las frentes pálidas sus caricias más puras,
y alejen vuetras blancas figuras pintorescas
de nuestras mentes tristes las ideas obscuras.

Brumas septentrionales nos llenan de tristezas,
se mueren nuestras rosas, se agostan nuestras palmas,
casi no hay ilusiones para nuestras cabezas,
y somos los mendigos de nuestras pobres almas.

Nos predican la guerra con águilas feroces,
gerifaltes de antaño revienen a los puños,
mas no brillan las glorias de las antiguas hoces,
ni hay Rodríguez ni Jaimes, ni hay Alfonsos ni Nuños.

Faltos de los alientos que dan las grandes cosas,
¿qué haremos los poetas sino buscar tus lagos?
A falta de laureles son muy dulces las rosas
y a falta de victorias busquemos los halagos.

La América española como la España entera
fija está en el Oriente de su fatal destino;
yo interrogo a la Esfinge que el porvenir espera
con la interrogación de tu cuello divino.

¿Seremos entregados a los bárbaros fieros?
¿Tantos millones de hombres hablaremos inglés?
¿Ya no hay nobles hidalgos ni bravos caballeros?
¿Callaremos ahora para llorar después?

He lanzado mi grito, cisnes, entre vosotros
que habéis sido los fieles en la desilusión,
mientras siento una fuga de americanos potros
y el estertor postrero de un caduco león...

... Y un cisne negro dijo: "La noche anuncia el día".
Y uno blanco: "¡La aurora es inmortal, la aurora
aún guarda la Esperanza la caja de Pandora!
es inmortal!" ¡Oh tierras de sol y de armonía!

(de "Cantos de vida y esperanza", Madrid, 1905)

En el prólogo a "Cantos...", Darío escribió: "Si en estos cantos hay política, es porque aparece universal. Y si encontráis versos a un presidente, es porque son un clamor continental. Mañana podremos ser yanquis (y es lo más probable); de todas maneras, mi protesta queda escrita sobre las alas de los inmaculados cisnes, tan ilustres como Júpiter".

VIII

A ROOSEVELT

Es voz de la Biblia, o verso de Walt Whitman,
que habría que llegar hasta tí, Cazador,
primitivo y moderno, sencillo y complicado,
con un algo de Washington y cuatro de Nemrod.
Eres los Estados Unidos,
eres el futuro invasor
de la América ingenua que tiene sangre indígena,
que aún reza a Jesucristo y aún habla español.
Eres soberbio y fuerte ejemplar de tu raza
eres culto, eres hábil; te opones a Tolstoy.
Y domando caballos, o asesinando tigres,
eres un Alejandro-Nabucodonosor.
(Eres un profesor de Energía
como dicen los locos de hoy).

Crees que la vida es incendio,
que el progreso es erupción,
que en donde pones la bala
el porvenir pones.
                    No.
Los Estados Unidos son potentes y grandes.
Cuando ellos se estremecen hay un hondo temblor
que pasa por las vértebras enormes de los Andes.
Si clamáis, se oye como el rugir del león.
Ya Hugo a Grant lo dijo: Las estrellas son vuestras.
(Apenas brilla, alzándose, el argentino sol
y la estrella chilena se levanta...) Sois ricos.
Juntáis al culto de Hércules el culto de Mammón;
y alumbrando el camino de la fácil conquista,
la Libertad levanta su antorcha en Nueva York

Mas la América nuestra, que tenía poetas
desde los viejos tiempos de Netzahualcoyotl,
que ha guardado las huellas de los pies del gran Baco,
que el alfabeto pánico en un tiempo aprendió;

que consultó los astros, que conoció la Atlántida
cuyo nombre nos llega resonando en Platón,
que desde los remotos momentos de su vida
vive de luz, de fuego, de perfume de amor,
la América del grande Moctezuma, del Inca,
la América fragante de Cristóbal Colón,
la América católica, la América española,
la América en que dijo el noble Cuatemoc:
"Yo no estoy en un lecho de rosas", esa América
que tiembla de huracanes y que vive de amor,
hombres de ojos sajones y alma bárbara, vive.
Y sueña. Y ama, y vibra, es la hija del Sol.
Tened cuidado. ¡Vive la América española!
Hay mil cachorros sueltos del León Español.
Se necesitaría, Roosevelt, ser, por Dios mismo,
el Riflero terrible y el fuerte Cazador,
para poder tenernos en vuestras férreas garras.

Y, pues contáis con todo, falta una cosa: ¡Dios!

("Cantos de Vida y Esperanza", 1905)

En el prólogo de "El canto errante" (1907) Rubén Darío dice: "El mayor elogio hecho recientemente a la Poesía y a los poetas ha sido expresado en lengua "anglosajona" por un hombre insospechable de extraordinarias complacencias con las nuevas Musas. Un yanqui. Se trata de Teodoro Roosevelt.

Ese presidente de República juzga a los armoniosos portaliras con mucha mejor voluntad que el filósofo Platón. No solamente les corona de rosas; mas sostiene su utilidad para el Estado y pide para ellos la pública estimación y el reconocimiento nacional. Por esto comprenderéis que el terrible cazador es un varón sensato".

SALUTACION AL AGUILA

... May this grand Union have no end!

Fontoura Xavier

Bien vengas, mágica Aguila de alas enormes y fuertes,
a extender sobre el Sur tu gran sombra continental,
a traer en tus garras, anilladas de rojos brillantes,
una palma de gloria, del color de la inmensa esperanza,
y en tu pico la oliva de una vasta y fecunda paz.

Bien vengas, oh mágica Aguila, que amara tanto·Walt Whitman,
quién te hubiera cantado en esta olímpica jira,
Aguila que has elevado tu noble y magnífico símbolo
desde el trono de Júpiter hasta el gran continente del Norte.

. . . .

¡Precisión de la fuerza! ¡Majestad adquirida del trueno!
Necesidad de abrirle el gran vientre fecundo a la tierra
para que en ella brote la concreción de oro de la espiga,
y tenga el hombre el pan con que mueve su sangre.

No es humana la paz con que sueñan ilusos profetas,
la actividad eterna hace precisa la lucha,

. . . .

Es incidencia la historia. Nuestro destino supremo
está más allá del rumbo que marca fugaces las épocas,
y Palenque y la Atlántida no son más que momentos soberbios
con que puntúa Dios los versos de su augusto Poema.

Muy bien llegada seas a la tierra pujante y ubérrima,
sobre la cual la Cruz del Sur está, que miró Dante

. . . .

¡E pluribus unun! ¡Gloria, victoria, trabajo!
Tráenos los secretos de las labores del Norte,
y que los hijos nuestros dejen de ser los rétores latinos,
y aprendan de los yanquis la constancia, el vigor, el carácter

¡Dinos, Aguila ilustre, la manera de hacer multitudes
que hagan Romas y Grecias con el jugo del mundo presente,
y que, potentes y sobrias, extiendan su luz y su imperio,
y que teniendo el Aguila o el Bisonte o el Hierro y el Oro,
tengan un áureo día para darle las gracias a Dios!

Aguila, existe el Cóndor. Es tu hermano en las grandes alturas.
Los Andes le conocen y saben que, cual tú, mira al sol.
May this grand Union have no end!, *dice el poeta.*
Puedan ambos juntarse en plenitud, concordia y esfuerzo,
Aguila, que conoces desde Jove a Zaratrusta
y que tienes en los Estados Unidos tu asiento,
que sea tu venida fecunda para estas naciones
que el pabellón admiran constelado de bandas y estrellas.

. . . .

¡Salud, Aguila! Extensa virtud a tus inmensos revuelos,
reina de los azures, ¡salud!, ¡gloria!, victoria y encanto!
¡Que la latina América reciba tu mágica influencia
y que renazca nuevo Olimpo, lleno de dioses y héroes!

(Escrito en Río de Janeiro, 1906. El año de "Alma América"
de Chocano).

147

JOSE SANTOS CHOCANO

LA EPOPEYA DEL PACIFICO

I

(A la manera yanki)

Los Estados Unidos, como argolla de bronce,
contra un clavo torturan de la América un pie;
y la América debe, ya que aspira a ser libre,
imitarles primero e igualarles después.
Imitemos, ¡oh, musa!, las crujïentes estrofas
que en el Norte se mueven con la gracia de un tren;
y que giren las rimas como ruedas veloces
y que caigan los versos como varas de riel.

II

Desconfiemos del Hombre de los ojos azules,
cuando quiera robarnos al calor del hogar
y con pieles de búfalo un tapiz nos regale,
y lo clave con discos de sonoro metal,
aunque nada es huírle, si imitarle no quieren
los que ignoran, gastándose en belígero afán,
que el trabajo no es culpa de un Edén ya perdido
sino el único medio de llegarlo a gozar.

III

Pero nadie se duela de futuras conquistas;
nuestras selvas no saben de una raza mejor,
nuestros Andes ignoran lo que importa ser blanco,
nuestros ríos desdeñan lo que vale un sajón;
y, así, el día en que un pueblo de otra raza se atreva
a explorar nuestras patrias, dará un grito de horror,
porque el miasma y la fiebre y el reptil y el pantano
le hundirán en la tierra, bajo el fuego del Sol.

IV

No podrá ser la raza de los blondos cabellos
la que al fin rompa el Istmo ... Lo tendrán que romper
veinte mil antillanos de cabezas oscuras,
que hervirán en las brechas cual sombrío tropel.
Raza de las Pirámides, raza de los asombros:
faro en Alejandría, templo en Jerusalem;
¡raza que exprimió sangre sobre el romano circo
y que exprimió sudores sobre el canal de Suez!

V

Cuando corten el nudo que Natura ha formado,
cuando entreabran las fauces del sediento canal,
cuando al golpe de vara de un Moisés en las rocas
solemnemente arrójese uno contra otro mar,
en el único instante del titánico encuentro,
un aplauso de júbilo esos mares darán,
que se eleve en los aires a manera de un brindis,
cual chocasen dos vasos de sonoro cristal!...

VI

El canal será el golpe que abrir le haga las manos
y le quite las llaves del gran río al Brasil
porque nuestras montañas rendirán sus tributos
a las naves que lleguen hasta el puerto feliz,
cuando luego de Paita, con enérgico trazo,
amazónica margen solicite el carril,
y el Pacífico se una con el épico río,
y los trenes galopen sacudiendo su crin...

VII

¡Oh, la turba que, entonces, de los puertos vibrantes
de la Europa latina llegará a esa región!
Barcelona, Havre, Génova, en millares de manos,
mirarán los pañuelos desplegando un adiós...
y el latino que sienta del vivaz mediodía
ese sol en la sangre parecido a este sol,
poblará nuestros bosques y vendrá desde Europa,
¡por el propio camino que le alista el sajón!

VIII

Vierte, ¡oh, musa!, tus cantos, como linfas que corren
y que fingen corriendo milagroso Jordán,
donde América puede redimir sus pecados,
refrescar sus fatigas, sus miserias lavar;
y, después que en el baño quede exenta de culpa,
enjugarse las aguas y envolverse quizás
entre sábanas puras, que se tiendan al viento,
¡como blancas banderas de Trabajo y de Paz!

(Alma América, 1906).

RUBEN DARIO

SALUTACION DEL OPTIMISTA

Inclitas razas ubérrimas, sangre de Hispania fecunda,
espíritus fraternos, luminosas almas, ¡salve!
Porque llega el momento en que habrán de cantar nuevos himnos
lenguas de gloria. Un vasto rumor llena los ámbitos; mágicas
ondas de vida van renaciendo de pronto;
retrocede el olvido, retrocede engañada la muerte;
se anuncia un reino nuevo, feliz sibila sueña
y en la caja pandórica de que tantas desgracias surgieron
encontramos de súbito, talismánica, pura, riente,
cual pudiera decirla en sus versos Virgilio divino,
la divina reina de luz, ¡la celeste Esperanza!

Pálidas indolencias, desconfianzas fatales que a tumba
o a perpetuo presidio condenásteis al noble entusiasmo,
ya veréis el salir del sol en un triunfo de liras,
mientras dos continentes, abonados de huesos gloriosos,
del Hércules antiguo la sombra soberbia evocando,
digan al orbe: la alta virtud resucita
que a la hispana progenie hizo dueña de siglos.

Abominad la boca que predice desgracias eternas,
abominad los ojos que ven sólo zodíacos funestos,
abominad las manos que apedrean las ruinas ilustres,
o que la tea empuñan o la daga suicida.
Siéntense sordos ímpetus en las entrañas del mundo,
la inminencia de algo fatal hoy conmueve la tierra
fuertes colosos caen, se desbandan bicéfalas águilas,
y algo se inicia como vasto social cataclismo
sobre la faz del orbe. ¿Quién dirá que las savias dormidas
no despierten entonces en el tronco del roble gigante
bajo el cual se exprimió la ubre de la loba romana?
¿Quién será el pusilánime que al vigor español niegue músculos
y que al alma española juzgue áptera y ciega y tullida?
No es Babilonia ni Nínive enterrada en olvido y en polvo
ni entre momias y piedras, reina que habita el sepulcro,
la nación generosa, coronada de orgullo inmarchito,
que hacia el lado del alba fija las miradas ansiosas,

ni la que tras los mares en que yace sepulta la Atlántida,
tiene su coro de vástagos, altos, robustos y fuertes.

Unanse, brillen y secúndense tantos vigores dispersos;
formen todos un solo haz de energía ecuménica.
Sangre de Hispania fecunda, sólidas, ínclitas razas,
muestren los dones pretéritos que fueron antaño su triunfo.
Vuelva el antiguo entusiasmo, vuelva el espíritu ardiente
que regará lenguas de fuego en esa epifanía.
Juntas las testas ancianas ceñidas de líricos lauros
y las cabezas jóvenes que la alta Minerva decora,
así los manes heroicos de los primitivos abuelos,
de los egregios padres que abrieron el surco prístino,
sientan los soplos agrarios de primaverales retornos
y el rumor de espigas que inició la labor triptolémica.
Un continente y otro renovando las viejas prosapias,
en espíritu unidos, en espíritu y ansias y lengua,
ven llegar el momento en que habrán de cantar nuevos himnos.

Latina estirpe verá la gran alba futura:
en un trueno de música gloriosa, millones de labios
saludarán la espléndida luz que vendrá del Oriente,
Oriente augusto, en donde todo lo cambia y renueva
la eternidad de Dios, la actividad infinita.
Y así sea esperanza la visión permanente en nosotros,
¡ínclitas razas ubérrimas, sangre de Hispania fecunda!

("*Cantos de Vida y Esperanza*", 1905).

"Salutación del optimista" es un poema que tiene especiales significados. Ya aludimos a él en la sección "métrica modernista", al referirnos al "hexámetro" que Darío pretende renovar, pero su principal valor consiste en que este poema es una especie de "reconciliación espiritual" con España. Fue escrito entre 1882 y 1905 e incluído en "Cantos de Vida y Esperanza". Junto con las "letanías" a don Quijote, "Salutación del optimista" concreta la reacción a favor de la lengua española como defensa de la nacionalidad frente a la invasión imperialista. Era una intención constante, en todos y cada uno, oponer el muro del idioma y hacer de la unidad idiomática en hispanoamérica una atadura de fortaleza espiritual. España había dejado de ser un enemigo pero el Caribe todavía era una llaga en la espalda del continente: era difícil reivindicarla como "madre Patria". Fueron los modernistas los que realmente dieron forma a esa reacción que pasó como principio obligado a todos los ensayistas teóricos de Indoamérica (Rodó, Vasconcelos, Rojas) y se adentró en los poetas "independentistas" (anticoloniales) y nacionalistas (antiimperialistas).

"Blasón" y "Crónica Alfonsina", del libro "Alma América", de José Santos Chocano, llevan la misma intención. Más que cantos en alabanza de España son cantos en defensa de las tierras americanas hispanas donde los invasores extranjeros hablaban en inglés o en alemán (al amparo de tiranuelos venales se volvían más y más imperativos). Véase también el poema "Los cisnes", de Darío.

LUIS MUÑOZ RIVERA

LAS CAMPANAS

Yo sé lo que dicen
las roncas campanas
cuando en recio y confuso desorden
agitan con fuerza sus lenguas metálicas.
Anuncian dolientes
la hora del alba,
porque el astro que sube a los cielos
es astro que alumbra vergüenzas y lágrimas.

Al pueblo congregan
y escuchan con rabia
por las naves del templo sombrío
subir a la altura la humilde plegaria,
en tanto que a gritos
exige la patria
ancho muro de pechos viriles,
de pólvora estruendo y choques de espadas.

Ya sé lo que dicen
las roncas campanas
cuando vibran en brusco desorden:
ya sé lo que dicen: ¡Venganza! ¡Venganza!
(1887).

Luis Muñoz Rivera fundó el diario "La democracia", donde tantos poetas de Puerto Rico tuvieron acogida. Fue jefe nato del partido Liberal y contribuyó a obtener de España la Constitución autonómica de 1897 y de EE. UU., la Carta Orgánica de 1917. "Las campanas" data de 1887, fue incluído en "Tropicales" (1902), antología de los versos de Muñoz Rivera donde figuran otros ejemplos de poesía nacionalista-anticolonialista tales como "Nulla est redemptio" y "Paréntesis". El tono de Muñoz Rivera es una vuelta al exaltado entusiasmo de la poesía patriótica.

LUIS LLORENS TORRES

DECIMA

Llegó un jíbaro a San Juan
y unos cuantos pitiyanquis
lo atajaron en el Parque
queriéndolo conquistar.
Le hablaron del Tío Sam,
de New York, de Sandykook,
de Wilson, de Elihu Root,
de la libertad y el voto,
de dólar, del habeas corpus. . .
Y el jíbaro dijo: ¡Unjú!

VIDA CRIOLLA

Ay, qué lindo es mi bohío
y qué alegre mi palmar,
y qué fresco el platanar
de la orillita del río.
Qué sabroso es tener frío
y un buen cigarro encender.

Qué dicha, no conocer
de letras ni astronomía.
Y qué buena hembra la mía
cuando se deja querer.

El nacionalismo de Luis Lloréns Torres, tan acentuado en
"Canción de las Antillas", uno de sus grandes poemas, tiene buena
muestra en "Décima" y "Vida criolla". Composiciones frescas, donde el costumbrismo no elude el vulgarismo, el lenguaje del vulgo,
para expresar los sentimientos de amor a la tierra natal.

CANCION DE LAS ANTILLAS

Somos islas. Islas verdes. Esmeraldas
en el pecho azul del mar.
Verdes islas. Archipiélago de frondas
en el mar que nos arrulla con sus ondas
y nos lame en las raíces del palmar.

¡Somos viejas! O fragmentos de la Atlante
de Platón,
o las crestas de madrépora gigante,
o tal vez las hijas somos de un ciclón.
¡Viejas, viejas!, presenciamos la epopeya resonante
de Colón.

Somos muchas. Muchas, como las estrellas.
Bajo el cielo de luceros tachonado,
es el mar azul tranquilo
otro cielo por nosotras constelado.
Nuestras aves, en las altas aviaciones de sus vuelos
ven estrellas en los mares y en los cielos.

¡Somos ricas! Los dulces cañaverales,
grama de nuestros vergeles,
son panales
de áureas mieles.
Los cafetales frondosos,
amorosos,
paren granos abundantes y olorosos.

. . . .

¡Somos indias! Indias braves, libres, rudas,
y desnudas,
y trigueñas por el sol ecuatorial.
Indias del indio bohío
del pomarrosal sombrío
de la orilla del río
de la selva tropical.
Los agüeybanas y Hatueyes,
los caciques, nuestros reyes,
no ciñeron más corona
que las plumas de la garza auricolor.
Y la dulce nuestra reina Anacaona,
la poetisa de la voz de ruiseñor,
la del césped por alfombra soberana
y por palio el palio inmenso de los cielos de tisú,
que una hamaca bajo el ala de un bohío
y un bohío bajo el ala de un bambú.

. . . .

cuando América sea América, que asombre
con sus urbes y repúblicas;
cuando Hispania sea Hispania, la primera
por la ciencia, por el arte y por la industria;
cuando medio mundo sea
de la fuerte raza iberoamericana,
las Hespérides seremos las Antillas,
¡cumbre y centro de la lengua y de la raza!

(*"Alturas de América"*, *1940*).

Lloréns Torres nació en 1878. Su primer libro "Al pie de la Alhambra" (1899) y "Sonetos sinfónicos" (1913) lo colocaron dentro del modernismo, con reticencia todavía. Luego, el nacionalismo que aprendió junto a Luis Muñoz Rivera, lo arrastró hacia la poesía costumbrista, con lenguaje jíbaro —del campesino puertorriqueño— y paisajista de exaltación nacionalista. Dentro de esta tendencia pueden colocarse sus poesías patrióticas a los héroes americanos como su poema "Bolívar". "Voces de la campana mayor" (1935) fue su obra de técnica modernista. En la "Canción de las Antillas" mezcla versos de medida desigual y acierta con ritmos del gusto modernista. Intentó crear un movimiento de vanguardia, el "pancalismo", que no tuvo éxito. Murió en 1944. Recordemos aquí a otro poeta paisajista del nacionalismo puertorriqueño: Evaristo Rivera Chevremont, cuyo poema "Ron de Jamaica" —que citamos en la sección de poesía negroide —tiene puntos de contacto con "La canción de las Antillas".

RAFAEL POMBO

BAMBUCOS NACIONALES

Yo no soy de Cartagena,
Popayán ni Panamá,
Ni de Antioquía o Magdalena,
Ni del mismo Bogotá.

Una tierra tan chiquita
No me llena el corazón.
Patria grande necesita,
Soy de toda la Nación.

Yo soy de Colombia entera,
De un trozo della, jamás;
Y ojalá más grande fuera,
Que así me gustara más.

Ojalá fuera tan grande
Que pudiéramos decir:
"A lo que Colombia mande
"No hay quién sepa resistir.

"No nos vengan ya con cuentas
"De un millón por un melón;
"Ya no enviamos nuestras rentas
"A engordar a otra nación.

"Ya no hay trato ni contrato
"De paloma y gavilán;
ya cualquiera desacato
nos lo paga el más jayán".

Ay del pobre y del pequeño
de este mundo en el chischás
De su campo nadie es dueño
si el vecino puede más.

La justicia entre naciones
Es la fuerza y el poder:
Los pequeños, los collones,
Siempre tienen que perder.

Mas la unión dará la fuerza;
Y la fuerza la razón,
Y a destino que se tuerza
Lo endereza el corazón.

. . . .

Aspiremos a ser grandes
Para el bien universal
Y sean íntegros los Andes
Nuestro escudo nacional.

Todo el que hable nuestro idioma
Y ame y sienta como acá,
Nuestro sea, y otra Roma
En el mundo pesará.

Ya su Italia el italiano
redondear consiguió,
Y auge súbito el germano
Con su Alemania alcanzó.

Sólo nosotros —gigante
partido en pedazos mil—
Sentimos alma de atlante
En covachas de reptil.

¡Patria inmensa de Pelayo
De Bolívar y Colón!
¿Cuándo el sol con cada rayo
Mirará la gran Nación?

Cuando no haya más apodo
De lugar y calidad,
Y radiante alumbre a todos
Sol de amor y libertad.

(1874).

La poesía nacionalista tiene una alta manifestación en la poesía folklórica. En el caso de Pombo, el recuerdo de la poesía gauchesca lo lleva a imitar el habla popular colombiana. Damos otro ejemplo en la "Décima" de Luis Lloréns Torres. Y debemos recordar que la Poesía Negroide rápidamente adquiere un carácter de protesta social y terminará en los poemas comunizantes de Nicolás Guillén.

CARLOS PELLICER

ELEGIA

Popocatépetl,
monarca de los Andes mexicanos
castígame con tu fuego,
perfílame en tus nieves, sepúltame en tus acantilados.
Traigo las manos vacías
y el corazón derrotado.
Los hombres de mi raza
niegan su sangre de hermanos.
El veneno de la indiferencia
mengua en tus águilas el aletazo,
y a tu serpiente civilizadísima
el boa dorado la está fascinando.
¡Cólera sagrada! ¡Angustia de la impotencia!
¡Voz interior conectada con la estrella

159

que se está deshojando!
Ideal de los litorales llenos de faros
¿te salvarás del naufragio?
Si ésta es la ley, montaña divina,
úntame como un poco de nieve a tus rápidos flancos.
Sobrealzará mi cuerpo en el invierno,
resbalará sonante en el verano,
y envenenarás mis torrentes
para castigar a tu pueblo
y a los nuevos conquistadores blancos.
Popocatépetl, montaña divina,
¡eternízame en un gran silencio lejano!

("*Piedra de sacrificios*", *1924*).

El fuerte nacionalismo mexicano tiene en "Piedra de sacrificios", subtitulado "poema iberoamericano", un buen ejemplo. Estos versos fueron publicados en 1924 con prólogo de José Vasconcelos, donde el gran teórico del futuro americanista dice: "Leyendo estos versos he pensado en una religión nueva que alguna vez soñé predicar: la religión del paisaje; la devoción de la belleza exterior, limpia y grandiosa, sin interpretaciones ni deformaciones; como lenguaje directo de la gracia divina". Lo que dijo Vasconcelos se cumplió ampliamente en la poesía posterior de Pellicer, que veremos en otro lugar.

La universidad Nacional Autónoma de México editó la obra completa de Pellicer con el título de "Material poético" (1818-1961).

ALVARO YUNQUE

ORO CALIDO

Yo, poeta sin dinero,
esta mañana de estío
me echo a andar por la avenida
que llena de oro un sol lindo.
Y, oh sol, lleno de tu oro

160

las manos y los bolsillos,
yo que, sin un solo cobre,
salí esta alborada exiguo,
sol, me hallo por tu oro pleno
de salud e ilusión... ¡río!
Y tu oro no es como ese oro
de las esterlinas, frío;
tan frío como la envidia
o como el escepticismo;
cálido es tu oro, cálido
como epidermis de un niño,
cálido es cual la ternura,
cálido como el idilio.
Oro del sol, cálido oro,
oro del sol encendido:
A tí nadie te acapara,
no hacen monedas contigo,
en la Bolsa no eres nadie,
en el Banco eres un mito
y en las casas de comercio,
un intruso entrometido...
Penetraste, ¡oh sol cálido!
por nariz, ojos, oídos,
llena el pecho de estos hombres
y hazlos buenos y verídicos.
Entraste, ¡oh sol, sol de oro!
limpia, más que su bolsillo,
del otro oro, el oro frío,
de las esterlinas que hácelos
falaces, feos, malignos...

Ya aludimos a Alvaro Yunque (Arístides Gandolfi Herrero, arg. 1893) en el introito a esta sección. Los poetas "socialistas" de antes de la guerra de 1939 aparecieron con románticas proclamas de fraternidad —se titulaban anarquistas, socialistas y luego comunistas—. Los obreros los escuchan con respeto pero no arrastraban a nadie tras de sí. (Citemos otros ejemplos argentinos: Raúl González Tuñón, José Portogalo, Leónidas Barletta). Otra actitud asumirán los poetas comunistas de la postguerra de 1945, que seguirán no sus impulsos sino las directivas del "partido". Max Henríquez Ureña cita unos versos que Leopoldo Lugones escribió en 1896, a los 22 años, en su época de "poeta socialista". Los copiamos como curioso ejemplo; pero recuerde el lector que estos versos nada significan en la obra de Lugones, el más grande y completo poeta de América después de Rubén Darío.

LEOPOLDO LUGONES

¡ODIA PUEBLO!

¡Odia, Pueblo! La faz se hermosea
cuando hay fiebres de odio en el pecho,
como barra de hierro candente
que doran las bravas injurias del fuego.
En mi bárbara estrofa se irrita
como lengua de víbora el nervio,
el odio arde en mi bárbara estrofa,
el odio es el torvo pudor de los siervos.

NICOLAS GUILLEN

SABAS

Yo ví a Sabás, el negro sin veneno,
pedir su pan de puerta en puerta.
¿Por qué, Sabás, la mano abierta?
(Este Sabás es un negro bueno).

Aunque te den el pan, el pan es poco,
y menos ese pan de puerta en puerta.
¿Por qué, Sabás, la mano abierta?
(Este Sabás es un negro loco).

Yo ví a Sabás, el negro hirsuto,
pedir por Dios para su muerta.
¿Por qué, Sabás, la mano abierta?
(Este Sabás es un negro bruto).

Coge tu pan, pero no lo pidas
coge tu luz, coge tu esperanza cierta
como a un caballo por las bridas.
Plántate en medio de la puerta,
pero no con la mano abierta,
ni con tu cordura de loco:
aunque te den pan, el pan es poco,
y menos el pan de puerta en puerta.

¡Caramba, Sabás, que no se diga!
¡Sujétate los pantalones,
y mira a ver si te las compones
para educarte la barriga!

La muerte, a veces, es buena amiga
y el no comer, cuando es preciso
para comer el pan sumiso,
tiene belleza. El cielo abriga.
El sol calienta. Es blando el piso
del portal. Espera un poco,
afirma el paso irresoluto
y afloja más el freno . . .
¡Caramba, Sabás, no seas tan loco!
¡Sabás, no seas tan bruto,
ni tan bueno!

("West Indies LTD." 1934).

En la sección "Poesía Negroide" encontrará el lector otros ejemplos de poemas de Nicolás Guillén. Aquí hemos querido únicamente recordar su faz comunizante. Guillén da un cauce a la poesía negra metiéndola en el terreno de la polémica de la lucha de clases. Lo mismo hará otro poeta cubano: Regino Pedroso. Pero la fuerza proselitista de la poesía comunista recién será efectiva a partir del último gran poema nacionalista de América: "El canto general" (1950), donde ya se entremezclan poemas de militancia y de subordinación de la creación poética a la necesidad política.

163

ALBERTO HIDALGO

BIOGRAFIA DE LA PALABRA REVOLUCION

Palabra que nació de un vómito de sangre.
Palabra que el primero que la dijo se ahogó en ella.
Palabra siempre puesta de pie.
Palabra siempre puesta en marcha.
Palabra contumaz en la modernidad.
Palabra que se pronuncia con los puños.
Palabra grande hasta salirse por los bordes del diccionario.
Palabra de cariño fácil como una curva.
Palabra de cuatro flechas disparadas hacia los puntos cardinales.
Aquí quedó desenraizada de olvido toda su anécdota
sobre uno de los vértices más remotos del tiempo.
Los dolores humanos hicieron campo de concentración
para emprender la ruta ¿hacia qué cielo?
Cada uno según su intensidad tomó diverso carácter alfabético
y la palabra quedó escrita:
REVOLUCION.
Luego el sol al pasar tras ella para hundirse en la noche encendió
(sus diez letras:
REVOLUCION.
Y fue el primer aviso luminoso del mundo.
Ahora está en el hombre igual que está el oxígeno en el agua.
Campos, ciudades, mares, cuentan con una población en sus ecos.
Les ha sustraído el espacio a los cuerpos que se dilatan.
Tiene violencia y distinción de ola de viento.
Entra en las almas con una sensibilidad de arado.
Cartel escrito en el claro de dos brazos erguidos,
alcémoslo con la vida.

("Descripción del cielo", 1928).

Alberto Hidalgo (per. 1897). Enrique Anderson Imbert en su "Historia de la literatura hispanoamericana" (Fondo de Cultura Económica, México, 1961) lo trata rudamente: "Futurista", como Marinetti, fue el cantor de la guerra, la energía, la violencia, la antidemocracia, la máquina y la velocidad extravagante en su manipuleo de todos los "ismos". Se creía poeta genial. Era menos crecido de lo que megalomanía le hacía creer". Algunos de los títulos de sus libros dan idea de la personalidad de Hidalgo: "Arenga lírica al Emperador de Alemania" 1916); "Química del espíritu" (1923); "Actitud de los años" (1933); "Dimensión del hombre" 1938); "Oda a Stalin" (1945); "Carta al Perú" (1953); "Biografía de yomismo" (1953). En Cuba, Juan Marinello, cofundador de la "Revista de Avance" 1927), está en igual línea.

GABRIELA MISTRAL

SOL DEL TROPICO

Sol de los Incas, sol de los Mayas,
maduro sol americano,
sol en que mayas y quichés
reconocieron y adoraron,
y en que viejos aimaráes
como el ámbar fueron quemados.
Faisán rojo cuando levantas
y cuando medias, faisán blanco,
sol pintador y tatuador
de casta de hombre y de leopardo.
Sol de montañas y de valles,
de los abismos y los llanos,
Rafael de las marchas nuestras,
lebrel de oro de nuestros pasos,
por toda tierra y todo mar
santo y seña de mis hermanos.
Si nos perdemos, que nos busquen
en unos limos abrazados,
donde existe el árbol del pan
y padece el árbol del bálsamo.

Sol del Cuzco, blanco en la puna,
Sol de México canto dorado
canto rodado sobre el Mayab,
maíz de fuego no comulgado,
por el que gimen las gargantas
levantadas a tu viático;
corriendo vas por los azules
estrictos o jesucristianos,
ciervo blanco o enrojecido,
siempre herido, nunca cazado . . .

Sol de los Andes, cifra nuestra,
veedor de hombres americanos,
pastor ardiendo de grey ardiendo
y tierra ardiendo en su milagro,
que ni se funde ni nos funde,
que no devora ni es devorado;
quetzal de fuego emblanquecido
que cría y nutre pueblos mágicos
llama pasmado en rutas blancas
guiando llamas alucinados . . .

. . . .

(*"Dos Himnos"*, del libro *"Tala"*, *1938*).

Al comentar los "Dos Himnos" Gabriela Mistral explicó su poesía Indoamericanista: "Suele echarse de menos, cuando se mira a los monumentos indígenas o la Cordillera, una voz entera que tenga el valor de allegarse a esos materiales formidables". Se queja de que el recuento de la tierra americana haya sido al por menor "parece que tenemos contados todos los caracoles" en vez de "hacer el himno en tono mayor".

El americanismo de Gabriela, sorbido principalmente durante los dos años que trabajó con Vasconcelos, influyeron luego a los propios mexicanos, tales como Octavio Paz. Véase también en "Tala" el poema "Recado de nacimiento para Chile". *Mayab:* nombre indígena de Yucatán.

166

PABLO NERUDA

LOS CONQUISTADORES

I

VIENEN
POR LAS
ISLAS
(1945)

Los carniceros desolaron las islas.
Guanahaní fue la primera
en esta historia de martirios.
Los hijos de la arcilla vieron rota
su sonrisa, golpeada
su frágil estatura de venados,
y aún en la muerte no entendían.
Fueron amarrados y heridos,
fueron quemados y abrasados,
fueron mordidos y enterrados.
Y cuando el tiempo dio su vuelta de vals
bailando en las palmeras,
el salón verde estaba vacío

. . . .

III

LLEGAN
AL
MAR DE
MEXICO
(1519)

A Veracruz va el viento asesino.
En Veracruz desembarcan los caballos.
Las barcas van apretadas de garras
y barbas rojas de Castilla.
Son Arias, Reyes, Rojas, Maldonados,
hijos del desamparo castellano,
conocedores del hambre en invierno
y de los piojos en los mesones.

. . . .

IV

CORTES

Cortés no tiene pueblo, es rayo frío,
corazón muerto en la armadura.
"Feraces tierras, mi Señor y Rey,
templos en que el oro, cuajado
está por manos del indio".

Y avanza hundiendo puñales, golpeando
las tierras bajas, las piafantes
cordilleras de los perfumes,
parando su tropa entre orquídeas
y coronaciones de pinos,
atropellando los jazmines,
hasta las puertas de Tlaxcala.

XII

XIMENEZ
DE
QUESADA
(1536)

Ya van, ya van, ya llegan,
corazón mío, mira las naves,
las naves por el Magdalena,
las naves de Gonzalo Jiménez
ya llegan, ya llegan las naves,
deténlas río, cierra
tus márgenes devoradoras,
sumérgelos en tu latido,
arrebátales la codicia,
échales tu trompa de fuego,
tus vertebrados sanguinarios,
tus anguilas comedoras de ojos
atraviesa el caimán espeso
con sus dientes color de légamo
y su primordial armadura,
extiéndelo como un puente
sobre tus aguas arenosas,
dispara el fuego del jaguar
desde tus árboles, nacidos
de tus semillas, río madre,
arrójales moscas de sangre,
ciégalos con estiércol negro,
húndelos en tu hemisferio,
sujétalos entre las raíces
en la oscuridad de tu cama,
y púdreles toda la sangre
devorándoles los pulmones
y los labios con tus cangrejos.

Ya entraron en la floresta:
ya roban, ya muerden, ya matan.
¡Oh Colombia! Defiende el velo
de tu secreta selva roja.
Ya levantaron el cuchillo
sobre el oratorio de Iraka,
ahora agarran al zipa,
ahora lo amarran. "Entrega
las alhajas del dios antiguo",
las alhajas que florecían
y brillaban como el rocío
de la mañana de Colombia.

Ahora atormentan al príncipe.
Lo han degollado, su cabeza
mira con ojos que nadie
puede cerrar, ojos amados
de mi patria verde y desnuda.
Ahora queman la casa solemne,
ahora siguen los caballos,
los tormentos, las espadas,
ahora quedan unas brasas
y entre las cenizas los ojos
del príncipe que no se han cerrado.

XIV

LAS
AGONIAS

En Cajamarca empezó la agonía.
El joven Atahualpa, estambre azul,
árbol insigne, escuchó al viento
traer rumor de acero.
Era un confuso
brillo y temblor desde la costa,
un galope increíble
—piafar y poderío—
de hierro y hierro entre la hierba.
Llegaron los adelantados.
El Inca salió de la música
rodeado por los señores.

169

Las visitas
de otro planeta, sudadas y barbudas,
iban a hacer la reverencia.

El capellán
Valverde, corazón traidor, chacal podrido,
adelanta un extraño objeto, un trozo
de cesto, un fruto
tal vez de aquel planeta
de donde vienen los caballos.

Atahualpa lo toma. No conoce
de qué se trata: no brilla, no suena,
y lo deja caer sonriendo.

"Muerte,
venganza, matad, que os absuelvo",
gritó el chacal de la cruz asesina.
El trueno acude hacia los bandoleros.
Nuestra sangre en su cuna es derramada.
Los príncipes rodean como un coro
al Inca, en la hora agonizante.
Diez mil personas caen
bajo cruces y espadas, la sangre
moja las vestiduras de Atahualpa.
Pizarro, el cerdo cruel de Extremadura
hace amarrar los delicados brazos
del Inca. La noche ha descendido
sobre el Perú como una brasa negra.

"Canto General", Canto III: "Los Conquistadores"). El tono de los XXV poemas que componen este Canto es el mismo: atrocidades, negación de cualquier asomo de grandeza en la Conquista. Neruda adopta una posición nacionalista, debe despertar, avivar, mantener los sentimientos nacionales de los distintos pueblos. Al recordar la Conquista y sus horrores, los excita contra la nueva conquista: la del imperialismo, la del capitalismo extranjero. La crueldad española de los conquistadores —tan distinta a la imagen de Ercilla y de José Santos Chocano— sirve de acicate para los futuros ataques que tendrá el "Canto General". En nuestra Historia de la Poesía Hispanoamericana", hemos explicado la génesis, la temática y los propósitos de "Canto General", donde Neruda todavía no se decide a entrar al comunismo, sino en aquellas partes que compuso después de julio 8 de 1945 (fecha de su ingreso al partido comunista). El Panamericanismo proclamado por Darío y Chocano se convierte en Nacionalismo. Un paso más y será la poesía de militancia comunista de "Las uvas y el viento".

LA CREMA

LA ARENA
TRAICIONADA

Grotescos, falsos aristócratas
de nuestra América, mamíferos
recién estucados, jóvenes
estériles, pollinos sesudos,
hacendados malignos, héroes
de la borrachera en el Club,
salteadores de banca y bolsa,
pijes, granfinos, pitucos,
apuestos tigres de Embajada,
pálidas niñas principales,
flores carnívoras, cultivos
de las cavernas perfumadas,
enredadoras chupadoras
de sangre, estiércol y sudor,
lianas estranguladoras,
cadenas de boas feudales.

Mientras temblaban las praderas
con el galope de Bolívar,
o de O'Higgins (soldados pobres,
pueblo azotado, héroes descalzos),
vosotros formásteis las filas
del rey, del pozo clerical,
de la traición a las banderas,
pero cuando el viento arrogante

171

del pueblo, agitando sus lanzas,
nos dejó la patria en los brazos,
surgísteis alambrando tierras,
midiendo cercas, hacinando
áreas y seres, repartiendo
la policía y los estancos.

. . . .

LOS POETAS
CELESTES

Qué hicísteis vosotros gidistas,
intelectualistas, rilkistas,
misterizantes, falsos brujos
existenciales, amapolas
surrealistas encendidas
en una tumba, europeizados
cadáveres de la moda,
pálidas lombrices del queso
capitalista, qué hicísteis
ante el reinado de la angustia,
frente a este oscuro ser humano,
a esta pateada compostura,
a esta cabeza sumergida
en el estiércol, a esta esencia
de ásperas vidas pisoteadas?

No hicísteis nada sino la fuga:
vendísteis hacinado detritus,
buscásteis cabellos celestes,
plantas cobardes, uñas rotas,
"Belleza pura", "sortilegio",
obras de pobres asustados
para evadir los ojos, para
enmarañar las delicadas
pupilas, para subsistir
con el plato de restos sucios
que os arrojaron los señores,

172

sin ver la piedra en agonía,
sin defender, sin conquistar,
más ciegos que las coronas
del cementerio, cuando cae
la lluvia sobre las inmóviles
flores podridas de las tumbas.

("Canto General", Canto V: "La arena
traicionada")

El Canto V, "La arena traicionada", fue escrito alrededor de 1948 según la fecha que da el poeta en "Las satrapías". El tono sigue siendo nacionalista, pero ya de violento ataque con tintes comunistas. Era el momento en que se discutía el problema de la literatura comprometida", en que las izquierdas avanzaban en plan de conquistar adeptos, en que Rilke, Gide y Valery eran los intelectuales más leídos y el superrealismo acababa de recibir su primera condena (había dejado de ser una escuela de libertad de expresión, factible para criticar a la burguesía).

EL DESFILE

EL VIENTO EN EL ASIA

Frente a Mao Tse Tung
el pueblo desfilaba.
No eran aquellos
hambrientos y descalzos
que descendieron
las áridas gargantas,
que vivieron en cuevas,
que comieron raíces,
y que cuando bajaron
fueron viento de acero,
viento de acero de Yennan y el Norte.
Hoy otros hombres desfilaban,
sonrientes y seguros,
decididos y alegres,
pisando fuertemente la tierra liberada
de la patria más ancha.

Y así pasó la joven, orgullosa, vestida
de azul obrero, y junto a su sonrisa,
como una cascada de nieve,
cuarenta mil bocas textiles,
las fábricas de seda que marchan y sonríen,
los nuevos constructores de motores,
los viejos artesanos del marfil,
andando, andando,
frente a Mao,
toda la vasta China, grano a grano,
de férreos cereales,
y la seda escarlata palpitando en el cielo
como los pétalos al fin reunidos
de la rosa terrestre.
y el gran tambor pasaba
frente a Mao,
y un trueno oscuro
de él subía
saludándolo.
Era la coz antigua
de China, voz de cuero,
voz del tiempo enterrado,
la vieja voz, los siglos
lo saludaban.
Y entonces como un árbol
de flores repentinas
los niños,
por millares,
saludaron, y así
los nuevos frutos y la vieja tierra,
el tiempo, el trigo,
las banderas del hombre al fin reunidas,
allí estaban.

Allí estaban, y Mao sonreía
porque desde las alturas
sedientas del Norte
nació este río humano,
porque de las cabezas

174

de muchachas
cortadas por los norteamericanos
(o por Chiang, su lacayo),
en las plazas,
nació esta vida grande.
Porque de la enseñanza del Partido,
en pequeñitos libros mal impresos,
salió esta lección para el mundo.
Sonreía, pensando
en los ásperos años
pasados,
la tierra llena de extranjeros, hambre
en las humildes chozas,
el Yang Tsé mostrando en su lomo
los reptiles de acero
acorazados
de los imperialistas invasores,
la patria saqueada
y hoy, ahora,
limpia la tierra,
la vasta China limpia,
y pisando lo suyo.

Respirando la patria
desfilaban los hombres
frente a Mao
y con zapatos nuevos
golpeaban la tierra,
desfilando,
mientras el viento en las banderas rojas
jugaba y en lo alto
Mao Tse Tung sonreía.

("Las uvas y el viento", 1954).

Con "Las uvas y el viento" Pablo Neruda se convierte en comunista militante. El poeta se pone al servicio de su idea política. Adopta entonces las fórmulas prescritas por el academismo panfletista soviético: el poema debe ser claro (¡fuera el superrealismo!)

para que su "mensaje" llegue más fácilmente al entendimiento de la masa proletaria; se debe hablar de alegres obreros que construyen el futuro feliz del pueblo elegido no por Dios sino por un jefe semejante a Dios, un jefe que sonríe bonachonamente rodeado por niños al ver tanta felicidad; hay que exaltar los planes quinquenales, el trabajo industrial más que el agrario y echar culebras contra el capitalismo encarnado por Chang Kai-Chek y Wall Street. En "El desfile" se sigue fielmente toda esta ingenua militancia a la que Neruda se entrega con entusiasmo. Pero el nacionalismo lo lleva a menudo a escapar de la línea que aquí se traza con conmovedora humildad ("Las piedras de Chile", "Cantos ceremoniales", ambos de 1961, o el hartazgo de tanta preceptiva forzoza lo regresará a los poemas pasionales de "Cien poemas de amor" (1959) o al superrealismo de algunas de sus "Odas elementales" (1956-1959), cuando ya el superrealismo ha sido condenado en el Soviet.

PIDO SILENCIO

Ahora me dejen tranquilo.
Ahora se acostumbren sin mí.

Yo voy a cerrar los ojos

Y sólo quiero cinco cosas,
cinco raíces preferidas.

Una es el amor sin fin.

Lo segundo es ver el otoño
No puedo ser sin que las hojas
vuelen y vuelvan a la tierra.

Lo tercero es el grave invierno,
La lluvia que amé, la caricia
del fuego en el frío silvestre.

En cuarto lugar el verano
redondo como una sandía.

La quinta cosa son tus ojos,
Matilde mía, bienamada,
no quiero dormir sin tus ojos,
no quiero ser sin que me mires:
yo cambio la primavera
por que tú me sigas mirando.

Amigos, eso es cuanto quiero.
Es casi nada y casi todo.

Ahora si quieren se vayan.

He vivido tanto que un día
tendrán que olvidarme por fuerza,
borrándome de la pizarra:
mi corazón fue interminable.

Pero porque pido silencio
no crean que voy a morirme:
me pasa todo lo contrario:
sucede que voy a vivirme.

Sucede que soy y que sigo.

No será pues sino que adentro
de mí crecerán cereales,
primero los granos que rompen
la tierra para ver la luz,
pero la madre tierra es oscura:
y dentro de mí soy oscuro:
soy como un pozo en cuyas aguas
la noche deja sus estrellas
y sigue sola por el campo.

Se trata de que tanto he vivido
que quiero vivir otro tanto.

Nunca me sentí tan sonoro,
nunca he tenido tantos besos.

Ahora, como siempre, es temprano.
Vuela la luz con sus abejas.

Déjenme solo con el día.
Pido permiso para nacer.

(Extravagario", 1958).

SOLILOQUIO EN TINIEBLAS

Entiendo que ahora tal vez
estamos gravemente solos,
me propongo preguntar cosas:
nos hablaremos de hombre a hombre.

Contigo, con aquel que pasa.
con los que nacieron ayer,
con todos los que se murieron
y con los que nacerán mañana
quiero hablar sin que nadie escuche,
sin que estén susurrando siempre,
sin que se transformen las cosas
en las orejas del camino.

. . . .

Tengo tanta prisa que apenas
puedo caminar con decoro,
en alguna parte me esperan
para acusarme de algo, y tengo
yo que defenderme de algo:
nadie sabe de qué se trata
pero se sabe que es urgente
y si no llego está cerrado,
y cómo voy a defenderme
si toco y no me abren la puerta?

178

Hasta luego, hablaremos antes.
O hablamos después, no recuerdo,
o tal vez no nos hemos visto
ni podemos comunicarnos.
Tengo estas costumbres de loco,
hablo, no hay nadie y no me escucho,
me pregunto y no me respondo.

("*Extravagario*", *1958*).

FIN DE FIESTA

I

Hoy es el primer día que llueve sobre Marzo,
sobre las golondrinas que bailan en la lluvia,
y otra vez en la mesa está el mar,
todo está como estuvo dispuesto entre las olas,
seguramente así seguirá siendo.
¡Seguirá siendo, pero yo, invisible,
alguna vez ya no podré volver
con brazos, manos, pies, ojos, entendimiento,
enredados en sombra verdadera.

IV

Poemas deshabitados, entre cielo y otoño,
sin personas, sin gastos de transporte,
quiero que no haya nadie por un momento en mis versos,
no ver en la arena vacía los signos del hombre,
huellas de pies, papeles, muertos, estigmas
del pasajero, y ahora
estática niebla, color de Marzo, delirio
de aves del mar, petreles, pelícanos, palomas
de la sal, infinito
aire frío,
una vez más antes de meditar y dormir,
antes de usar el tiempo y extenderlo en la noche,

179

por esta vez la soledad marítima,
boca a boca con el húmedo mes y la agonía
del verano sucio, ver cómo crece el cristal,
cómo sube la piedra a su inexorable silencio,
cómo se derrama el océano sin matar su energía.

VII

El deber crudo, como es cruda la sangre de una herida
o como es aceptable a pesar de todo el viento frío reciente,
nos hace soldados, nos hace la voz y el paso
de los guerreros, pero es con ternura indecible
que nos llaman la mesa, la silla, la cuchara,
y en plena guerra oímos cómo gritan las copas.
Pero no hay paso atrás! Nosotros escogimos,
nadie pesó en las alas de la balanza
sino nuestra razón abrumadora
y este camino se abrió con nuestra luz:
pasan los hombres sobre lo que hicimos,
y en este pobre orgullo está la vida,
es éste el esplendor organizado.

XIII

¿Qué podía decir sin tocar tierra?
¿A quién me dirigía sin la lluvia?
Por eso nunca estuve donde estuve
y no navegué más que de regreso
y de las catedrales no guardé
retrato ni cabellos: he tratado
de fundar piedra mía a plena mano,
con razón, sin razón, con desvarío,
con furia y equilibrio: a toda hora
toqué los territorios del león
y la torre intranquila de la abeja,
por eso, cuando ví lo que había visto
y toqué tierra y lodo, piedra y espuma mía,
seres que reconocen mis pasos, mi palabra,
plantas ensortijadas que besaban mi boca,

dije:"aquí estoy", me desnudé en la luz,
dejé caer las manos en el mar,
y cuando todo estaba transparente,
bajo la tierra, me quedé tranquilo.

("Cantos ceremoniales", 1961).

"Canto General" (1950) es el libro de transición, más nacionalista que comunista. "Las uvas y el viento" (1954) y "Navegaciones y regresos" 1960) marcan la aceptación del dogma comunista. "Odas elementales" (las de 1956 a 1959) son poemas de escape: el destronamiento de Stalin obliga a un silencio prudente, con cantos genéricos. Allí se evade de las reglas estrictas de la poética comunista y regresa a formas del superrealismo. Vuelve a la poesía amorosa con "Cien sonetos de amor" (1959 y al nacionalismo, que parece predominar cada vez más sobre el falso universalismo de sus poemas comunistas en "Las Piedras de Chile" (1961) y "Cantos ceremoniales" (1961). En este libro, en el poema "Fin de fiesta", como en "Extravagario", de 1958, en los poemas "Pido silencio" y "Soliloquio en tinieblas" hay una bastante evidente reacción contra las prisiones a la inspiración que impone al poeta el partido cuya militancia ha abrazado. Neruda ha hecho muchas protestas de fidelidad al régimen comunista, pero la poesía trasluce el alma y el subconsciente del que escribe, y no se equivoca nunca, como las impresiones digitales que denuncian el crimen.

La Vanguardia

El vanguardismo fue un movimiento culterano al que caracterizó la preocupación por las formas (aunque aparentara no ocuparse o prescindir de ellas), el hermetismo, derivado del afán de buscar sensaciones nuevas, cierto simbolismo cuyo significado quedaba reservado a unos cuantos iniciados, y el planteo de problemas metafísicos o sobre la condición del hombre en el mundo. Estuvo ligado a problemas sociales y étnicos: así como en el Caribe se vinculó con la poesía nacionalista, se vinculó a la poesía comunizante (con César Vallejo). Cuando después de la guerra de 1939-1945 la URSS cambia los conceptos de la estética y el superrealismo (hasta ese entonces considerado un medio libre de expresión capaz de desmenuzar mediante el subconsciente las argucias del mundo capitalista) es mirado como lo que era, una poesía hermética cuyo secreto compartían unos pocos, la Vanguardia concluye su ciclo (aunque siempre los malos poetas y aquellos que no saben rimar usufructúen de ella para excusar su falta de talento creador).

Enrique Anderson Imbert dice ("Historia de la Literatura Hispanoamericana", Fondo de Cultura Económica, México, 1961): "Escribían en contra. En contra de las dulces perspectivas, en contra de los cosmopolitas ensueños del modernismo. Y escribiendo en contra se dieron al verso suelto, a la idolatría de la imagen y a la manía de coleccionar luego esos ídolos metafóricos, a los cambios en las funciones gramaticales de las palabras, a los barbarismos deliberados, a la sobreproducción de neologismos". "Surgió una literatura menos visual que la de los modernistas; en cambio, se proyectaban sensaciones más táctiles, viscerales. Sintiendo que el mundo les era hostil, o, al menos, que se ocultaba a la comprensión humana, estos escritores fueron realistas, prefirieron lanzar esquemas abstractos donde podían distorsionar las cosas con violencia de emoción y fantasía".

La Vanguardia no fue una reacción contra el modernismo, cuyo preciosismo había sido reemplazado por la poesía Panamericana del mundonovismo, ni siquiera contra el vulgarismo que coexistió junto con ella fragmentado en prosaísmo costumbrista, sentimental, social— fue la consecuencia de una desilusión: el hombre —azotado por la guerra de 1914 a 1918— desilusionado de la inteligencia que había fracasado en su intento de detener la hecatombe, necesita buscar otras manifestaciones que expliquen la conducta del hombre y ayuden a salvarlo. Las teorías de Freud abrieron un amplio campo y por él avanzó el vanguardismo. Primero, llevado por un mundo entregado a los sentidos, asume con avidez las nuevas formas sensoriales que le ofrece el ambiente circundante, y busca en la sin razón —como el teatro de la post guerra de 1945— la explicación de esa conducta desesperada de la humanidad. Este es el intento de Vicente Huidobro, el más grande de los vanguardistas de América. Luego, mezclada con frecuencia con la poesía social —que descarga sus "mensajes" en el subconsciente aprovechando el hermetismo aparente del vanguardismo que lo hacía aparecer inofensivo—, la Vanguardia seguirá por caminos de escándalo y disconformismo, dándose mil nombres diversos (Ultraísmo, Estridentismo, Futurismo, Atalayismo) hasta caer en la metáfora aislada del contexto del poema, que deja de tener un significado total para fragmentarse en "sensaciones" parciales. El Superrealismo, que no se aisla de la razón, que no prescinde de la razón sino que la completa con el producto del subconsciente, cubrirá la última y más importante parte de la Vanguardia. Pablo Neruda será su principal representante.

VICENTE HUIDOBRO

I

EXPRES

Una corona yo me haría
De todas las ciudades recorridas

Londres   Madrid   París

Roma   Nápoles   Zurich

Silban en los llanos
                    locomotoras cubiertas de algas

AQUI NADIE HE ENCONTRADO

De todos los ríos navegados
Yo me haría un collar

El Amazonas   El Sena

El Támesis   El Rhin

Cien embarcaciones sabias
que han plegado las alas

                 Y mi canción de marinero huérfano
                 Diciendo adiós a las playas

Aspirar el aroma del Monte Rosa
Trenzar las canas errantes del Monte Blanco
Y sobre el zenit del Monte Cenis
Encender en el sol muriente
El último cigarro

Un silbido horada el aire
                 No es un juego de agua

ADELANTE

Apeninos gibosos
                 Marchan hacia el desierto
Las estrellas del oasis
Nos darán miel de sus dátiles

En la montaña
El viento hace crujir las jarcias
Y todos los montes dominados
Los volcanes bien cargados
Levarán el ancla

ALLA ME ESPERARAN

Buen viaje

HASTA MAÑANA

Un poco lejos
Termina la Tierra
Pasan los ríos bajo las barcas. La vida ha de pasar.

II

ALERTA

Media Noche

En el jardín
Cada sombra es un arroyo

Aquel ruido que se acerca no es un coche

Sobre el cielo de París
Otto Von Zeppelin

Las sirenas cantan
Entre las olas negras
Y este clarín que llama ahora
No es el clarín de la Victoria

Cien aeroplanos
Vuelan en torno de la luna

APAGA TU PIPA

Los obuses estallan como rosas maduras
Y las bombas agujerean los días
Canciones cortadas
Tiemblan entre las ramas
El viento contorsiona las calles
COMO APAGAR LA ESTRELLA DEL ESTANQUE

(De "Poemas Articos", 1917-1918).

188

ALTAZOR

VI

Angustia angustia de lo absoluto y de la perfección
Angustia desolada que atraviesa las órbitas perdidas
Contradictorios ritmos quiebran el corazón
En mi cabeza cada cabello piensa otra cosa

Un hastío invade el hueco que va del alba al poniente
Un bostezo color mundo y carne
Color espíritu avergonzado de irrealizables cosas
Lucha entre la piel y el sentimiento de una dignidad debida y no
*   [otorgada]*
Nostalgia de ser barro y piedra o Dios
Vértigo de la nada cayendo de sombra en sombra
Inutilidad de los esfuerzos fragilidad del sueño

Angel expatriado de la cordura
¿Por qué hablas Quien te pide que hables?
Revienta pesimista mas revienta en silencio
Cómo se reirán los hombres de aquí a mil años
Hombre perro que aúllas a tu propia noche
Delincuente de tu alma
El hombre de mañana se burlará de ti
Y de tus gritos petrificados goteando estalactitas
¿Quién eres tú habitante de este diminuto cadáver estelar?
¿Qué son tus náuseas de infinito y tu ambición de eternidad?
Atomo desterrado de sí mismo con puertas y ventanas de luto
¿De dónde vienes a dónde vas?
¿Quién se preocupa de tu planeta?
Inquietud miserable
Despojo del desprecio que por ti sentiría
Un habitante de Betelgeuse
Veintinueve millones de veces más grande que tu sol

Hablo porque soy protesta insulto y mueca de dolor
Sólo creo en los climas de la pasión
Sólo deben hablar los que tienen el corazón clarividente

189

La lengua a alta frecuencia
Buzos de la verdad y la mentira
Cansados de pasear sus linternas en los laberintos de la nada
En la cueva de alternos sentimientos
El dolor es lo único eterno
Y nadie podrá reir ante el vacío
¿Qué me importa la burla del hombre-hormiga
Ni la del habitante otros astros más grandes?
Yo no sé de ellos ni ellos saben de mí
Yo sé de mi vergüenza de la vida de mi asco celular
De mi mentira abyecta de todo cuanto edifican los hombres
Los pedestales de aire de sus leyes e ideales

Dadme dadme pronto un llano de silencio
Un llano poblado como los ojos de los muertos

VIII

Basta señora arpa de las bellas imágenes
De los furtivos comos iluminados
Otra cosa otra cosa buscamos
Sabemos posar un beso como una mirada
Plantar miradas como árboles
Enjaular árboles como pájaros
Regar pájaros como heliotropos
Tocar un heliotropo como una música
Vaciar una música como un saco
Degollar un saco como un pingüino
Cultivar pingüinos como viñedos
Ordeñar un viñedo como una vaca
Desarbolar vacas como veleros
Peinar un velero como un cometa
Desembarcar cometas como turistas
Embrujar turistas como serpientes
Cosechar serpientes como almendras
. . . . .
Descalzar un navío como un rey
Colgar reyes como auroras
Crucificar auroras como profetas

190

IX

No hay tiempo que perder
Ya viene la golondrina monotémpora
Trae un acento antípoda de lejanías que se acercan
Viene gondoleando la golondrina

Al horitaña de la montazonte
La violondrina y el goloncelo
Descolgada esta maña de la lunala
Se acerca a todo galope
Ya viene la golondrina
Ya viene la golonfina
Ya viene la golontrina
Ya viene la goloncima
Viene la golonchina
Viene la golonclima
Ya viene la golonrima
Ya viene la golonrisa
La golomniña
La golongira
La golonbrisa
La golonchilla
Ya viene la golondía
Y la noche encoge sus uñas como el leopardo
Ya viene la golontrina
Que tiene un nido en cada uno de los dos calores
Como yo lo tengo en los cuatro horizontes
Viene la golonrisa
Y las olas se levantan en la pureza de los pies
Viene la golomniña
Y siente un vahído la cabeza de la montaña
Viene la golongita
Y el viento se hace parábola de sílfides en orgía
Se llenan de notas los hilos telefónicos
Se duerme el ocaso con la cabeza escondida
Y el árbol con el pulso afiebrado

Pero el cielo prefiere el rodoñol
Su niño querido el rorreñol
Su flor de alegría el romiñol
Su piel de lágrimas el rofañol
Su garganta nocturna el rosolñol
El rosiñol

X

No hay tiempo que perder
Los icebergs que flotan en los ojos de los muertos
Conocen su camino
Ciego sería el que llorara
Las tinieblas del féretro sin límites
Las esperanzas abolidas
Los tormentos cambiados en inscripción de cementerio
Aquí yace Carlota ojos marítimos
Se le rompió un satélite
Aquí yace Matías en su corazón dos escualos se batían
Aquí yace Marcelo mar y cielo en el mismo violoncelo
Aquí yace Susana cansada de pelear contra el olvido

. . . .

La estrella errante me trae el saludo de un amigo muerto hace
[diez años
Darse prisa darse prisa
Los planetas maduran en el planetal
Mis ojos han visto la raíz de los pájaros
El más allá de los nenúfares
Y el ante acá de las mariposas
¿Oyes el ruido que hacen las mandolinas al morir?
Estoy perdido
No hay más que capitular
Ante la guerra sin cuartel
Y la emboscada nocturna de estos astros

("Altazor" o "El viaje en paracaídas", poema en VII cantos, 1919).

192

EL PASAJERO DE SU DESTINO

Es así como somos
Y como nos paseamos hoy sobre la tierra
Precedidos por los ruidos de nuestros antepasados y seguidos por
*   [el dolor de nuestros hijos*
Aferrados a nuestra edad y cantando cuando las rocas lloran la
*   [muerte de un velero que ha preferido sin razón alguna*
O tal vez porque lo vieron jugar en su infancia
O porque era hermoso todo lleno de viento viniendo del país del viento
No tenemos miedo cuando el viento arranca las palabras de nuestra
*   [garganta*
No tenemos miedo de las ballenas ni de todos esos monstruos que
*   [tienen más envergadura que una campanada*
No tenemos miedo de inclinarnos sobre vuestras canciones de las
*   [cuales puede saltar un geyser amenazador y el*
*   [vértigo infinito de las brumas*
No tenemos miedo del más allá que se agita como un mudo el más
*   [allá que va a saltar sobre nuestra razón*
Y de ese frío lúcido que vela sobre la constelación de nuestras
*   [inquietudes*
Más absurdo que el muerto que han enterrado con la mitad de una
*   [carta en el cerebro*
Con una palabra fabulosa en medio de la lengua
Con un gran rostro entre dos hilos de lágrimas al fondo de sus ojos
Esos ojos que se convertirán en tiernos guijarros sobre los caminos
*   [del más allá*
Todo esto es útil para la formación de la superficie
Para el interés del fuego impaciente en el fondo de su antro
Y debemos señalar su trabajo y elogiar su ley
Es tarde en todos los rincones del mundo
Es tarde y el tarde va a hundirse en el mar
Sin soltar el timón del horizonte
Porque él es el jefe único él guarda el secreto
El puede levantar el brazo y desatar de la muerte el cadáver reciente

Ahora tú tiemblas como el mar
El horizonte va a hundirse para siempre
Ahora que la selva se pasa al enemigo

Lánzate sobre el mar
Separando las olas como el cadáver separa la eternidad

Hombre tú ves que el mar se amalgama y tienes miedo
Tu bien podrías saltar por encima de la conflagración de mentiras
[unánimes
Invade el terreno sideral sin vacilar
Invade los países del loco que te desprecia y te mira con la parte
[inferior de su alma
Proclama tu importancia a la tribu sometida que empieza a aparecer
[en el fondo del cielo
("El ciudadano del olvido", 1924-1934)

Vicente Huidobro definió su poesía del siguiente modo en "Horizon Carré" (1917): "Crear un poema cogiendo a la vida sus motivos, y transformarlos para darle una nueva vida independiente. Nada de anecdótico o descriptivo. La emoción debe nacer de la mera virtud creativa. Hacer un poema como la naturaleza hace un árbol". E insiste: "No se trata de imitar a la naturaleza sino de hacer como ella, no hay que imitar sus exterioridades sino su poder exteriorizador".

En nuestra "Historia de la poesía hispanoamericana" ("Las Américas", Publishing Company, New York, 1964) explicamos más ampliamente estos conceptos. Sintetizando podemos decir que Huidobro intenta crear una realidad nueva a través de un desorden en el lenguaje y en la tipografía del poema. Sin embargo, el absurdo, la incongruencia que se derivaría de tal determinación, no llega a ser total: Huidobro es descifrable, por lo menos en parte, y la razón llega a captarlo —tal vez a pesar de él— tanto como la "sensación".

"La temática general de Huidobro —decimos en nuestra "Historia"— tiene algo del escéptico derrotismo que cogió a los hombres cultos de la postguerra, y del tedio que provoca el exceso de los sentidos, pero como el hombre era mesiánico, apunta algo de épico, en medio de la destrucción, y en sus grandes poemas, en "Altazor" principalmente, surge una fuerza de confianza en sí, en el individuo pero no en el Hombre; en la especie de cada uno. Huidobro es positivo aunque impresione como disgregante de todo un mundo que parece caer en escombro frente a sus poemas que son descriptivos de la guerra y sus consecuencias. Huidobro es pacifista en sus primeros libros. Después casi predica la guerra santa frente al avance totalitario. "Altazor" concluye en un canto apocalíptico, pero de afirmación y de belleza admirables". La inquietud metafísica está presente en Huidobro en poemas como "El cigarro", uno de sus "Poemas árticos".

La teoría poética de Huidobro se tituló "Creacionismo" y sobre quien fue el primer creacionista, si Huidobro o Paul Reverdy, el poeta francés, hubo una larga y agria polémica. Gran parte de la obra del poeta chileno fue escrita en francés.

CESAR VALLEJO

LOS HERALDOS NEGROS

Hay golpes en la vida tan fuertes . . . Yo no sé!
Golpes como del odio de Dios; como si ante ellos,
la resaca de todo lo sufrido
se empozara en el alma . . . Yo no sé!

Son pocos, pero son . . . Abren zanjas oscuras
en el rostro más fiero y en el lomo más fuerte.
Serán tal vez los potros de bárbaros atilas;
o los heraldos negros que nos manda la Muerte.

Son las caídas hondas de los Cristos del alma,
de alguna fe adorable que el Destino blasfema.
Esos golpes sangrientos son las crepitaciones
de algún pan que en la puerta del horno se nos quema.

Y el hombre . . . Pobre . . . pobre! Vuelve los ojos, como
cuando por sobre el hombro nos llama una palmada;
vuelve los ojos locos, y todo lo vivido
se empoza, como charco de culpa, en la mirada.

Hay golpes en la vida, tan fuertes . . . Yo no sé!

("*Los Heraldos Negros*", 1918).

ESPERGIA

Yo nací un día
que Dios estuvo enfermo.

Todos saben que vivo,
que soy malo; y no saben
del diciembre de ese enero.
Pues yo nací un día
que Dios estuvo enfermo.

Hay un vacío
en mi aire metafísico
que nadie ha de palpar:
el claustro de un silencio
que habló a flor de fuego.

Yo nací un día
que Dios estuvo enfermo.

Hermano, escucha, escucha . . .
Bueno. Y que no me vaya
sin llevar diciembres,
sin dejar eneros.
Pues yo nací un día
que Dios estuvo enfermo.

Todos saben que vivo,
que mastico . . . Y no saben
por qué en mi verso chirrían,
oscuro sinsabor de féretro.
huídos vientos
desenroscados de la Esfinge
preguntona del Desierto.

Todos saben . . . Y no saben
que la luz es tísica
y la Sombra gorda . . .
Y no saben que el Misterio sintetiza . . .
que él es la joroba
musical y triste que a distancia denuncia
el paso meridiano de los lindes a los lindes.

Yo nací un día
que Dios estuvo enfermo,
grave.

("Los Heraldos Negros", 1918).

TIEMPO Tiempo.

Mediodía estancado de relentes.
Bomba aburrida del cuartel achica
tiempo tiempo tiempo tiempo

Era Era.

Gallos cancionan escarbando en vano
Boca del claro día que conjuga.
era era era era.

Mañana Mañana.

El reposo caliente aun de ser.
Piensa el presente guardarme para
mañana mañana mañana mañana.
mañana mañana mañana mañana.

Nombre Nombre.

¿Qué se llama cuanto heriza nos?
Se llama Lomismo que padece
nombre nombre nombre nombre.

197

XXIII

Tahona estuosa de aquellos mis bizcochos
pura yema infantil innumerable, madre.
Oh tus cuatro gorgas, asombrosamente
mal plañidas, madre: tus mendigos.
Las dos hermanas últimas, Miguel que ha muerto
y yo arrastrando todavía
una trenza por cada letra del abecedario.

En la sala de arriba nos repartías
de mañana, de tarde de dual estiba,
aquellas ricas hostias de tiempo, para
que ahora nos sobrasen
cáscaras de relojes en flexión de las 24
en punto parados.

Madre, y ahora! Ahora, en cuál alvéolo
quearía, en qué retoño capilar,
cierta migaja que hoy se me ata al cuello
y no quiere pasar. Hoy que hasta
tus puros huesos estarán harina
que no habrá en qué amasar
¡tierra dulcera de amor
hasta en la cruda sombra, hasta en el gran molar
cuya encía late en aquél lácteo hoyuelo
que inadvertido lábrase y pulula ¡tú lo viste tanto!
en las cerradas manos recién nacidas.

Tal la tierra oirá en tu silenciar,
cómo nos van cobrando todos
el alquiler del mundo donde nos dejas
y el valor de aquel pan inacabable.
Y nos cobran, cuando, siendo nosotros
pequeños entonces, como tú serias,
no se lo podíamos haber arrebatado
a nadie; cuando tú nos lo diste,
¿di, mamá?

("Trilce", 1922).

MASA

Al fin de la batalla,
y muerto el combatiente, vino hacia él un hombre
y le dijo "¡No mueras; te amo tanto!"
Pero el cadáver ¡ay! siguió muriendo.

Se le acercaron dos y repitiéronle:
"¡No nos dejes! ¡Valor! ¡Vuelve a la vida!"
Pero el cadáver ¡ay! siguió muriendo.

Acudieron a él veinte, cien, mil, quinientos mil
clamando: "¡Tanto amor, y no poder nada contra la muerte!"
Pero el cadáver ¡ay! siguió muriendo.

Le rodearon millones de individuos,
con un ruego común: "¡Quédate, hermano!"
Pero el cadáver ¡ay! siguió muriendo.

Entonces todos los hombres de la tierra
le rodearon; les vio el cadáver triste, emocionado;
incorporóse lentamente,
abrazó al primer hombre; echóse a andar.

("España, aparta de mí este cáliz", 1937-1938).

CONFIANZA . . .

Confianza en el anteojo, no en el ojo;
en la escalera, nunca en el peldaño;
en el ala, no en el ave
y en ti sólo, en ti sólo, en ti sólo.

Confianza en la maldad, no en el malvado;
en el vaso, mas nunca en el licor;
en el cadáver, no en el hombre
y en ti sólo, en ti sólo, en ti sólo.

Confianza en muchos, pero ya no en uno;
en el cauce, jamás en la corriente;
en los calzones, no en las piernas
y en ti sólo, en ti sólo, en ti sólo.

Confianza en la ventana, no en la puerta;
en la madre, mas no en los nueve meses;
en el destino, no en el dado de oro,
y en ti sólo, en ti sólo, en ti sólo.

(*"Poemas humanos"*, 5 de octubre de 1937).

SALUTACION ANGELICA

Eslavo con respecto a la palmera,
alemán de perfil al sol, inglés sin fin,
francés en cita con los caracoles,
italiano ex profeso, escandinavo de aire,
español de pura bestia, tal el cielo
ensartado en la tierra por los vientos,
tal el beso del límite en los hombros.

Mas sólo tu demuestras, descendiendo
o subiendo del pecho, bolchevique,
tus trazos confundibles,
tu gesto marital,
tu cara de padre,
tus piernas de amado,
tu cutis por teléfono,
tu alma perpendicular
a la mía,
tus codos de justo
y un pasaporte en blanco en tu sonrisa.

Obrando por el hombre, en nuestras pausas,
matando, tú, a lo largo de tu muerte
y a lo ancho de un abrazo salubérrimo,
vi que cuando comías, después, tenías gusto,
vi que en tus sustantivos creció yerba.

Yo quisiera, por eso,
tu calor doctrinal, frío y en barras,
tu añadida manera de mirarnos
y aquesos tuyos pasos metalúrgicos,
aquesos tuyos pasos de otra vida.

Y digo, bolchevique, tomando esta flaqueza
en su feroz linaje de exhalación terrestre;
hijo natural del bien y del mal
y viviendo tal vez por vanidad, para que digan,
me dan tus simultáneas estatuas mucha pena,
puesto que tú no ignoras en quién se me hace tarde diariamente,
en quien estoy callado y medio tuerto.

("Poemas humanos", escrito hacia 1931).

LOS MINEROS . . .

Los mineros salieron de la mina
remontando sus ruinas venideras,
fajaron su salud con estampidos
y, elaborando su función mental,
cerraron con sus voces
el socavón, en forma de síntoma profundo.

Era de ver sus polvos corrosivos!
Era de oir sus óxidos de altura!
Cuñas de boca, yunques de boca, aparatos de boca (Es formidable!).

El orden de sus túmulos,
sus inducciones plásticas, sus respuestas corales,
agolpáronse al pie de ígneos percances
y airente marillura conocieron los trístidos y tristes,
imbuídos
del metal que se acaba, del metaloide pálido y pequeño.

Craneados de labor,
y calzados de cuero de vizcacha,
calzados de senderos infinitos,
y los ojos de físico llorar,
creadores de la profundidad,
saben, a cielo intermitente de escalera,
bajar mirando para arriba,
saben subir mirando para abajo.

Loor al antiguo juego de su naturaleza,
a sus insomnes órganos, a su saliva rústica!
Temple, filo y punta, a sus pestañas!
Crezcan la yerba, el liquen y la rana en sus adverbios!
Felpa de hierro a sus nupciales sábanas!
Mujeres hasta abajo, sus mujeres!
Mucha felicidad para los suyos!
Son algo portentoso, los mineros
remontando sus ruinas venideras;
elaborando su función mental
y abriendo con sus voces
el socavón, en forma de síntoma profundo!

Loor a su naturaleza amarillenta,
a su linterna mágica,
a sus cubos y rombos, a sus percances plásticos,
a sus ojazos de seis nervios ópticos
y a sus hijos que juegan en la iglesia
y a sus tácitos padres infantiles!
Salud, oh creadores de la profundidad! . . .

(De "Poemas humanos", 1923-1938).

PIEDRA NEGRA

SOBRE UNA PIEDRA BLANCA

Me moriré en París con aguacero,
un día del cual tengo ya el recuerdo.
Me moriré en París — y no me corro —
tal vez un jueves, como es hoy, de otoño.

Jueves será, porque hoy, jueves, que proso
estos versos, los húmeros me he puesto
a la mala y, jamás como hoy, me he vuelto,
con todo mi camino, a verme solo.

César Vallejo ha muerto, le pegaban
todos sin que él les haga nada;
le daban duro con un palo y duro

también con un soga; son testigos
los días jueves y los huesos húmeros,
la soledad, la lluvia, los caminos . . .

("Poemas humanos", 1923-1938).

UN HOMRE PASA . . .

Un hombre pasa con un pan al hombro.
Voy a escribir, después, sobre mi doble?

Otro se sienta, ráscase, extrae un piojo de su axila, mátalo.
Con qué valor hablar del psicoanálisis?

Otro ha entrado a mi pecho con un palo en la mano
Hablar luego de Sócrates al médico?

Un cojo pasa dando el brazo a un niño
Voy, después, a leer a André Bretón?

Otro tiembla de frío, tose, escupe sangre
Cabrá aludir jamás al Yo profundo?

Otro busca en el fango huesos, cáscaras
Cómo escribir, después, del infinito?

Un albañil cae de un techo, muere y ya no almuerza
Innovar, luego, el tropo, la metáfora?

Un comerciante roba un gramo en el peso a un cliente
Hablar, después de cuarta dimensión?

Un banquero falsea su balance
Con qué cara llorar en el teatro?

Un paria duerme con el pie a la espalda
Hablar, después, nadie de Picasso?

Alguien va en un entierro sollozando
Cómo luego ingresar a la Academia?

203

Alguien limpia un fusil en su cocina
Con qué valor hablar del más allá?

Alguien pasa contando con sus dedos
Cómo hablar del no-yo sin dar un grito?

("*Poemas humanos*", 5 de nov. 1937).

OTRO POCO DE CALMA . . .

Otro poco de calma, camarada;
un mucho inmenso, septentrional, completo,
feroz, de calma chica,
al servicio menor de cada triunfo
y en la audaz servidumbre del fracaso.

Embriaguez te sobre, y no hay
tanta locura en la razón, como este
tu raciocinio muscular, y no hay
más racional error que tu experiencia.

Pero, hablando más claro
y pensándolo en oro, eres de acero,
a condición que no seas
tonto y rehuses
entusiasmarte por la muerte tanto
y por la vida, con tu solo tumba.

Necesario es que sepas
contener tu volúmen sin correr, sin afligirte,
tu realidad molecular entera
y más allá, la marcha de tus vivas
y más acá, tus mueras legendarios.

Eres de acero, como dicen,
con tal que no tiembles y no vayas
a reventar, compadre
de mi cálculo, enfático, ahijado
de mis sales luminosas!

Anda, no más; resuelve,
considera tu crisis, suma, sigue,

tájala, bájala, ájala;
el destino, las energías íntimas, los catorce
versículos del pan; cuántos diplomas
y poderes, al borde fehaciente de tu arranque!

Cuánto detalle en síntesis, contigo!
Cuánta presión idéntica, a tus pies!
Cuánto rigor y cuánto patrocinio!

Es idiota
ese método de padecimiento,
esa luz modulada y virulenta,
si con sólo la calma haces señales
serias, características fatales.

Vamos a ver hombre;
cuéntame lo que me pasa,
que yo, aunque grito, estoy siempre a tus órdenes.

("Poemas humanos", 28 de nov. 1937).

César Vallejo (per. 1892 1939) se hizo comunista porque necesitaba tener un Dogma que lo uniese con los otros hombres. Le costaba manifestarse, comunicarse con los demás. La soledad y la autocompasión son temas frecuentes de su poesía. Si creyó en Rusia, en el Soviet, fue porque veía allí una esperanza de cambio total —no parcial— igual a la que él estableció en la poesía y en la gramática. La única posibilidad de que Vallejo volviera a ser feliz no era que Vallejo se adaptara al mundo, sino que el mundo fuera otro. Con su poesía, trata de que el mundo sea otro.

Tomó de Mallarmé y Apollinaire la teoría del "letrismo" —la disposición tipográfica de las palabras expresa sensiblemente un misterio no explicable lógicamente— y la idea de que las palabras engendran poesía por ellas mismas pues tienen un significado independiente del que se les acuerda en el nexo de la frase. En vez de hacer poesía onomatopéyica, rehuyó el peligro de lo meramente

percutivo y utilizó palabras dispuestas al azar, con letras arbitraria-
mente mayúsculas y minúsculas, incluso en mitad del vocablo, para
crear atmósferas, penetrar un mundo mediante la muleta de un lenguaje ilógico y que, a pesar de prolijos intentos, nunca será explicable en su totalidad.

Sus libros fueron tres, "Los heraldos negros" (1918); "Trilce
(1922); "Poemas humanos" (1923-1938). Del primero y del tercero de sus libros es posible sacar algunos datos sobre la temática
y las obsesiones del poeta: el de la compasión por el hombre gol-
peado "Hay golpes en la vida . . . "); la autocompasión ("Yo nací
un día que Dios estuvo enfermo . . . "); "Me moriré en París . . . ");
el socialismo comunista, con altibajos ideológicos que van de la
crítica a la burguesía ("Un hombre pasa . . . "), a la reticencia de
"Otro poco de calma, camarada"; el sentido mesiánico ("Me viene,
hay días, una gana ubérrima, política"). En "Los heraldos negros"
se advierte el tema del amor y del costumbrismo casi folklórico.
"Trilce", su libro casi ininteligible, es descifrable, por lo menos en
parte: atmósferas para suplantar el sentido lógico de la frase ("¿Qué
se llama cuanto heriza nos?"); el tema freudiano de la madre perdida ("Tahona estuosa de aquellos mis biscochos"); reminiscencias
de su prisión en Perú; los temas de una soledad obsesiva.

Dentro de la poesía comunista, el más alto tono lo da Vallejo
en "España, aparta de mí esta cáliz", 15 poemas incluídos en el
libro "Poemas humanos". ¿En qué punto de la Vanguardia puede
situarse a Vallejo? Escapa a las clasificaciones y tan pronto es creacionista, como ultraísta o superrealista. Siempre, narcisista, es César
Vallejo. ¿Qué hubiera pasado con él en el mundo comunista de hoy
que condena por igual el hermetismo y el individualismo?

LEOPOLDO LUGONES

A LA LUNA DE VERANO

Son de tu clientela,
El can necio y fiel
Y la damisela
Con su damisel.
Deplora un falsete
Tu fiasco de actriz
En el clarinete
De un mozo infeliz.
Tu gran cero ha inscrito
En su proverbial
Cabeza, el chorlito,
Con luz natural;
Güarismo enigmático
Que en fiel comprensión,
El asno lunático
Pone a su ilusión.
Una MISS coqueta
Quisiera volar
En su bicicleta
Con tu rueda impar.
Bandera del ogro
Que al pobre bebé,
En pérfido logro
va a comerle un pie.
Flor de JETTATURA,
Carantoña vil,
Tu antigua flacura
Tiene un aire hostil.
Sobre la muralla
Te canto mi amor.
Dame tu pantalla
Luna, ¡qué calor!

("Lunario sentimental", 1099).

Lugones fue el gran renovador, en todos los géneros. Después de Rubén Darío es el poeta que más facetas ofrece en toda la poesía hispanoamericana y uno de los que más influyeron en América durante y después de su época. "Lunario sentimental" tuvo una repercusión extraordinaria. Introdujo las formas de vanguardia "avant la lettre", antes de tiempo. Y con desdén de maestro, Lugones las abandonó casi enseguida, cuando vio que todos se entregaban a ellas.

Sin "El cencerro de cristal", de Ricardo Güiraldes, publicado en 1915, y sin "Lunario sentimental", el ultraísmo argentino no hubiera tenido el significado que alcanzó. Los jóvenes, agrupados alrededor de la revista "Martín Fierro", atacaban a Lugones que luego de haberles demostrado que era capaz de cualquier vanguardismo (las audacias formales de "Lugones habían provocado una verdadera conmoción en toda América), los atacaba a su vez con conceptos como éste, que entresacamos de la "Exposición de la actual poesía Argentina" (antología publicada en 1927 por Pedro Juan Vignale y César Tiempo): "Expresarse por comparación es la cosa más fácil que existe; y he aquí por qué el lenguaje popular es también el más metafórico. Entretanto, ha desaparecido la emoción, que es el elemento esencial de la poesía, y, sobre todo, la emoción del amor: indicio seguro de egoísmo y de infecundidad. Porque todo eso es retórica: vale decir, preceptiva en acción, exactamente como la de aquellos académicos de antaño. Efectivamente, en el nuevo arte de la referencia la teoría es mucho más importante que la creación".

OLIVERIO GIRONDO

INSOMNIO

¿Será mío ese brazo que está bajo la almohada?
Las ideas me duelen como muelas cariadas
Los minutos remachan sus clavos en mi sien.
Una inquietud sin causa me ilumina los ojos
y al través de mis párpados pasa un absurdo "film" . . .

En el sobre entreabierto de las sábanas blancas,
soy una larga carta que no tiene destino

(Publicado en la revista ultraísta "Proa").

ALFREDO BRANDAN CARAFFA

POEMA

El corazón de la tierra se ha puesto a latir:
es necesario pulverizar el silencio y todo ruido también que no
                                                    [*tenga mil años*
El pasado y los muertos
han caído desnudos en un viento de llamas
Una gran catarata de acero
*golpea incontenible las futuras edades*s
                    HOY
                    MAÑANA
                    DESPUES
los golpes aterrizan en un planeta sin sombra.
Bajo el cemento que trepida pectoral victorioso
pulmones gigantes bombardean atmósferas
Y la prole de hierro de su alegría de émbolos más clara que una
                    [*alegría de astros en silencio.*
Su gran rotativo conecta sus visceras con un cable de estrellas
y trepida el espacio
y se pone a trabajar una usina de mundos.
Y el corazón de la Tierra es un motor ultrarápido
enrojecida la hélice poderosa del sol tan rápido
que la tarde,
                    hangar del viento
se ha puesto a temblar anunciando
                    El gran vuelo.

("Nubes en silencio", 1927).

EDUARDO GONZALEZ LANUZA

APOCALIPSIS
        Cuando
el jazz-band de los ángeles
toque el fox-trot del juicio final
y llegue Dios al galope tendido
de sus tanques de hierro

209

estallen los soles
hechos dinamita viviente
y por los espacios
rueden oleadas de odios dispersos.
Se enhebrarán las chimeneas y las torres
en el agujero de la luna
y un bosque de gritos
retorcidos como llamas
incendiará el silencio de las noches
y llegará una voz infinita,
la voz de Otro diciendo a Dios:
—¿Qué has hecho de los hombres?
y él temblará de miedo
como un niño que ha roto los juguetes.

JACOBO FIJMAN

CANTO DEL CISNE

Demencia:
el camino más alto y más desierto.

Oficios de las máscaras absurdas; pero tan humanas.
Roncan los extravíos;
tosen las muecas
y descargan sus golpes
afónicas lamentaciones.

Semblantes inflamados;
dilatación vidriosa de los ojos
en el camino más alto y más desierto.

Se erizan los cabellos del espanto.

La mucha luz alaba su inocencia.

El patio del hospicio es como un banco
a lo largo del muro.

Cuerdas de los silencios más eternos.

Me hago la señal de la cruz a pesar de ser judío.

¿A quien llamar?
¿A quien llamar desde el camino
tan alto y tan desierto?
Se acerca Dios en pilchas de loquero
y ahorca mi gañote
con sus enormes manos sarmentosas
y mi canto se enrosca en el desierto

¡piedad!

ALFONSINA STORNI

BUQUE-ESCUELA

Azul gris,
hería tu mole
el plumón blando
de las aguas.

Pero te acunaban,
ignorantes
de tus nidos
de obuses.

Tornillo sobre tornillo,
plancha sobre plancha,
torre sobre torre,
te lanzaba al aire
en un esfuerzo
de catapulta.

Te odiaba,
desde el muelle,
porque vestías
de cielo,
y mar calmo;
taimado . . .

Cuando te hollaron mis pies
una nube de adolescentes
uniformados
irrumpió por tus puentes.

Habían vuelto a cargarse
las ramas humanas
secadas a cañonazos.

Había más que antes;
y eran más hermosos
que antes:

Cuellos fornidos
de cuerda
prensada.

Ojos tiernos.
Carne dorada
a espuma y sal.

Dientes agudos,
luminosos.

Grandes bocas
húmedas aún
de besos maternales,
abiertas,
pedigüeñas,
como la de los pichones.

Rodaban como frutas
sobre el acero del buque.

Perfumaban el hierro.
Desteñían la pintura.

Hablaban palabras de hombres,
musicales . . .

Movían los brazos
en círculo
de estrechamiento.

Uno,
con una pajuela
le hacía cosquillas
a un gato:
su nariz riente,
tras el ojo de buey,
lanzaba gritos
de pueril alegría.

Lúgubre,
de vez en cuando,
sonaba una campana.

. . . Máscara de hierro
sobre las caras . . .
Y nacía,
hosca,
la fila
sin albedrío.

("Mundo de siete pozos", 1934).

ANTIPOEMA DE LA FELICIDAD

¿Quiénes sufren
más allá del círculo mágico que dibuja
la tierna baba empecinada? ¿Qué leprosos
qué artritis solapada, qué tedio de amor, qué bocas replegadas
hacia el rencor y el odio devorantes? ¿Dónde
los prolijos vituperios
de la vejez, del llanto?
El pescado de plata
tiene un olor que lo separa para siempre
de los atroces alimentos terrestres. La rosa

213

separada de su tallo deja en el aire
un color de transfiguración
puro y callado. El pabellón de su oreja se hace
el dibujo visible de la música. Y como una luna
de verano en el fondo
de un valle distante
sube una sonrisa hacia sus ojos y sus sienes. Todo
lo agrio y verdadero, todas las separaciones
y el tiempo enigmático y el olvido, todo
espera ausente y detenido
en la tiniebla exterior que el éxtasis rechaza.

Felicidad, perra abierta y buscadora
bestia que nos acostumbra
al estropajo demasiado dulce
de su lengua. Qué delicia sin nombre
—más que las uñas de mi madre
entre el pelo salvaje de la infancia—
en nuestros oídos indefensos
el incesante avance del enjambre
de las sórdidas moscas de la muerte.
Huerto de vigilia y sangre, noche
sin piedad de pronto abolidos
con un solo rostro de jazmín y duda.

("Ultimo lugar", 1964).

El Ultraísmo, vinculado al movimiento Dadá creado en Francia por Tristán Tzara, nació en España y pasó rápidamente a Argentina, donde adquirió cierta independencia —visible en los ejemplos que damos— y desde Buenos Aires y Madrid influyó en casi todos los demás países de América. Guillermo de Torre, que le dio nombre, afirma que consiste en todo el sobrante, lo parasitario, que arrastra un poema: hay que suprimir lo argumental y las efusiones sentimentales, abandonar el verso y por supuesto la rima, y se debe desterrar la puntuación por inútil e ineficiente ("ata pero no precisa"). El poema ha de tener virtudes plásticas —toda la Vanguardia se vincula con la pintura como el Modernismo se vinculó con la música— y la metáfora no será comparativa sino que tendrá valor por ella misma, no desarrollará imágenes que se unan al final del poema en un todo comprensible argumentalmente. De Torre habla de "síntesis, simultaneísmo, velocidad espacial".

En Buenos Aires, donde el Ultraísmo tuvo tanto apogeo y poder, aunque los poetas principales, Borges, Molinari, Marechal, se "escaparon" de sus garras si bien fueron propulsores y divulgadores del movimiento— las características fueron sutilmente diferentes: se proclamó que el poeta tiene libertad absoluta y puede ajustarse a cualquier "ismo" para expresarse, está más allá de cualquier limitación de escuela o de estética. El "todo", la totalidad del poema tiene menos importancia que la unidad de la metáfora, la metáfora cuenta por encima del todo. Pero los argentinos, si bien respetan las reglas generales del Ultraísmo referentes a la puntuación, son bastante "argumentales" y la efusión lírica se hace presente, tanto como la efusión sentimental, en sus poemas. Paradójicamente, estos refinados, herméticos, fueron los impulsores de un sencillismo localista —cantaron a la ciudad de Buenos Aires, entronizaron a los poetas sensibleros, como Carriego, que nada tenía de ultraísta, y al tango, al que le inventaron un contenido metafísico— y se acercaron al superrealismo en la broma absurda, que rompía prejuicios y tradiciones. Oliverio Girondo, Brandán Caraffa, Eduardo González Lanuza (aunque nacido en España pasó su vida en Buenos Aires), Jacobo Fijman, Ulises Petit de Murat, podrían figurar entre sus representantes más notorios. Algunos de estos poetas abandonaron, pasado el momento de la gran locura, entre los años 25 y 35, el ultraísmo. Algunos, como Alfonsina Storni, ingresaron en él, temporariamente (en "Mundo de siete pozos", 1934). El ultraísmo argentino tuvo más libertad que el español: por eso sus poetas no perdieron su fisonomía y pudieron abandonarlo sin anatemas de grupos.

MARIANO BRULL

VERDEHALAGO

Por el verde, verde
verdería de verde mar
Rr con Rr

Viernes, vírgula, virgen
enano verde
verdularia cantárida
Rr con Rr

Verdor y verdín
verdumbre y verdura
verde, doble verde
de col y lechuga.

Rr con Rr
en mi verde limón
pájara verde.

Por el verde, verde
verdehalago húmedo
extiéndeme. — Extiéndete.

Vengo de Mundodolido
y en Verdehalago me estoy.

Refiriéndose a "Verdehalago", Alfonso Reyes escribió en "La experiencia literaria" (Losada, Buenos Aires, 1942, capítulo "Las jitanjáforas"): "Ciertamente que este poema no se dirige a la razón (ni al sentimiento, podría añadir), sino más bien a la sensación y a la fantasía. Las palabras no buscan aquí un fin útil. Juegan solas, casi". Y relata después como llamó "jitanjáfora" a un efecto de refundición de palabras para buscar una sonoridad de tipo onomatopéyico —aunque no obligadamente— inspirándose en una ocurrencia de Mariano Brull quien declaró que quería reformar la poesía e hizo recitar a una de sus hijitas un poema puramente onomatopéyico, en son de broma, donde Reyes encontró la palabra jitanjáfora. El poema dice así:

"Filiflama alabe cundre
ala olalúnea alífera
alveolea jitanjáfora
liris salumba salífera".

Mariano Brull (cub. 1891) no es un poeta culterano, en la línea parnasiana postmodernista que ilustró Paul Valery y Enrique González Martínez (como lo haría pensar su libro "La casa del silencio", 1916), sino un poeta de vanguardia, de fino lirismo, superrealista por momentos. Sus libros más notorios son "Poemas en menguante" (1928); "Solo de rosa" (1941) y "Tiempo en pena", (1950).

JUAN PARRA DEL RIEGO

POLIRRITMO DINAMICO DE LA MOTOCICLETA

Sesgada en el viento la cálida quilla de perfil tajante
y suelto el espíritu al día como una cometa.
Yo todas las tardes me lanzo al tumulto de las avenidas
sobre un trepidante caballo de hierro:
¡mi motocicleta!
Zumban los pedales, palpita la llanta
y en la traquearteria febril del motor
yo siento que hay algo
que es como mi ardiente garganta,
como mi explosionante secreto interior.
Y corro . . . corro . . . corro . . .
—estocada de humo y ruido que atraviesa la ciudad—
y ensarto avenidas . . . suprimo una rambla . . . disloco una esquina
y envuelvo en las ruedas
la vertiginosa cinta palpitante de las alamedas . . .
—¡la fusilería de los focos rompe la iluminación!—
y me lanzo a un tiro de carrera al mar
y otra vez me escapo por los bulevares.
Rápidas serpientes de autos y sombreros,
y mujeres y bares
y luces y obreros
que pasan y chocan y fugan y vuelven de nuevo a pasar . . .
Y corro . . . corro . . . corro . . .
. . . . .
Curva suave,
patética embestida . . .

repentino embrague seco . . . suelta súbita . . . explosión!
¿Fue la muerte? ¿Fue la vida?
El motor sufre y trepida
y otra vez me empapa el viento con su vino el corazón.
¡Camaradas! ¡Camaradas!
denme una camiseta
de violentas pintas verdes y oros como resplandores
para hundirme a puñaladas
de motocicleta
en el fulminante
caballo que suena su sangre encendida
para abrir todas las tardes de la vida
a un romántico momento de partida . . .
. . . .

El Ultraísmo se pulveriza en decenas de subtítulos: sencillismo estridentismo, avancismo, futurismo, etc. A este último movimiento, que siguió a Felipe Marinetti, el poeta italiano, cuyos principios no eran muy diferentes de los enunciados por los ultraístas argentinos, pertenecen los peruanos Alberto Hidalgo, más vinculado a la poesía de militancia social, y Juan Parra del Riego (per. 1894-1925), de quien ofrecemos algunos fragmentos de su poema "Con motocicleta". La incorporación de objetos y palabras de la vida diaria fue aprovechada por el "futurismo" que adoró a los aviones, (a la mecánica dinámica no al maquinismo), a los ventiladores, al automovilismo.

GRACIANY MIRANDA ARCHILLA

AMARGURA 24.

Tan sombra silenciosa, pena mía,
tan sombra en la raigambre melodiosa,
tan sombra milagrosa maravilla.

Ni un reproche a la luz vuelto lucero,
ni palabra cuajada en esmeralda—
nada que turbe con su olor en sueño.

218

Muda y preciosamente apalomada,
como espiga de música dormida,
muda y celestemente perfumada.

Sombra del hondo Amor —tanta amargura—
herida por la sal, como la ola,
mi veinticuatro amarga pena pura.

Ola-mujer en éxtasis caída:
ola con el mirar roto en lo verde,
mujer con todo el sol en la sonrisa.

Ola-mujer, silente, ola sagrada,
mi veinticuatro amarga pena pura,
sombra del bravo amor acuchillada.

Tan sombra silenciosa en lo soñado
y qué anhelo de verme en tus pupilas
como un poco de viento perfumado.

Tan sombra silenciosa maravilla.
Ola que besa remo de esperanza,
como espiga de música dormida.

Graciany Miranda Archilla creó, en 1928, el movimiento "Atalayista" junto con Clemente Soto Vélez, Fernando González Alberty, Alfredo Margenat, Antonio Cruz, y Nieves y Luis Hernández Aquino. Fundó la revista "Alma latina" y publicó "Responsos a mis poemas náufragos" (1930), libro representativo del movimiento, "Sí de mi tierra" (1937) y "El oro en la espiga" (1941). Nació en 1912, en Puerto Rico. El grupo de jóvenes de la asociación literaria "Atalaya de los dioses" se proponía romper con toda tradición del pasado, poética y también política, para crear un nuevo Puerto Rico. Adviértase en el poema de Archilla las imágenes en base a vocablos opuestos ("Ola-mujer") tan usadas por los vanguardistas.

En Puerto Rico, a más de la poesía Negroide —que cabe dentro de la Vanguardia— se dieron diez o doce intentos de movimientos "renovadores", que esencialmente no diferían entre sí ni de los demás de América. Por su contenido político, que lo vincula con la poesía que estudiamos en nuestra sección "Del nacionalismo al comunismo", el Atalayismo es uno de los más interesantes.

CLEMENTE SOTO VELEZ

CABALLO DE PALO

16 ....

Lo conocí
siendo
la libertad su encantadora amante,
lirio de sol de dalia enamorada,
doncella apalabrada del doncel que la mira
derecho en sus pupilas hasta beber
su encanto,
espejo corporal de manos encendidas
como novia que cita
la flor de la mañana
a cantar en su cuerpo,
jirasol de palabra carnal como rumor
de rosas,
alba de pretendiente como noche que corre
detrás de su caballo,
renuevos de caridad nocturna
o moza que a sus labios no destierra
la muerte,
amada de los hombres que libertan
sus astros.

Lo conocí
cosiendo
con su nombre el traje de su amada,
midiendo
con su sombra las curvas de su espejo,
sacando de su frente
la cualidad del alma,
cuidando
el padecer el puerto encarcelado
donde ella ve
a su amante despertando

a la niebla,
bebiendo
cada hoja del rocío de su patria,
comiendo
cada sueño la carne de su tierra,
prendiendo
cada fruto su lámpara de pueblo.

Lo conocí
partiendo
su amada entre relámpagos de palabra inoída,
encielada en ropa de candela,
hacia la dirección en que su amante llama
no limita
el amor de su amado terrestre,
echando el amor por sus ojos: moradas deslumbrantes
como el fuego de pueblos encendidos
por la respiración de su aire inaudible,
echando el amor por sus ojos: resplandor
colectivo de almas libertadas: resplandor
de la amada a su amante acercándose.

("Caballo de palo", 1959).

Clemente Soto Vélez (puert. 1905). Publicó "Escalio" (1963), "Abrazo interno" (1954), "Arboles" (1955) y "Caballo de palo" (1959). Representante del movimiento de vanguardia "atalayismo". El poema que transcribimos —la relación del poeta, militante en la lucha social con la libertad— es un buen ejemplo de esa poesía de vanguardia "comprometida" y hermética a un tiempo.

PABLO NERUDA

RITUAL DE MIS PIERNAS

Largamente he permanecido mirando mis largas piernas,
con ternura infinita y curiosa, con mi acostumbrada pasión,

como si hubieran sido las piernas de una mujer divina
profundamente sumida en el abismo de mi tórax:
y es que, la verdad, cuando el tiempo, el tiempo pasa,
y pasa, el tiempo pasa, y en mi lecho no siento de noche que una
    [mujer está respirando, durmiendo desnuda y a mi lado,
entonces, extrañas, oscuras cosas toman el lugar de la ausente,
viciosos, melancólicos pensamientos
siembran pesadas posibilidades en mi dormitorio,
y así, pues, miro mis piernas como si pertenecieran a otro cuerpo,
y fuerte y dulcemente estuvieran pegadas a mis entrañas.

Como tallos o femeninas, adorables cosas,
desde la rodilla suben, cilíndricas y espesas,
con turbado y compacto material de existencia;
como brutales, gruesos brazos de diosa,
como árboles monstruosamente vestidos de seres humanos,
como fatales, inmensos labios sedientos y tranquilos,
son allí la mejor parte de mi cuerpo:
lo enteramente sustancial, sin complicado contenido
de sentidos o tráqueas o intestinos o ganglios:
nada, sino lo puro, lo dulce y espeso de mi propia vida,
guardando la vida, sin embargo, de una manera incompleta.

. . . .

Sin sensualidad, cortas y duras, y masculinas,
son allí mis piernas, y dotadas
de grupos musculares como animales complementarios,
y allí también una vida, una sólida, sutil, aguda vida
sin temblar permanece, aguardando y actuando.
En mis pies cosquillosos,
y duros como el sol, y abiertos como flores,
y perpetuos, magníficos soldados
en la guerra gris del espacio,
todo termina, la vida termina definitivamente en mis pies,
lo extranjero y hostil allí comienza:
los nombres del mundo, lo fronterizo y lo remoto,
lo sustantivo y lo adjetivo que no caben en mi corazón
con densa y fría constancia allí se originan.

222

Siempre,
productos manufacturados, medias, zapatos,
o simplemente aire infinito,
habrá entre mis pies y la tierra
extremando lo aislado y lo solitario de mi ser,
algo tenazmente supuesto entre mi vida y la tierra,
algo abiertamente invencible y enemigo.

(Primera "Residencia en la tierra", 1925-1931).

APOGEO DEL APIO

Del centro puro que los ruidos nunca
atravesaron, de la intacta cera,
salen claros relámpagos lineales,
palomas con destino de volutas,
hacia tardías calles con olor
a sombra y a pescado.

Son las venas del apio! Son la espuma, la risa,
los sombreros del apio!
Son los signos del apio, su sabor
de luciérnaga, sus mapas
de color inundado,
y cae su cabeza de ángel verde,
y sus delgados rizos se acongojan,
y entran los pies del apio en los mercados
de la mañana herida, entre sollozos,
y se cierran las puertas a su paso,
y los dulces caballos se arrodillan.

Sus pies cortados van, sus ojos verdes
van derramados, para siempre hundidos
en ellos los secretos y las gotas:
los túneles del mar de donde emergen,
las escaleras que el apio aconseja,
las desdichadas sombras sumergidas,
las determinaciones en el centro del aire,
los besos en el fondo de las piedras.
A medianoche, con manos mojadas,
alguien golpea mi puerta en la niebla,

y oigo la voz del apio, voz profunda,
áspera voz de viento encarcelado,

se queja herido de aguas y raíces,
hunde en mi cama sus amargos rayos,
 y sus desordenadas tijeras me pegan en el pecho
buscándome la boca del corazón ahogado.

Qué quieres, huésped de corsé quebradizo,
en mis habitaciones funerales?
Qué ámbito destrozado te rodea?

Fibras de obscuridad y luz llorando,
ribetes ciegos, energías crespas,
río de vida y hebras esenciales,
verdes ramas de sol acariciado,
aquí estoy, en la noche, escuchando secretos,
desvelos, soledades,
y entráis, en medio de la niebla hundida,
hasta crecer en mí, hasta comunicarme
la luz obscura y la rosa de la tierra.

(Segunda "Residencia en la tierra", 1931-1935).

WALKING AROUND

Sucede que me canso de ser hombre.
Sucede que entro en las sastrerías y en los cines
marchito, impenetrable, como un cisne de fieltro
navegando en un agua de origen y ceniza.

El olor de las peluquerías me hace llorar a gritos.
Sólo quiero un descanso de piedras o de lana,
sólo quiero no ver establecimientos ni jardines,
ni mercaderías, ni anteojos, ni ascensores.

Sucede que me canso de mis pies y mis uñas
y mi pelo y mi sombra.
Sucede que me canso de ser hombre.

Sin embargo sería delicioso
asustar a un notario con un lirio cortado
o dar muerte a una monja con un golpe de oreja.
Sería bello
ir por las calles con un cuchillo verde
y dando gritos hasta morir de frío.

No quiero seguir siendo raíz en las tinieblas,
vacilante, extendido, tiritando de sueño,
hacia abajo, en las tripas mojadas de la tierra,
absorbiendo y pensando, comiendo cada día.

No quiero para mí tantas desgracias.
No quiero continuar de raíz y de tumba,
de subterráneo solo, de bodega con muertos,
aterido, muriéndome de pena.

Por eso el día lunes arde como el petróleo
cuando me ve llegar con mi cara de cárcel,
y aúlla en su transcurso como una rueda herida,
y da pasos de sangre caliente hacia la noche.

Y me empuja a ciertos rincones, a ciertas casas húmedas,
a hospitales donde los huesos salen por la ventana,
a ciertas zapaterías con olor a vinagre,
a calles espantosas como grietas.

Hay pájaros de color de azufre y horribles intestinos
colgando de las puertas de las casa que odio,
hay dentaduras olvidadas en una cafetera,
hay espejos
que debieran haber llorado de vergüenza y espanto,
hay paraguas en todas partes, y venenos y ombligos.

Yo paseo con calma, con ojos, con zapatos,
con furia, con olvido,
paso, cruzo oficinas y tiendas de ortopedia,
y patios donde hay ropas colgadas de un alambre:
calzoncillos, toallas y camisas que lloran
lentas lágrimas sucias.

(Segunda "Residencia en la tierra", 1931-1935).

Quién ha mentido? El pie de la azucena
roto, insondable, oscurecido, todo
lleno de herida y resplandor oscuro!
Todo, la norma de ola en ola en ola,
el impreciso túmulo del ámbar
y las ásperas gotas de la espiga!
Fundé mi pecho en esto, escuché toda
la sal funesta: de noche
fui a plantar mis raíces:
averigüé lo amargo de la tierra:
todo fue para mí noche o relámpago:
cera secreta cupo en mi cabeza
y derramó cenizas en mis huellas.

Y para quién busqué este pulso frío
sino para una muerte?
Y qué instrumento perdí en las tinieblas
desamparadas, donde nadie me oye?
No,
ya era tiempo, huid
sombras de sangre,
hielos de estrella, retroced al paso de los pasos humanos
y alejad de mis pies la negra sombra!

Yo de los hombres tengo la misma mano herida,
yo sostengo la misma copa roja
e igual asombro enfurecido:
un día
palpitante de sueños
humanos, un salvaje
cereal ha llegado
a mi devoradora noche
para que junte mis pasos de lobo
a los pasos del hombre.
Y así, reunido,
duramente central, no busco asilo
en los huecos del llanto: muestro

226

la cepa de la abeja: pan radiante
para el hijo del hombre: en el misterio el azul se prepara
para mirar un trigo lejano de la sangre.
¿Dónde está tu sitio en la rosa?
¿Dónde es tu párpado de estrella?
¿Olvidaste esos dedos de sudor que enloquecen
por alcanzar la arena?
Paz para tí, sol sombrío,
paz para tí, frente ciega,
hay un quemante sitio para tí en los caminos,
hay piedras sin misterio con una estrella loca,
desnuda, desbocada, contemplando el infierno

¡Juntos, frente al sollozo!
Es la hora
alta de tierra y de perfume, mirad este rostro
recién salido de la sal terrible,
mirad esta boca amarga que sonríe,
mirad este nuevo corazón que os saluda
con su flor desbordante, determinada y áurea.

(Tercera "Residencia en la Tierra", 1935-1945).

ODA A LA TRISTEZA

Tristeza, escarabajo
de siete patas rotas,
huevo de telaraña,
rata descalabrada,
esqueleto de perra:
Aquí no entras,
No pasas.
Andate.
Vuelve
al sur con tus paraguas,
vuelve
al norte con tus dientes de culebra.
Aquí vive un poeta.

227

La tristeza no puede
entrar por esas puertas.
Por las ventanas
entra el aire del mundo,
las rojas rosas nuevas,
las banderas bordadas
del pueblo y sus victorias.
No puedes.
Aquí no entras.
Sacude
tus alas de murciélago,
yo pisaré las plumas
que caen de tu manto,
yo barreré los trozos
de tu cadáver hacia
las cuatro puntas del viento,
yo te torceré el cuello,
te coseré los ojos,
cortaré tu mortaja
y enterraré, tristeza, tus huesos roedores
bajo la primavera de un manzano.

("Odas elementales", 1954).

El superrealismo —por encima de la realidad— quería complementar al mundo real con el mundo inconsciente y formar así una verdad única. Lo influyeron las doctrinas de Freud y la necesidad de conocimiento creada por la desesperanza de postguerra: el hombre situado en el mundo físico, atarazado por imágenes oníricas acumuladas en su subconsciente, viviendo a la vez dentro de un medio visible y dentro de su espiritualidad invisible, debía manifestarse totalmente a través de un lenguaje por equivalencias capaz de captar uno y otro mundo. Neruda fue, y sigue siendo, el ejemplo más alto de la inspiración superrealista que se mezcló tanto con el ultraísmo y terminó por dominar a todos los otros movimientos de vanguardia.

La evolución de Neruda, luego del romanticismo de sus primeros libros, es clara en los poemas que ofrecemos: "Ritual de mis piernas", de Primera "Residencia en la tierra", es todavía un poema con una identificación superrealista, que ya se esboza sin embargo y que culminará en "Apogeo del apio", por ejemplo, en la Segunda "Residencia en la tierra". Luego, en "Reunión bajo las nuevas banderas", Neruda se separa, parece decir adiós al superrealismo —que será condenado por los marxistas— y escoger el camino de la poesía social —al que se entrega de lleno, como vemos en la sección "Del nacionalismo al comunismo"—, pero esto es engañoso: al igual que en él permanece la poesía amorosa de efusión romántica, permanecerá aún a pesar de él mismo, como escape a la atadura, a las normas impuestas "por el partido" a la poesía —claridad, militancia propagandista, temas "proletarios"— las imágenes superrealistas tales como en "Oda a la tristeza".

La inquietud ontológica se señala en muchos versos de Neruda, como en "Walking around", uno de los más bellos y confesionales. Al analizar sus obsesiones, expresadas en el "automatismo psíquico" de esta poesía del subconsciente, vemos su evolución mental, y el por qué de esta transformación. "Walking around", por ejemplo, denuncia la repugnancia del poeta frente al mundo visceral, prosaico, que lo rodea. En "Arte poética", un poema de la primera "Residencia en la tierra", expresaba la inutilidad de la poesía, incapaz de redimir tal hombre y la imposibiidad del poeta de escapar a su fatal destino de cantar. "Ritual de mis piernas" expone el tema del cuerpo desvalido, de los convencionalismos hipócritas, de la inocencia del sexo. La sensación, ya presente en sus poemas románticos, ("Poema número 20", "Farewell") del amor frustrado, no realizado, solamente pleno en pocos momentos (en "Cien poemas de amor", quizás), se advierte claramente en sus poemas superrealistas ("Las furias y las penas"). Neruda tiene un vocabulario simbólico, cuyas equivalencias ha querido encontrar Amado Alonso ("Poesía y estilo de Pablo Neruda", Bs. As. Losada, 1940). La palabra "sastre", como insulto, como indicadora de todo lo mísero, sin imaginación, burgués, es una de sus preferidas. Uva, paloma, pez, gatos, son símbolos continuos. Para entender su empleo en el poema búsquese equivalencias a su significado. Pero no se espere que como en un diccionario, tal palabra signifique tal sentimiento. No se trata de una "traducción" sino de comprensión de una atmósfera poética.

Poesia Negroide

El arte negro estaba de moda en París, donde Apollinaire
lo había impulsado, y también en EE. UU. donde el "jazz" abría
nuevos horizontes. Blaise Cendrars había publicado una "Antología
negra" en 1921. Luis Lloréns Torres escribía en el lenguaje campesino de la isla de Puerto Rico. Evaristo Rivera Chevremont exaltaba
al nacionalismo desde las páginas de "La época". El fue quien
apoyó a Luis Palés Matos cuando éste comenzó a llevar el hermetismo vanguardista hacia el tema negro. La poesía negroide es una
manifestación de la Vanguardia, pero adquiere caracteres identificables que la convierten en uno de los movimientos más originales
de América, desde la aparición de la poesía gauchesca. La tradición
negra —con sus ritos africanos todavía en vigencia en las socieda-
des secretas de los "ñáñigos"—, su sensualidad ancestral, su pinto-
resquismo, su sonoridad idiomática y musical, dio un material
original y casi virgen a los poetas negroides (que no hicieron "poesía
negra" sino que recrearon, recurriendo a la onomatopeya o mezclando vocablos de diferentes dialectos una forma de expresión).
Por esto es difícil establecer fuentes preexistentes (Valbuena Briones cita a Lope de Vega y a los continuadores de Darío, Demetrio
Korsi y F. Pichardo Moya). Además, la poesía negroide pasó rápidamente de la sensualidad de un exotismo recreado y sonorizado
por el genio del poeta (se ha reprochado a Palés Matos que diera
una falsa imagen ambiental de Puerto Rico; reproche absurdo, por
cierto) al costumbrismo de Ballagas, Tallet o Guillén, para culminar —al convertirse en instrumento de agitación política en este
último poeta— en poesía social, al servicio de una idea, con Regino
Pedroso). Quedan pocas dudas respecto a que fue Luis Palés Matos
quien primero comenzó el género; pero para ser justos con Nicolás
Guillén debemos reconocerle que él —errado o no en sus ideas—
le dió un sentido que salvó a la poesía negroide, que amenazaba
agostarse en la onomatopeya rítmica.

Guillermo de Torre en "La aventura y el orden" (Losada, Bs.
As. 1961, luego de recordar a Aimé Césaire y Léopold Senghor,
poetas negroides de lengua francesa, y al brasileño Jorge de Lima,
cita como poemas negroides de una "antología personal" a "Danza
negra", de Palés Matos; "Elegía de María Belén Chacón", de Emilio Ballagas; "Liturgia" y "Canción", de Alejo Carpentier y "Balada
de los dos abuelos", de Nicolás Guillén. Y agrega que esta antología
mínima debiera incluir los nombres del cubano Regino Pedroso,

del venezolano Andrés Eloy Blanco, del ecuatoriano Adalberto Ortiz, del dominicano Manuel del Cabral. Nosotros hemos agregado otros nombres a la lista, y podrían citarse muchos más. Preferimos, al escoger los ejemplos que consideramos más representativos, ceñirnos a la popularidad que adquirieron algunos de esos poemas, o a los que son más claramente ilustrativos de la evolución que va sufriendo el género que nace hacia 1926 y concluye al finalizar la década del treinta, aunque haya sobrevivido en poemas que han agregado poco a lo hecho antes.

Buenos libros de consulta son "Mapa de la poesía negra hispanoamericana", de Emilio Ballagas; "Antología de la poesía negra americana", de I. de Pereda Valdés; "La poesía mulata", de Fernando Ortiz y "Orbita de la poesía afrocubana", de Ramón Guirao. Es excelente y con amplia información el prólogo que Federico de Onís escribió para las obras completas de Luis Palés Matos.

RUBEN DARIO

LA NEGRA DOMINGA

¿Conocéis a la negra Dominga?
Es retoño de cafre y mandinga,
es flor de ébano henchida de sol.
Ama el ocre y el rojo y el verde,
y en su boca que besa y que muerde
tiene el ansia del beso español.

Serpentina, fogosa y violenta,
con caricias de sal y pimienta
vibra y muestra su loca pasión:
fuego tiene que Venus alaba
y envidiara la reina de Saba
para el lecho del rey Salomón.

Vencedora, magnífica y fiera,
con halagos de gata y pantera
tiende al blanco su abrazo febril,
y en su boca, do el beso está loco,
muestra dientes de carne y de coco
con reflejos de lácteo marfil.

(1892)

No pretendemos que Rubén Darío haya sido el iniciador de la Poesía Negroide, pero fue uno de los primeros que la cultivó, aunque haya sido por accidente. En 1892 pasó por Cuba —iba a España enviado por el gobierno de Nicaragua con motivo del IV Centenario del descubrimiento de América— y conoció a Julián del Casal. Ambos se emborracharon y para tener más dinero para su francachela, del Casal fue a la redacción de la revista "La Caricatura" para cobrar unas colaboraciones. Mientras el poeta cubano estaba en aquella gestión, Darío improvisó "La negra Dominga", que vendió de inmediato a la revista, donde se publicó el 14 de agosto de 1892. Sin duda la juerga debió de ser muy alegre aquella noche.

EVARISTO RIVERA CHEVREMONT

RON DE JAMAICA

¡Ron de Jamaica! ¡Ron en pepita!
Ron incendiado, quema el gaznate.
Vastas y bruscas fuerzas descubre
el ron que es mezcla de fuego y sangre.

El negro sirve bañado en risa.
La dentadura, sana y cortante
entre los bembes desmesurados,
muestra el más puro de los esmaltes.

¡Ron de la negra Jamaica! Brinca
como un salvaje por sus penates.
Sonoro y macho, canta en las copas;
canta en las copas con lenguas que arden.

Triunfa Jamaica con sus alcoholes;
huelen el recio tufo fragante,
todas las islas comunicadas
por mercantiles rondas de naves.

Todas las islas son invitadas;
todas las islas de nuestros mares;
todas las islas que resplandecen
con sus pulseras y sus collares.

Las islas beben; beben y sudan
en las marismas casi sin aire.
Trópico, trópico, trópico. Verdes
y azules. Rosas de crema y lacre.

Las islas juntan cañas y soles.
Por cielo en pompa de oro y granate
rueda la hipérbole desquiciada
desmelenada de ímpetu y viaje.

Ya los tambores tamborilean.
Las islas danzan al son de carne.
Ritmos de aceite van lubricando
las coyunturas de los danzantes:

Es la pintura de las Antillas.
Embriaguez, verbo, pasión y baile.
Ron de alambiques de brujería,
el ron que a tierras caribes sabe!

¡Ron de Jamaica! ¡Ron en pepita!
Ron incendiado, quema el gaznate.
Vastas y bruscas fuerzas descubre
el ron que es mezcla de fuego y sangre.

Evaristo Rivera Chevremont (puert. 1896) escribió versos que
pueden clasificarse en la "Poesía Negroide". El "negrismo" está
dado por su fuerte nacionalismo —y en la sección poesía nacionalista lo hemos situado— que lo impulsa a utilizar modismos negros

o imágenes de este tipo que también aparecen en sus versos meramente descriptivos de paisajes, tales como "Campos de Puerto Rico", una de sus mejores poesías. En el estilo negroide, recordemos "La mujer morena", "La taza de café negro" y "Sinfonía del mar nuestro". En este aspecto, Chevremont entra dentro de la poesía negroide que abandona el exotismo y la onomatopeya para "comprometerse", ya sea con el nacionalismo —como en este caso—, ya sea con la extrema izquierda.

La poesía negroide expresa muchas veces un sentimiento del paisaje que a la vez que halaga ese profundo amor por el terruño amenazado, mantiene vivas tradiciones verídicas o mitificadas por la leyenda, que contribuyen a fortalecer las ataduras y fisonomías ancentrales. Compárese "Ron de Jamaica", de Rivera Chevremont con "Canción de las Antillas" de Luis Lloréns Torres.

LUIS PALES MATOS

PUEBLO NEGRO

Esta noche me obsede la remota
visión de un pueblo negro...
—Mussumba, Tombuctú, Farafangana—
es un pueblo de sueño,
tumbado allá en mis brumas interiores
a la sombra de claros cocoteros.

La luz rabiosa cae
en duros ocres sobre el campo extenso.
Humean, rojas de calor, las piedras,
y la humedad de árbol corpulento
evapora frescuras vegetales
en el agrio crisol del clima seco.

Pereza y laxitud. Los aguazales
cuajan un vaho amoniacal y denso.
El compacto hipopótamo se hunde

en su caldo de lodo suculento,
y el elefante de marfil y grasa
rumia bajo el baobab su vago sueño.

Allá entre las palmeras
está tendido el pueblo . . .
—Mossumba, Tombuctú, Farafangana—
Caserío irreal de paz y sueño.
Algo disuelve perezosamente
un canto monorrítmico en el viento,
pululado de úes que se aquietan
en balsas de diptongos soñolientos,
y de guturaciones alargadas
que dan un don de lejanía al verso.

Es la negra que canta
su sobria vida de animal doméstico;
la negra de las zonas soleadas
que huele a tierra, a salvajina, a sexo.
Es la negra que canta,
y su canto sensual se va extendiendo
como una clara atmósfera de dicha
bajo la sombra de los cocoteros.

Al rumor de su canto
todo se va extinguiendo,
y sólo queda en mi alma
la ú profunda del diptongo fiero,
en cuya curva maternal se esconde
la armonía prolífica del sexo.

DANZA CANIBAL
Candombe

Los negros bailan, bailan, bailan,
ante la fogata encendida.
Tum-cutum, tum-cutum,
ante la fogata encendida.

238

Bajo el cocal, junto al oleaje,
dientes feroces de lascivia,
cuerpos de fango y de melaza,

senos colgantes, vaho de axilas,
y ojos de brillos tenebrosos
que el gongo profundo encandila.
Bailan los negros en la noche
ante la fogata encendida.
Tum-cutum, tum-cutum,
ante la fogata encendida.

. . . .

La luna es tortuga de plata
nadando en la noche tranquila.
¿Cuál será el pescador osado
que a su red la traiga prendida:
Sokola, Babiro o Bombassa,
Tum-cutum, tum-cutum,
ante la fogata encendida.
Yombofré, Bufón o Babissa

. . . .

Manassa, Cumbalo, Bilongo,
pescad esa luna podrida
que nos envenena la noche
con su hedionda luz amarilla.
Pescad la luna, pescad la luna,
el monstruo pálido que hechiza
nuestra caza y nuestras mujeres
en la soledad de la isla.
Tum-cutum, tum-cutum,
ante la fogata encendida.
Negros bravos de los palmares,
venid, que os espera Babissa,
el Gran Rey del Caimán y el Coco,
ante la fogata encendida.
Tum-cutum, tum-cutum,
ante la fogata encendida.

MAJESTAD NEGRA

Por la encendida calle antillana
va Tembandumba de la Quimbamba
—Rumba, macumba, candombe, bámbula—
entre dos filas de negras caras.
Ante ella un congo gongo y maraca—
ritma una conga omba que bamba.

Culipandeando la Reina avanza,
y de su inmensa grupa resbalan
senos cachondos que el gongo cuaja
en río de azúcar y de melaza.
Prieto trapiche de sensual zafra,
el caderamen, masa con masa,
exprime ritmos, suda que sangre,
y la molienda culmina en danza.

Por la encendida calle antillana
va Tembandumba de la Quimbamba.
Flor de Tortola, rosa de Uganda,
por tí crepitan bombas y bámbulas;
por tí en calendas desenfrenadas
quema la Antilla su sangre ñáñiga.
Haití te ofrece sus calabazas;
fogosos rones te da Jamaica;
Cuba te dice: ¡dale, mulata!
y Puerto Rico: ¡melao, melamba!

¡sús, mis cocolos de negras caras!
Tronad, tambores; vibrad, maracas.
Por la encendida calle antillana
—Rumba, macumba, candombe, bámbula—
va Tembandumba de la Quimbamba.

LAGARTO VERDE

El Condesito de la Limonada,
juguetón, pequeñín... Una monada
rodando, pequeñín y juguetón,
por los salones de Cristobalón.
Su alegre rostro de tití
a todos dice: —Sí.
—Sí, Madame Calofé, Monsieur Haití,
por allí, por aquí.

Mientras los aristócratas macacos
pasan armados de cocomacacos
solemnemente negros de nobleza,
el Conde, pequeñín; y juguetón,
es un fluído de delicadeza
que llena de finuras el salón.

—Sí, Madame Calofé, Monsieur Haití,
por allí, por aquí—
Vedle en el rigodón,
miradle en el minué...
Nadie en la Corte de Cristobalón
lleva con tanta gracia el casacón
ni con tanto donaire mueve el pie.
Su fórmula social es: ¡oh, pardón!
Su palabra elegante: ¡volupté!

¡Ah, pero ante Su Alteza
jamás oséis decir lagarto verde,
pues perdiendo al instante la cabeza
todo el fino aristócrata se pierde!

Y allá va el Conde de la Limonada,
con la roja casaca alborotada
y la fiera quijada
rígida en epiléptica tensión...
Allá, va entre grotescos ademanes,
multiplicando los orangutanes
en los espejos de Cristobalón.

241

ÑÁÑIGO AL CIELO

El ñáñigo sube al cielo.
El cielo se ha decorado
melón y calabaza
para la entrada del ñáñigo.
Los arcángeles, vestidos
con verdes hojas de plátano,
lucen coronas de anana
y espadones de malango.
La gloria del Padre Eterno
rompe en triunfal taponazo,
y espuma de serafines
se riega por los espacios.
El ñáñigo va rompiendo
tiernas oleadas de blanco,
en su ascensión milagrosa
al dulce mundo seráfico.
Sobre el cerdo y el caimán
Jehová, el potente, ha triunfado...
¡Gloria a Dios en las alturas
que nos trae por fin el ñáñigo!

. . . .

El ñañigo asciende por
la escalinata de mármol
con meneo contagioso
de caderas y omoplatos.
—Las órdenes celestiales
le acogen culipandeando—

. . . .

En loa del alma nueva
que el Empíreo ha conquistado,
ondula el cielo en escuadras
de doctores y de santos.
Con arrobos maternales,

a que contemplen el ñáñigo
las castas once mil vírgenes

traen a los niños nonatos.
Las Altas Cancillerías
despliegan sus diplomáticos,
y se ven, en el desfile,
con eximio goce extático
y clueca sananería
de capones gallipavos.

De pronto Jehová conmueve
de una patada el espacio.
Rueda el trueno y quedan solos
frente a frente, Dios y el ñáñigo.
—En la diestra del Señor,
agrio foete, fulge el rayo.

(Palabra de Dios, no es música
transportable a ritmo humano).
. . . .
Pero donde el pico es corto,
vista y olfato van largos,
y mientras aquélla mira
a Dios y al negro abrazados,
éste percibe un mareante
tufo de ron antillano,

. . . .

¿Por qué va aprisa San Memo?
¿Por qué está alegre San Memo?
¿Por qué las once mil vírgenes
sobre los varones castos
echan con grave descoco,
la carga de los nonatos?
¿Quién enciende en las alturas
tal borococo antillano,
que en oleadas de bochinche
estremece los espacios?

243

¿Cuya es esa gran figura
que va dando barquinazos,
con su rezongo de truenos
y su orla azul de relámpagos?

Ha entrado un alma en el cielo
¡y ésa es el alma de un ñáñigo!

DANZA NEGRA

Calabó y bambú.
Bambú y calabó.
El Gran Cocoroco dice: tu-cu-tú.
La Gran Cocoroca dice: tu-co-tó.
Es el sol de hierro que arde en Tombuctú.
Es la danza negra de Fernando Póo.
El cerdo en el fango gruñe: pru-pru-prú.
El sapo en la charca sueña: cro-cro-cró.
Calabó y bambú.
Bambú y calabó.

Rompen los junjunes en furiosa u.
Los gongos trepidan con profunda o.
Es la raza negra que ondulando va
en el ritmo gordo del mariyandá.
Llegan los botucos a la fiesta ya.
Danza que te danza la negra se da.

Calabó y bambú.
Bambú y calabó.
El Gran Cocoroco dice: tu-cu-tú.
La Gran Cocoroca dice: to-co-tó.

Pasan tierras rojas, islas de betún:
Haití, Martinica, Congo, Camerún;
las papiamentosas antillas del ron
y las patualesas islas del volcán,
que en el grave son
del canto se dan.

244

Calabó y bambú.
Bambú y calabó.
Es el sol de hierro que arde en Tombuctú.
Es la danza negra de Fernando Póo.
El alma africana que vibrando está.
En el ritmo gordo del mariyandá.

Calabó y bambú.
Bambú y calabó.
El Gran Cocoroco dice: tu-cu-tú.
La Gran Cocoroca dice: to-co-tó.

("*Tuntún de pasa y grifería*", 1937).

Pasa: mota del negro. *Grifería*: referente al mulato. *Calabó*: madera africana. *Cocoroco*: jefe de una tribu. *Junjún*: instrumento de cuerda de los hotentotes. *Gogo*: tambor. *Mariyandá*: baile de los negros puertorriqueños. *Botuco*: jefe de menor jerarquía. Tomamos parte de este vocabulario de Angel Valbuena Briones ("Literatura hispanoamericana", tomo IV, Gustavo Gili, Barcelona, 1962), pero el lector puede encontrar referencias en los estudios de Margot Arce sobre Palés Matos y en la introducción que Federico de Onís hizo a la obra completa del poeta (Ediciones de la Universidad de Puerto Rico, San Juan, 1957). Dice de Onís: "El vocabulario es heterogéneo. Se compone de palabras del léxico de las Antillas: ñáñigo, baquiné, mariyandá, mandinga; de voces negras africanas: tucutú, botuco, topé, calabó; y de palabras o sonidos onomatopéyicos creados por el propio Palés: cocó, cucú, tumcutúm. La geografía negra es abundante: Tombuctú, Fernando Póo, Martinica, Haití, Congo, Angola, Uganda... También alude a divinidades de la mitología africana: Ecué, Changó, Ogún, Bagadrí y a sus ritos mágicos: baquiné, balele, candombe. Cita, en fin, una gran cantidad de nombres propios usuales entre los africanos: Babissa Manassa, Cumbalo, Bilongo. Hay otros inventados por Palés con intención caricaturesca visible: Madame Cafolé...". Este vocabulario es común a los demás poetas que cultivaron la poesía negroide.

Algunas fechas de publicación de poemas de Palés, citadas

245

por F. de Onís, son interesantes para aclarar el problema de quién fue el primero que inició, en forma orgánica ,la poesía Negra: "Esta noche me obsede la remota..." (18 de julio de 1925), que luego se llamó "Pueblo Negro"; "Danza Negra" (9 de octubre de 1926); "Danza caníbal" (5 de marzo de 1927"), "Kalahari" (1927), "Canción festiva para ser llorada" (junio, 1929); "Falsa canción de baquiné" (diciembre, 1929); "Elegía del Duque de la Mermelada" (julio, 1930); "Bombo" (julio, 1930); "Lamento" 1930); "Ñan-ñan" (1932), "Majestad negra" (1934), "El ñáñigo sube al cielo" (1937), "Lagarto verde" (1937).

"La primera poesía negra de Palés —afirma F. de Onís— es anterior a la cubana e independiente de ella. El libro de Nicolás Guillén "Motivos de son", es de 1930 y su segundo libro "Sóngoro cosongo" de 1931. Estos libros pusieron en seguida la poesía cubana en el primer plano del conocimiento general, cuando Palés no había publicado aún ningún libro ni había empezado la labor de difusión de algunas de sus poesías por obra de los recitadores. En Cuba había empezado un poco antes el cultivo de la poesía negra con poesías sueltas publicadas por el mismo Guillén y por otros antes que él. Si no estoy equivocado, éstas fueron "Grito abuelo" de José Manuel Póveda (1927), "Bailadora de rumba", de Ramón Guirao (8 de abril 1928), "La rumba", de José Z. Tallet (agosto, 1928) y los "Poemes des Antilles", de Alejo Carpentier (1929). Como ya hemos visto Palés había empezado a publicar poesías de temas negros en 1925".

JOSE ZACARIAS TALLET

LA RUMBA

¡Zumba, mamá, la rumba y tambó!
¡Mabimba, mabomba, mabomba y bombó!

¡Zumba, mamá, la rumba y tambó!
¡Mabimba, mabomba, mabomba y bombó!

¡Cómo baila la rumba la negra Tomasa!
¡Cómo baila la rumba José Encarnación!

Ella mueve una nalga, ella mueve la otra,
él se estira, se encoge, dispara la grupa,
el vientre dispara, se agacha, camina,
sobre el uno y el otro talón.

¡Chaqui, chaqui, chaqui, charaqui!
¡Chaqui, chaqui, chaqui, charaqui!

Las ancas potentes de niña Tomasa
en torno de un eje invisible
como un reguilete rotan con furor,
desafiando con rítmico, lúbrico disloque
el salaz ataque de Che Encarnación:
Muñeco de cuerda que, rígido el cuerpo,
hacia atrás el busto, en arco hacia 'lante
abdomen y piernas, brazos encogidos
a saltos iguales de la inquieta grupa
va en persecución.

¡Cambio' e 'paso, Cheché, cambio' e 'paso!
¡Cambio' e 'paso, Cheché, cambio' e 'paso!
¡Cambio' e 'paso, Cheché, cambio' e 'paso!

La negra Tomasa con lascivo gesto
hurta la cadera, alza la cabeza:
y en alto los brazos, enlaza las manos,
en ella reposa la ebánica nuca
y procaz ofrece sus senos rotundos
que oscilando de diestra a siniestra
encandilan a Chepe Cachón.

¡Chaqui, chaqui, chaqui, charaqui!
¡Chaqui, chaqui, chaqui, charaqui!

Frenético el negro se lanza al asalto
y el pañuelo de seda en las manos
se dispone a marcar a la negra Tomasa,
que lo reta insolente, con un buen vacunao.

"¡Ahora!", lanzando con rabia el fuetazo
aúlla el moreno. Los ojos son ascuas, le falta la voz
y un diablo en el cuerpo de Che Encarnación).

La negra Tomasa esquiva el castigo
y en tono de mofa lanza un insultante
y estridente: "¡No!"
Y valiente se vuelve y menea la grupa
ante el derrotado José Encarnación.

¡Zumba mamá, la rumba y tambó!
¡Marimba mabomba, mabomba y bombó!

Repican los palos,
suena la maraca,
zumba la botija,
se rompe el bongo.

Hasta el suelo sobre un pie se baja
y da media vuelta José Encarnación.
Y niña Tomasa se desarticula
y hay olor a selva
y hay olor a grajo
y hay olor a hembra
y hay olor a macho
y hay olor a solar urbano
y olor rústico barracón.
Y las dos cabezas son dos cocos secos
en que alguno con yeso escribiera,
arriba, una diéresis, abajo un guión.

Y los dos cuerpos de los dos negros
son dos espejos de sudor.

Repican las claves,
suena la maraca,
zumba la botija,
se rompe el bongó.
se rompe el bongó.

¡Chaqui, chaqui, chaqui, charaqui!
¡Chaqui, chaqui, chaqui, charaqui!

Llega el paroxismo, tiemblan los danzantes
y el bembé le baja a Chepe Cachón;
y el bongó se rompe al volverse loco,
a niña Tomasa le baja el changó.

¡Piqui-tiqui-pan, piqui-tiqui-pan!
¡Piqui-tiqui-pan, piqui-tiqui-pan!
Al suelo se viene la niña Tomasa,
al suelo se viene José Encarnación:
y allí se revuelcan con mil contorsiones,
se les sube el santo, se rompió el bongó,
¡se acabó la rumba, con-con-co-mabó!

¡Pa-cá, pa-cá, pa-cá, pa-cá!

(*"La semilla estéril"*, 1923-1939, *publicado en* 1951).

Tallet es, solamente por accidente, un poeta negroide. Sin embargo, con dos únicos poemas de poesía en este género —cultivó otras formas, a veces románticas, a veces modernistas—, consiguió una obligada participación en ese movimiento. "La rumba" fue popularizada por recitadores profesionales que al llevarla por todas las latitudes de América y España contribuyeron a ampliar el gusto por este tipo poético. Tallet declara en la edición de 1951, única de sus obras, que "nunca fui poeta profesional sino un hombre como otro cualquiera que, de vez en vez, hacía versos para purgarse el espíritu y daba en ellos un poco o mucho de sí". Tal modestia y conciencia de lo que se es, merece todo el respeto del crítico. El otro poema negroide de Tallet se titula "Negro Ripiera".

EMILIO BALLAGAS

ELEGIA DE MARIA BELEN CHACON

María Belén, María Belén, María Belén,
María Belén Chacón, María Belén Chacón, María Belén Chacón,
con tus nalgas en vaivén,
de Camagüey a Santiago, de Santiago a Camagüey.

En el cielo de la rumba,
ya nunca habrá de alumbrar
tu constelación de curvas.

¿Qué ladrido te mordió el vértice del pulmón?
María Belén Chacón, María Belén Chacón . . .
¿Qué ladrido te mordió el vértice del pulmón?

Ni fue ladrido ni uña,
ni fue uña ni fue DAÑO.
La plancha, de madrugada, fue quien te quemó el pulmón!
María Belén Chacón, María Belén Chacón . . .

Y luego, por la mañana,
con la ropa, en la canasta, se llevaron tu sandunga,
tu sandunga y tu pulmón!

¡Que no baile nadie ahora!
¡Que no le arranque más pulgas el negro Andrés
a su trés!

Y los chinos, que arman tánganas adentro de las maracas,
hagan un poco de paz.
Besar la cruz de las claves.
(Líbranos de todo mal, Virgen de la Caridá!)

Ya no veré mis instintos
en los espejos redondos y alegres de tus dos nalgas.
Tu constelación de curvas
ya no alumbrará jamás el cielo de la sandunga.

María Belén Chacón, María Belén Chacón,
María Belén, María Belén:
con tus nalgas en vaivén,
de Camagüey a Santiago . . .
de Santiago a Camagüey.

("Cuaderno de poesía negra" 1934. Apareció publicado por primera
vez en el último número de la 'Revista de Avance", 1929).

Tres: guitarra de tres cuerdas. *Tángano:* lío, embrollo. *Claves:*
dos maderas cilíndricas, cortas, con las cuales, al golpearlas entre
sí, se lleva el compás. *Virgen de la Caridad del Cobre:* patrona de
Cuba. *Sandunga:* fiesta, diversión.

Emilio Ballagas (1906-1954) se inició con un libro postmodernista, "Júbilo y fuga" (1931) para ingresar al negrismo vanguardista
con "Cuaderno de poesía negra" (1934). Lentamente, conservando
un acento nacionalista, se inclinó hacia el catolicismo apartándose
del género que lo hizo famoso, en "Elegía sin nombre" (1936),
"Sabor eterno" (1939), "Nuestra señora del mar" (1943). En 1955
editó en La Habana la "Obra poética de Emilio Ballagas". Publicó
"Antología de la poesía negra hispanoamericana" (Aguilar, Madrid,
1935) y "Mapa de la poesía negra americana" (Pleamar, Buenos
Aires, 1938).

RAMON GUIRAO

BAILADORA DE RUMBA

Bailadora de guaguancó,
piel negra,
tersura de bongó.

Agita la maraca de su risa
con los dedos de leche
de sus dientes.
Pañuelo rojo
—seda—,
bata blanca

—*almidón*—,
recorren el trayecto
de una cuerda
en ritmo afrocubano
de
   guitarra,
   clave
   y cajón.

"*¡Arriba, María Antonia,*
alabao sea Dió!"
Las serpientes de sus brazos
van soltando las cuentas
de un collar de jabón.

Ramón Guirao (cub. 1908-1949). Publicó "Bailadora de rumba" en el "Diario de la Marina" el 8 de abril de 1928. Recogió leyendas negras, "El tigre, el mono y el venado", fábula lucumí, (en "Espuela de Plata", octubre-noviembre de 1939). Escribió un ensayo "Poetas negros y mestizos de la época esclavista" (que apareció en la revista "Bohemia", agosto 26 de 1934) y publicó una antología en 1939, "Orbita de la poesía afrocubana". Sus obras poéticas son "Bongo" (1934) y "Poemas" (1947). *Guaguancó:* baile popular.

JOSE MANUEL POVEDA

EL GRITO ABUELO

La ancestral tajona
propaga el pánico,
verbo que detona,
tambor vesánico;

alza la tocata de siniestro encanto,
y al golpear rabioso de la pedicabra,
grita un monorritmo de fiebre y de espanto:
su única palabra.

Verbo del tumulto,
lóbrega diatriba,
del remoto insulto
sílaba exclusiva.

De los tiempos vino y a los tiempos vuela;
de puños salvajes a manos espurias,
carcajada en hipos, risa que se hiela,
cánticos de injurias.

La tajona insulta
propaga el pánico;
voz de turbamulta
clamor vesánico.

Canto de la sombra, grito de la tierra,
que provoca el vértigo de la sobredanza,
redobla, convoca, trastorna y aterra,
subrepticio signo, hé! que nos alcanza

distante e ignoto,
y de entonces yerra y aterra y soterra
seco, solo, mudo, vano, negro, roto,
grito de la tierra,
lóbrega diatriba,
del dolor remoto
sílaba exclusiva.

("Versos precursores", 1927).

José Manuel Póveda murió en 1926, es decir justamente en el año en que comienza a tomar forma definitivamente la naciente poesía negroide. "El grito abuelo" se ha considerado siempre un valioso antecedente de la misma. Pero Póveda, como la mayoría de los poetas negroides, escribieron relativamente pocos poemas de ese género —tal vez con la excepción de Guillén, y éste por causas políticas— y en general hicieron poesía culta —que prima en la balanza de su obra— como Tallet, como Ballagas, como el mismo Póveda. "Versos precursores" es el único libro que publicó Póveda, en 1917. Fue reeditado en 1927, con el agregado de algunos poemas (de los pocos que el poeta escribió o publicó en los diez últimos años de su vida).

LITURGIA

La Potencia rompió,
   ¡yamba ó!
Retumban las tumbas
en casa de Acué.

El juego firmó,
   ¡yamba ó!
con yeso amarillo
en la puerta fambá.

El gallo murió,
   ¡yamba ó!
en el rojo altar
del gran Obatalá.

Aé, aé,
salió el diablito
—¡cangrejo de Regla!—
saltando de lao.
En su gorro miran
ojos de cartón:
¡brujo de Senegal
tabú y Carnaval!

Aé, aé,
cencerro de latón,
de paja la barba
de santo el bastón.
¡Tiembla, congo! ¡Dale candela!
¡Chivo lo rompe! ¡Chivo lo pagó!

Endoco endiminoco,
efimere bongó.
Enkiko baragofia,
   ¡yamba ó!

¡Hierve la botija!
¡Calienta pimienta!
Siete cruces
arden ya
con pólvora negra
—incienso arará—.

Los muertos llaman,
¡cucha el majá!
Teclean las claves
a la tibia con tibia,
tic-tac de palitos.
¡Retumba y zumba!
Tan-tam de atabal,
timbal de tambor.

¡Rumba en tumba!
Tambor de cajón
y ecón con ecón.

Papá Montero,
marimbulero:
ñáñigo chévere,
bongosero.
El Iyamba gritó:
     ¡yamba ó!
¡quien robe comida,
palo tendrá!

Un negro corrió,
     ¡yamba ó!
¿Tú la cogiste?
¡Por boca rodó!

Aé, aé,
volvió el diablito:
los muertos comieron,
la botija cayó.

Aé, aé,
la luna se va,
¡ónima la danza!
el diablito se jué
¡Diez nuevos ecobios
bendice Eribó!
Retumban las tumbas
en casa de Acué,
¡yamba ó!
¡El gallo cantó!

(Publicado en el último número de la "Revista
de Avance", 15 de septiembre de 1930)

Dice Ramón Guirao que este poema "ejemplifica de modo magistral la dimensión esotérica —escasamente cultivada entre nosotros— de la poesía afrocubana". Es, como se ve, la descripción de una ceremonia de culto negro. Puede compararse con "Sensemayó" —invocación y rito de la serpiente— de Nicolás Guillén. Carpentier publicó "Poémes des Antilles", nueve cantos —en francés— con música de Marius-Francois Gaillard (París, 1929) y una "Cantata", para diez solistas (1932) con música del mismo compositor, junto con otros poemas con música de distintos maestros. Fue también un novelista de gran vigor.

Yamba-ó: exclamación, probablemente onomatopéyica. *Fambá*: cuarto reservado para iniciar en el rito de liturgia negra cultivado por los *ñáñigos*. *Chivo*: se utiliza su piel para los tambores y al mismo tiempo para el rito (sacrifican un chivo). *Endoco endimonoco* . . .: palabras africanas usadas en el rito, al abrir la sesión. *Arará*: tribu del Congo. *¡Cucha majá!*: escucha serpiente. *Atabal*: tambor. *Marimbulero*: de marimba; *Papá Montero* es un personaje siempre asociado a la fiesta popular. *Chévere*: presumido. *Gongosero*: que toca el *bongó*, tambor. *Ecobio*: recién iniciado.

NICOLAS GUILLEN

SECUESTRO DE LA MUJER DE ANTONIO

Te voy a beber de un trago
como una copa de ron;
te voy a echar en la copa
de un son,
prieta, quemada en tí misma,
cintura de mi canción.

Záfate tu chal de espuma
para que torees la rumba,
y si Antonio se disgusta
que se corra por ahí:
la mujer de Antonio
tiene que bailar aquí.

Desamárrate, Gabriela.
Muerde
la cáscara verde,
pero no apagues la vela;
tranca
la pájara blanca,
y vengan de dos en dos,
que el bongó
se calentó.

De aquí no te irás, mulata,
ni al mercado, ni a tu casa;
aquí molerán tus ancas
la zafra de tu sudor:
repique, pique, repique,
repique, repique, pique,
pique repique, repique,
¡pó!

Semilla las de tus ojos
darán sus frutos espesos;

y si viene Antonio luego
que ni en jarana pregunte
cómo es que tú estás aquí...
Mulata, mora, morena,
que ni el más toro se mueva,
porque el que más toro sea
saldrá caminando así;
el mismo Antonio, si llega,
saldrá caminando así;
todo el que no esté conforme
saldrá caminando así...

¡Repique, repique, pique,
repique, repique, pó!
Prieta, quemada en tí misma,
cintura de mi canción...

("Sóngoro, cosongo", 1931).

SONGORO, COSONGO

¡Ay, negra, si tú supiera!
Anoche te ví pasar,
y no quise que me viera.
A él tú le hará como a mí,
que cuando no tuve plata
te corrite de bachata,
sin acordarse de mí.

Sóngoro, cosongo,
son be;
sóngoro, cosongo
de mamey;
sóngoro, la negra
baila bien;
sóngoro de uno,
sóngoro de tré.

258

Aé,
vengan pa ver;
aé, vamo pa ver;
¡vengan, sóngoro, cosongo,
sóngoro, cosongo
de mamey!

("*Motivos de son*", *1930*).

BALADA DE LOS DOS ABUELOS

Sombras que sólo yo veo,
me escoltan mis dos abuelos.

Lanza con punta de hueso,
tambor de cuero y madera:
mi abuelo negro.
Gorguera en el cuello ancho,
gris armadura guerrera:
mi abuelo blanco.

Africa de selvas húmedas
y de gordos gongos sordos...
—¡Me muero!
(Dice mi abuelo negro)
Aguaprieta de caimanes,
verdes mañanas de cocos...
—¡Me canso!
(Dice mi abuelo blanco).
Oh velas de amargo viento,
galeón ardiendo en oro...
—¡Me muero!
(Dice mi abuelo negro).
¡Oh costas de cuello virgen
engañadas de abalorios...
—¡Me canso!
(Dice mi abuelo blanco).
¡Oh puro sol repujado,

259

preso en el aro del trópico;
oh luna redonda y limpia
sobre el sueño de los monos!

¡Qué de barcos, qué de barcos!
¡Qué de negros, qué de negros!
¡Qué largo fulgor de cañas!
¡Qué látigo el del negrero!
Piedra de llanto y de sangre,
venas y ojos entreabiertos,
madrugadas vacías,
y atardeceres de ingenio,
y una gran voz, fuerte voz
despedazando el silencio.
¡Qué de barcos, qué de barcos,
qué de negros!
Sombras que sólo yo veo,
me escoltan mis dos abuelos.

Don Federico me grita,
y Taita Facundo calla;
los dos en la noche sueñan,
y andan, andan.
Yo los junto.
—¡Federico!
¡Facundo! Los dos se abrazan.
Los dos suspiran. Los dos
las fuertes cabezas alzan;
los dos del mismo tamaño,
bajo las estrellas altas;
los dos del mismo tamaño,
ansia negra y ansia blanca;
los dos del mismo tamaño,
gritan, suenan, lloran, cantan.
Sueñan, lloran, cantan.
Lloran, cantan.
¡Cantan!

("West Indies Ltd.", 1934).

SENSEMAYA
(Canto para matar una culebra)

¡Mayombe-bombe-mayombé!
¡Mayombe-bombe-mayombé!
¡Mayombe-bombe-mayombé!

La culebra tiene los ojos de vidrio;
La culebra viene y se enreda en un palo;
con sus ojos de vidrio, en un palo,
con sus ojos de vidrio.

La culebra camina sin patas;
la culebra se esconde en la yerba;
caminando se esconde en la yerba,
caminando sin patas.
¡Mayombe-bombe-mayombé!
¡Mayombe-bombe-mayombé!
¡Mayombe-bombe-mayombé!

Tú le das con el hacha, y se muere:
¡dale ya!
¡No le des con el pie, que te muerde,
no le des con el pie, que se va!

Sensemayá, la culebra,
sensemayá.
Sensemayá, con sus ojos,
sensemayá.
Sensemayá, con su lengua,
sensemayá.
Sensemayá, con su boca,
sensemayá . . .

La culebra no puede comer;
la culebra muerta no puede silbar;
no puede mirar,
¡no puede correr!
La culebra muerta no puede mirar;

la culebra muerta no puede beber;
no puede respirar,
¡no puede morder!
¡Mayombe-bombe-mayombé!
Sensemayá, la culebra...
¡Mayombe-bombe-mayombé!
Sensemayá, no se mueve...
¡Mayombe-bombe-mayombé!
Sensemayá, la culebra...
¡Mayombe-bombe-mayombé!
¡Sensemayá, se murió!

("West Indies Ltd.", 1934)

SOLDADO ASI NO HE DE SER

Soldado no quiero ser,
que así no habrán de mandarme
a herir al niño y al negro,
y al infeliz que no tiene
qué comer.
Soldado así no he de ser.

¡Mira al caballo en dos patas,
y al soldado encima dél,
con ojos llenos de furia,
con boca llena de hiel
y el machete, que lo mismo
¡mata viejo que mujer!
Soldado así no he de ser.

¡Ah de los trenes de tropas,
fríos al atardecer,
en duros rieles de sangre
corriendo a todo correr,
para aplastar una huelga
o estrangular un batey!
Soldado así no he de ser.

¡Ah de los ojos con vendas,
porque vendados no ven!
¡Ah de las manos atadas
y la cadena en los pies!
¡Ah de los tristes soldados
esclavos del coronel!
Soldado así no he de ser.

Si a mí me dieran un rifle
les diría a mis hermanos
para qué sirve.
A mis hermanos soldados
para qué sirve.
Pero a mí no me lo dan;
porque sé para qué sirve,
por eso no me lo dan.
Ni a tí te lo dan, ni a tí,
ni a tí, ni a tí... ¡Qué soldados
íbamos a ser nosotros
en caballos desbocados!
Soldado así quiero ser.

El que no cuide el central,
que no es dél,
ni reine, como un rey tosco
de cuartel,
ni sobre el campo de caña
tiras arranque de piel,
feroz igual que un negrero,
y aún más cruel.
Soldado libre, soldado
no más que al esclavo fiel:
soldado así quiero ser.

("Cantos para soldados y sones para turistas", 1937).

Nicolás Guillén llevó a la poesía Negroide la propaganda política. Lentamente fue inclinándose hacia el comunismo y es fácil

seguir su evolución en los poemas que tomamos. Pero una evolución no es cronológica siempre, no es sucesiva: suele ir y venir en marejadas. Así, por ejemplo, en "Sensemayá", de West Indies Ltd.", utiliza la onomatopeya, como ya lo hiciera en "Canto Negro" de su libro "Sóngoro cosongo" y en muchos otros poemas, donde sigue la línea imaginativa y de persecución inventada por Palés Matos. Pero inmediatamente, Guillén se vuelve narrativo, e imita el habla popular, en versos como "Sóngoro cosongo" o el costumbrismo popular, como en "Secuestro de la mujer de Antonio". El paso a la poesía antiimperialista se advierte en "West Indies Ldt.", en poemas como "Sabás", o en "José Ramón Cantaliso", de "Cantos para soldados y sones para turistas". Pero aquí, en ese libro, ya se denuncia claramente el vuelco decidido al comunismo. En 1937, en "España. Poema en cuatro angustias y una esperanza", la última parte titulada "La voz esperanzada" tiene una "Canción a Stalin" (que con posterioridad debe haberle costado más de una explicación). Como antecedente de la poesía social de Guillén citemos a Felipe Pichardo Moya, también cubano, y a su "El poema de los cañaverales" (1926) y como continuador a Regino Pedroso con su poema "Hermano negro". Estos poemas el lector puede encontrarlos en la antología "Cincuenta años de Poesía Cubana", por Cinto Vitier.

LUIS CANE

ROMONCES DE LA NIÑA NEGRA

I

Toda vestida de blanco
almidonada y compuesta
en la puerta de su casa
estaba la niña negra.
Un erguido moño blanco
decoraba su cabeza;
collares de cuentas rojas
al cuello le daban vueltas.
Las otras niñas del barrio
jugaban en la vereda;
las otras niñas del barrio

nunca jugaban con ella.
Toda vestida de blanco,
almidonada y compuesta,
en un silencio sin lágrimas
lloraba la niña negra.

II

Toda vestida de blanco,
almidonada y compuesta,
en su féretro de pino
reposa la niña negra.
A la presencia de Dios
un ángel blanco la lleva;
la niña negra no sabe
si ha de estar triste o contenta.
Dios la mira dulcemente,
le acaricia la cabeza,
y un lindo par de alas blancas
a sus espaldas sujeta.
Los dientes de mazamorra
brillan a la niña negra.
Dios llama a todos los ángeles
y dice: ¡Jugad con ella!

La poesía negroide tiene una rápida aceptación luego de 1930. Diarios y recitadores la divulgan por América y surgen muchos imitadores de los poetas del Caribe. Pero adaptan el sentimiento a sus regiones y restan exotismo y sol o sensualidad a los poemas. Luis Cané escribió este Romance que se hizo muy popular en Argentina. Otro poeta de ese país, Héctor Pedro Blomberg, utilizó el tema negroide en forma anecdótica y romántica —apartándose de la Vanguardia— en sus poemas sobre los negros de la época de la tiranía de Juan Manuel Rosas (por el año 1840).

265

Poesia Amorosa

Las antologías buenas y malas se colman de poemas amorosos. Pocas veces hay un criterio selectivo que eluda lo sensiblero y que busque la razón por la cual se produce esa poesía o los temas principales que trata, con sus numerosos matices. Es que hubo una plaga finisecular que se llamó "el recitado", a cargo de hombres y mujeres (de José Santos Chocano a Berta Singerman). El período de los recitadores se extiende desde el final del romanticismo, en que la palabra versificada sustituye al piano en los salones (recordemos el bello poema de Gutiérrez Nájera "La serenata de Schubert") hasta el comienzo de la década del 40. Entre los modernistas, el más hondo y actualmente más menospreciado poeta del amor fue Amado Nervo, cuya revaloración debe hacerse con cuidado (su faz religiosa es tan significativa como su faz amorosa. Y en la poesía infantil su importancia es pareja a la de Martí o Gabriela Mistral. Paralelamente al prosaísmo en poesía, hubo una reacción romántica, de la cual puede ser buen ejemplo Arturo Capdevila. Los poetas se atrevieron a ser de nuevo libremente sentimentales, a idealizar a la mujer que los poetas del vulgarismo vilipendiaban o trataban con rasgos de realismo, a lo Zola. En èste romanticismo de comienzos del siglo, la idea de la muerte es tema predominante junto al amor. Son las mismas mujeres las que reaccionan y dan el tono más alto de poesía amorosa, con un sentimiento pagano primero —al lograr su liberación en la sociedad— para caer luego en la decepción (véase la sección Poesía Femenina). Finalmente, los hombres —y son muchos los ejemplos— restringiendo la efusión pero no el sentimiento, retoman el tema amoroso con más altura. Se producen entonces poemas como "Farewell" o "Poema No. 20", de Pablo Neruda y se llega a la alta calidad de Octavio Paz. Ya señalamos, en una de las partes de la sección dedicada al modernismo, el auge de la poesía erótica.

"FLIRT"

Que a las dulces gracias la áurea rima loe,
que el amable Horacio brinde un canto a Cloe,
que a Margot o a Clelia dé un rondel Banville,
eso es justo y bello, que esa ley nos rija:
eso lisonjea y eso regocija
a la reina Venus y a su paje Abril.

El ilustre cisne, cual labrado en nieve,
con el cuello en arco, bajo el aire leve,
boga sobre el terso lago especular.
Y aunque no lo dice, va ritmando un aria
para la entreabierta rosa solitaria
que abre el fresco cáliz a la luz lunar.

Albas margaritas, rosas escalatas,
¿no guardan memoria de las serenatas
con que un tierno lírico os habló de amor?
¿Conocéis la gama breve y cristalina
en que, enamorado, su canción divina
con su bandolina trina el ruiseñor?

Estas tres estrofas, deliciosa amiga,
son un corto prólogo para que te diga
que tus bellos ojos de luz sideral
y tus labios, rimas ricas de corales,
merecen la ofrenda de los madrigales
floridos de líricas rosas de cristal.

De tu ardiente gracia los elogios rimo;
de un rondel galante, la fragancia exprimo
para ungir la alfombra donde estén tus pies;
yo saludo el lindo triunfo de las damas,
y en mis versos siento renacer las llamas
que eran luz del triunfo del —Rey— Sol francés.

("El canto errante". Este poema es del 1893).

Rubén Darío, como José Martí, dedicó muchos poemas a las mujeres aunque en uno y otro caso la parte importante de su obra no haya sido de poesía amorosa. De Darío puede recordarse su famoso soneto a Margarita Gauthier, y sus poemas eróticos "La hembra del pavo real" o "¡Carne, celeste carne de mujer!".

ARTURO CAPDEVILA

PORTICO DE MELPOMENE

Melpómene, la musa de la tragedia viene...
—¡Oh! Y esta noche el viento no sé qué ritmo tiene
solemne, doloroso. No sé qué notas huecas,
bajo el marchito bosque, sobre las hojas secas,
junto a las muertas aguas...
—Melpómene, ¿qué es esto?
Hoy tienes, más que nunca, desencajado el gesto,
frías las manos, ¡frías como de mármol, frías
como de muerta! Cuenta qué ha sido de tus días;
cuenta por qué escondidas cavilaciones viejas,
te ahondan las miradas el arco de las cejas.
Tiemblan tus senos. Cuenta por qué tiemblan tus senos,
y aduérmeme sobre ellos, como a los niños buenos...

Estás terrible. Vierten tus pestañas severas
un tinte de violetas de invierno en tus ojeras,
y como rosas mantos de oro, tus mejillas
se alargan ovaladas, fragantes y amarillas...
Tus ojos se me antojan más negros que otras veces.
La solitaria esfinge de un páramo pareces.
¿Qué tienen tus pupilas? Hoy noto que están ellas
muchísimo más tristes que todas las estrellas.

Melpómene: me acuerdo de aquella cacería...
El bosque a medianoche, y la mujer que huía...
Yo en pos, con ambos brazos hambrientos extendidos,
allá por los más agrios senderos escondidos;
y ella adelante siempre, jadeando de congojas,

271

mientras su fuga hacía crujir las muertas hojas.
¿Recuerdas? A la lumbre lunar, apenas era
como un fantasma aquella mujer de mi quimera,
que yo amaba y odiaba desesperadamente.
Después, junto a la margen sonora de una fuente,
cayó ... ¡caíste! ¡Puesto que era tú misma! ¡Estabas
pálida como ahora! ... Caíste, vencida, agonizante ...
Y yo rodé, por tierra, desmelenado, hipante,
y comencé a besarte, y comencé a morderte,
como quien va a matarte por fin, o a poseerte ...

· ·

Eres sacerdotisa de todos los que gimen:
esfinge del misterio y oráculo del crimen.
Pero sin la tragedia, sin la llaga y la herida,
sería algún suceso muy mísero la vida.
Se ha menester el puño crispado de amargura,
y el hacha que destroza de un golpe la armadura.
Ha menester la tierra de la sentencia inscripta
con sangre sobre el mármol funeral de un cripta.
Los campos se avergüenzan de las vitales mieses:
¡Ellos quisieran bosques profundos de cipreses!

· ·

Ayer, cuando tornaba del camposante ¡oh musa!
con la cabeza baja, con la razón confusa,
y con los ojos llenos de lágrimas, estaba
junto a mi umbral, la Muerte.
          Me dijo: --Te esperaba.
Se deslizó conmigo por el zaguán obscuro,
palpando como una ebria los zócalos del muro.

· ·

Iba ... tornaba ... iba ... tornaba ... Se detuvo.
Era la alcoba en donde mi madre balbucía
las tristes oraciones de la viudez sombría.

· ·

Deja que llore, deja correr mi amargo lloro.
Unos tenemos llanto, como otros tienen oro ...
Ayer, cuando mi madre finó su trayectoria,
cantaban las campanas del sábado de gloria.
Ayer, cuando mi padre se ahogaba de agonía,
cascabeleaba el mundo y el carnaval reía.
Ahora, cuando añoro su amor y los bendigo,
profano mis recuerdos al trasnochar contigo.
Deja que llore deja correr mi amargo lloro.
Unos tenemos llanto como otro tienen oro.
Pero lo mismo es todo. Reír ... llorar ... Lo mismo!
Somos un río negro rodando hacia un abismo.
La diferencia es pobre. La diferencia es leve:
Una onda lleva espuma y otra onda lleva nieve.
Ved la verdad.
        Yo mismo tuve una edad florida;
desparramé las horas; desperdicié mi vida.
Fui llama, y al ser llama fui crédulo y fui ciego,
porque ignoré que el humo es la vejez del fuego.
¿No adviertes mi humarada? Me quemo y me consumo.
¡Que nunca sea fuego quien tiemble de ser humo!
Y ahora, musa, canta lo que los dos sufrimos ...
Alza tu voz sincera con que a sentir coadyuvas.
¡Que sople un viento fuerte que haga caer las uvas!

                        ("Melpómene", 1912).

Los gustos han cambiado, las exclamaciones de pesar son consideradas ridículas; poco queda de la fama que tuvo este poema. Era el "caballito de batalla" de las recitadoras y gozó de una popularidad pocas veces igualada. La reacción vanguardista lo condenó, tildándolo de cursi, de amanerado. Pero su enorme fuerza sentimental sigue en vigencia: las ediciones de los libros de Capdevila —que por cierto escribió poemas mucho más dignos de una antología, si de calidad se tratara— continúan incluyendo el "Pórtico" de "Melpómene." Una nota curiosa: adviértase la reminiscencia de "Balada de la cárcel de Reading", de Oscar Wilde, en el verso: "que yo amaba y odiaba desesperadamente".

AMADO NERVO

EL DIA QUE ME QUIERAS

El día que me quieras tendrá más luz que junio;
la noche que me quieras será de plenilunio,
con notas de Beethoven vibrando en cada rayo
sus inefables cosas,
y habrá juntas más rosas
que en todo el mes de mayo.
Las fuentes cristalinas
irán por las laderas saltando cantarinas
El día que me quieras, los sotos escondidos
resonarán arpegios jamás oídos.
Extasis de tus ojos, todas las primaveras
que hubo y habrá en el mundo serán cuando me quieras.
Cogidas de la mano cual rubias hermanitas,
luciendo golas cándidas, irán las margaritas
por montes y praderas,
delante de tus pasos, el día que me quieras . . .
y si deshojas una, te dirá su inocente
postrer pétalo blanco: ¡Apasionadamente!
Al reventar el alba del día que me quieras,
tendrán todos los tréboles cuatro hojas agoreras,
y en el estanque, nido de gérmenes ignotos,
florecerán las místicas corolas de los lotos.
El día que me quieras será celaje
ala maravillosa, cada arrebol miraje
de "Las Mil y Una Noches", cada brisa un cantar,
cada árbol una lira, cada monte un altar.
El día que me quieras, para nosotros dos
cabrá en un solo beso la beatitud de Dios.

("El arquero divino", póstumo, 1919).

COBARDIA

Pasó con su madre. ¡Qué rara belleza!
¡Qué rubios cabellos de trigo garzul!
¡Qué ritmo en el paso! ¡Qué innata realeza
de porte! ¡Qué formas bajo el fino tul!...
Pasó con su madre. Volvió la cabeza
¡me clavó muy hondo su mirada azul!
Quedé como en éxtasis...
Con febril premura,
"¡Síguela!", gritaron cuerpo y alma al par.
... Pero tuve miedo de amar con locura,
de abrir mis heridas, que aún suelen sangrar,
¡y no obstante toda mi sed de ternura,
cerrando los ojos, la dejé pasar!

("Serenidad",1904)

GRATIA PLENA

Todo en ella encantaba, todo en ella atraía:
su mirada, su gesto, su sonrisa, su andar...
El ingenio de Francia de su boca fluía,
Era llena de gracia, como el Avemaría;
¡quien la vio no la pudo ya jamás olvidar!

Ingenua como el agua, diáfana como el día,
rubia y nevada como Margarita sin par,
al influjo de su alma celeste, amanecía...
Era llena de gracia, como el Avemaría;
¡quien la vio no la pudo ya jamás olvidar!

Cierta dulce y amable dignidad la investía
de no sé qué prestigio lejano y singular.
Más que muchas princesas, princesa parecía:
Era llena de gracia, como el Avemaría;
¡quien la vio no la pudo ya jamás olvidar!

275

Yo gocé el privilegio de encontrarla en mi vía
dolorosa: por ella tuvo fin mi anhelar,
y cadencias arcancs halló mi poesía.
Era llena de gracia, como el Avemaría;
¡quien la vio no la pudo ya jamás olvidar!

¡Cuánto, cuánto la quise! Por diez años fue mía;
pero flores tan bellas nunca pueden durar!
Era llena de gracia, como el Ave María,
y a la fuente de gracia de donde procedía,
se volvió... como gota·que se vuelve a la mar!

("*La amada inmóvil*", 1920).

La muerte de la mujer amada inspiró a Amado Nervo muchos
de sus mejores versos. También la muerte está presente en el famoso "Nocturno" de José Asunción Silva, que tratamos en la sección
del modernismo. Véase cómo, en adelante, se alternan en un mismo
poema el tema erótico y el tema del puro amor, de la aspiración a
la mujer ideal. El sentimiento de rencor, de frustración en la poesía
amorosa de los hombres nace de que no pueden amar a las mujeres
tal cual las han hecho. Una vez más, la sabia voz de Sor Juana Inés
de la Cruz vuelve a resonar en la memoria ("Redondillas").

BALDOMERO FERNANDEZ MORENO

SONETO DE TUS VISCERAS

Harto ya de alabar tu piel dorada,
tus externas y muchas perfecciones,
canto al jardín azul de tus pulmones
y a tu tráquea elegante y anillada.

Canto a tu masa intestinal rosada,
al bazo, al páncreas, a los epiplones,
al doble filtro gris de tus riñones
y a tu matriz profunda y renovada.

276

Canto al tuétano dulce de tus huesos,
a la linfa que embebe sus tejidos,
al acre olor orgánico que exhalas.

Quiero gastar tus vísceras a besos,
vivir dentro de tí con mis sentidos...
Yo soy un sapo negro con dos alas.

Como ejemplo de la poesía del prosaísmo o vulgarismo —que aclaramos una vez más no quiere decir que el poeta sea vulgar sino que utiliza temas del vulgo, de la vida diaria— ofrecemos el curioso soneto "A tus Vísceras", de Baldomero Fernández Moreno (que abandonó su profesión de médico por la de poeta). Y aunque Fernández Moreno fue fundamentalmente un poeta de la ciudad, de las cosas menudas y pedestres, como vimos en la sección "Paisaje de la ciudad", también es interesante el soneto "de los amantes", de profundo erotismo.

SONETO DE LOS AMANTES

Ved en sombras el cuarto y en el lecho
desnudos, sonrosados, rozagantes,
el nudo vivo de los dos amantes
boca con boca y pecho contra pecho.

Se hace más apretado el nudo estrecho,
bailotean los dedos delirantes,
suspéndese el aliento unos instantes...
y he aquí el nudo sexual deshecho.

Un desorden de sábanas y almohadas,
dos pálidas cabezas despeinadas,
una suelta palabra indiferente,

un poco de hambre, un poco de tristeza,
un infantil deseo de pureza
y un vago olor cualquiera en el ambiente.

PABLO NERUDA

FAREWELL

I

Desde el fondo de tí, y arrodillado,
un niño triste, como yo, nos mira.

Por esa vida que arderá en sus venas
tendrían que amarrarse nuestras vidas.

Por esas manos, hijas de tus manos,
tendrían que matar las manos mías.

Por sus ojos abiertos en la tierra
veré en los tuyos lágrimas un día.

II

Yo no lo quiero, Amada.

Para que nada nos amarre
que no nos una nada.

Ni la palabra que aromó tu boca,
ni lo que dijeron las palabras.

Ni la fiesta de amor que no tuvimos,
ni tus sollozos junto a la ventana.

III

Dejan una promesa.
No vuelven nunca más.

En cada puerto una mujer espera,
los marineros besan y se van.

Una noche se acuestan con la muerte
en el lecho del mar.

IV

Amo el amor que se reparte
en besos, lecho y pan.

Amor que puede ser eterno
y puede ser fugaz.

Amor que quiere libertarse
para volver a amar.

Amor divinizado que se acerca.
Amor divinizado que se va.

V

Ya no se encantarán mis ojos en tus ojos.
ya no se endulzará junto a tí mi dolor.

Pero hacia donde vaya llevaré tu mirada
y hacia donde camines llevarás mi dolor.

Fuí tuyo, fuiste mía. ¿Qué más? Juntos hicimos
un recodo en la ruta donde el amor pasó.

Fuí tuyo, fuiste mía. Tú serás del que te ame,
del que corte en tu huerto lo que he sembrado yo.

Yo me voy. Estoy triste; pero siempre estoy triste.
Vengo desde tus brazos. No sé hacia dónde voy.

... Desde tu corazón me dice adiós un niño.
Y yo le digo adiós.

(*"Crepusculario"*, *1923*).

279

POEMA 20

Puedo escribir los versos más tristes esta noche

Escribir, por ejemplo: "La noche está estrellada,
y tiritan, azules, los astros, a lo lejos".

El viento de la noche gira en el cielo y canta.

Puedo escribir los versos más tristes esta noche.
Yo la quise, y a veces ella también me quiso.

En las noches como ésta la tuve entre mis brazos.
La besé tantas veces bajo el cielo infinito.

Ella me quiso, a veces yo también la quería.
¡Cómo no haber amado sus grandes ojos fijos!

Puedo escribir los versos más tristes esta noche.
Pensar que no la tengo. Sentir que la he perdido.

Oír la noche inmensa, más inmensa sin ella.
Y el verso cae al alma como al pasto el rocío.

¡Qué importa que mi amor no pudiera guardarla!
La noche está estrellada y ella no está conmigo.

Eso es todo. A lo lejos alguien canta. A lo lejos.
Mi alma no se contenta con haberla perdido.

Como para acercarla mi mirada la busca.
Mi corazón la busca, y ella no está conmigo.

La misma noche que hace blanquear los mismos árboles.
Nosotros, los de entonces, ya no somos los mismos.

Ya no la quiero, es cierto, pero cuánto la quise.
Mi voz buscaba al viento para tocar su oído.

De otro. Será de otro. Como antes de mis besos.
Su voz, su cuerpo claro. Sus ojos infinitos.

Ya no la quiero, es cierto, pero tal vez la quiero.
Es tan corto el amor, y es tan largo el olvido.

Porque en noches como ésta la tuve entre mis brazos,
mi alma no se contenta con haberla perdido.

Aunque éste sea el último dolor que ella me causa,
y éstos sean los últimos versos que yo le escribo.

      ("*Veinte poemas de amor y una canción des-*
      esperada", *1924*).

LAS FURIAS Y LAS PENAS

En el fondo del pecho estamos juntos,
en el cañaveral del pecho recorremos
un verano de tigres,
al acecho de un metro de piel fría,
al acecho de un ramo de inaccesible cutis,
con la boca olfateando sudor y venas verdes
nos encontramos en la húmeda sombra que deja caer besos.

Tú mi enemiga de tanto sueño roto de la misma manera
que erizadas plantas de vidrio, lo mismo que campanas
deshechas de manera amenazante, tanto como disparos
de hiedra negra en medio del perfume,
enemiga de grandes caderas que mi pelo han tocado
con un ronco rocío, con una lengua de agua,
no obstante el mudo frío de los dientes y el odio de los ojos,
y la batalla de agonizantes bestias que cuidan el olvido,
en algún sitio del verano estamos juntos
acechando con labios que la sed ha invadido.

. . . .

281

Adivinas los cuerpos!
Como un insecto herido de mandatos,
adivinas el centro de la sangre y vigilas
los músculos que postergan la aurora, asaltas sacudidas,
relámpagos, cabezas,
y tocas largamente las piernas que te guían.

Oh conducida herida de flechas especiales!

Hueles lo húmedo en medio de la noche?

O un brusco vaso de rosales quemados?

Oyes caer la ropa, las llaves, las monedas
en las espesas casas donde llegas desnuda?
Mi odio es una sola mano que te indica
el callado camino, las sábanas en que alguien ha dormido
con sobresalto: llegas
y ruedas por el suelo manejada y mordida,
y el viejo olor del semen como una enredadera
de cenicienta harina se desliza a tu boca.

. . . .

Enemiga, enemiga
es posible que el amor haya caído al polvo
y no haya sino carne y huesos velozmente adorados
mientras el fuego se consume
y los caballos vestidos de rojo galopan al infierno?

. . . .

(*Tercera "Residencia en la tierra", 1935-1945*).

TUS PIES

Cuando no puedo mirar tu cara
miro tus pies.

Tus pies de hueso arqueado,
tus pequeños pies duros.

Yo sé que te sostienen,
y que tu dulce peso
sobre ellos se levanta.

Tu cintura y tus pechos,
la caja de tus ojos
que recién han volado,
tu ancha boca de fruta,
tu cabellera roja,
pequeña torre mía.

Pero no amo tus pies
sino porque anduvieron
sobre la tierra y sobre
el viento y sobre el agua,
hasta que me encontraron.

("*Los versos del capitán*", 1952).

LX

A ti te hiere aquel que quiso hacerme daño,
y el golpe del veneno contra mí dirigido
como por una red pasan entre mis trabajos
y en ti deja una mancha de óxido y desvelo.

No quiero ver, amor, en la luna florida
de tu frente cruzar el odio que me acecha,
no quiero que en tu sueño deje el rencor ajeno
olvidada su inútil corona de cuchillos.

Donde voy van detrás de mí pasos amargos,
donde río una mueca de horror copia mi cara,
donde canto la envidia maldice, ríe y roe.

Y es ésa, amor, la sombra que la vida me ha dado:
es un traje vacío que me sigue cojeando
como un espantapájaros de sonrisa sangrienta.

("Cien sonetos de Amor", 1959. Dedicados
a Matilde Urrutia).

Neruda es un poeta en disponibilidad amorosa. Tal vez se explique su conversión al comunismo por esa inmensa necesidad de amar, no solamente a las mujeres, sino a la humanidad entera. Pero su poesía amorosa —donde las formas y la adjetivación tiene especial interés— pasa por diferentes etapas. La más trágica, es la del rencor violento, acentuado por el superrealismo, de "Las furias y las penas", largo poema del cual ofrecemos una parte. Como "escape" a sus ataduras con el partido y la ideología que ha abrazado, —pero con algo confesional, personal— retorna el tema amoroso en "Cien sonetos".

OCTAVIO PAZ

PIEDRA DE SOL

"Voy por tu cuerpo como por el mundo,
tu vientre es una plaza soleada,
tus pechos dos iglesias donde oficia
la sangre sus misterios paralelos,
mis miradas te cubren como yedra,
eres una ciudad que el mar asedia,
en dos mitades de color durazno,
una muralla que la luz divide
un paraje de sal, rocas y pájaros
bajo la ley del mediodía absorto,

vestida del color de mis deseos
como mi pensamiento vas desnuda,
voy por tus ojos como por el agua,
los tigres beben sueño en esos ojos,
el colibrí se quema en esas llamas,

voy por tu frente como por la luna,
como la nube por tu pensamiento,
voy por tu vientre como por tus sueños,

tu falda de maíz ondula y canta,
tu falda de cristal, tu falda de agua,
tus labios, tus cabellos, tus miradas,
toda la noche llueves, todo el día
abres mi pecho con tus dedos de agua,
cierras mis ojos con tu boca de agua,
sobre mis huesos llueves, en mi pecho
hunde raíces de agua un árbol líquido,
voy por tu calle como por un río,
voy por tu cuerpo como por un bosque,
como por un sendero en la montaña
que en un abismo brusco se termina,
voy por tus pensamientos afilados
y a la salida de tu blanca frente
mi sombra despeñada se destroza,
recojo mis fragmentos uno a uno
y prosigo sin cuerpo, busco a tientas,

. . . .

(1957)

Octavio Paz, en quien a veces se advierte la influencia de Pablo Neruda, logró salir de la atadura de la militancia política que marcó la primera faz de su poesía para entrar en una experiencia existencial más honda y permanente, que veremos en la última sección de esta antología. Aquí, nos limitamos a copiar este fragmento de uno de sus poemas largos más bellos, "Piedra de sol". Interesa señalar que, para Octavio Paz, el amor, a la mujer, a los hombres, a las cosas, es el único camino posible de salvación para el mundo actual.

Poesía Femenina

LAS MUJERES POETAS

Hasta el postmodernismo la mujer ocupa un lugar bastante pequeño en la historia de la poesía hispanoamericana. Si nos apartamos de la cada día más grande Sor Juana Inés de la Cruz, de la inidentificada Amarilis, de sor Francisca del Castillo y Guevara (la "madre Castillo") o de Santa Rosa de Lima, pocas son las que trascendieron las fronteras de sus países. Debemos esperar a que aparezca Gertrudis Gómez de Avellaneda o que asome la tímida figura de Juana Borrero.

Pero hasta nuestro siglo las mujeres no ocupan un lugar importante, con prescindencia de su sexo, en el mundo masculino de la poesía. Se las admite a la par, pero a regañadientes. Y se las hace pagar caro el expresar lo que de verdad sienten. Los hombres confunden a estas mujeres independientes con mujeres libres y las demás mujeres, atacadas en la seguridad que representa su dependencia, son sus peores enemigas. Sin embargo, la crisis política y social de la postguerra de 1918, los movimientos feministas en el mundo entero, ayudan a nuestras poetisas.

Y rápidamente, del tono de alegría gozosa de entrega pagana, donde la imagen llega a extremos pocas veces usados por los hombres —como en Delmira Agustini—, del tono de cándido narcisismo —como en Juana de Ibarbourou—, se pasa a la decepción y a la rebelión de Alfonsina Storni, indignada por la obligada sumisión al hombre, al tono matriarcal característico de Gabriela Mistral o a la poesía ontológica de Rosario Castellanos.

Los hombres —que luego del período de erótica modernista volvieron a un romanticismo de obligada idealización femenina (acusando a la amada de perfección suprema o, preferiblemente de traición latente) siguen agrupando bajo el rótulo de "Poesía femenina" a estas mujeres poetas. Nosotros no escapamos hacia la excepción. Sin embargo, casi todas ellas podrían figurar, a la vez, en varias secciones de esta antología: es sabido el indoamericanismo de Gabriela Mistral, el ultraísmo de Alfonsina Storni, el nacionalismo de Julia de Burgos. De hacer una antología exclusivamente dedicada a la poesía femenina habría que agrupar los temas más genéricos: el amor, la muerte, la rebelión, la frustración, la religión, el paisaje, la poesía ontológica, la poesía social. De todos estos tipos de poesía tienen aquí claros ejemplos —guías para iniciar estudios

más amplios— quienes quieran ahondar en la poesía femenina.
Las mujeres han alcanzado igual altura que los hombres aunque
éstos por desconfianza, las agrupan como para aislarlas; por si
las amazonas se deciden a atacar. Pero ellas, poetisas y mujeres,
atacan de distinto modo al masculino y pocas veces dejan entrever
a los hombres que ya no son todo lo dueños del mundo que creen
ser. . .

Más que al hombre, las grandes poetisas de América se cantaron a sí mismas; fueron ellas mismas el personaje central de sus
poesías. Hicieron un análisis sutil del alma femenina, agresiva en
amor y matriarcal en la posesión. De deseadas se convirtieron en
deseantes, de humilladas en dominadoras, de despreciadas en im-
precantes. El mundo de la primera postguerra permitió que del trono
del reproche, "Hombres necios..." de Sor Juana, se pasara al altivo desdén de "Tú me quieres blanca...", de Alfonsina Storni.
La segunda postguerra permitió a la mujer, ya independiente y
firme en el bastión logrado, ingresar en la poesía existencial que
por ser terreno de filosofía se creía terreno vedado para ella.

SOR JUANA INES DE LA CRUZ

REDONDILLAS

(Arguye de inconsecuencia el gusto y la censura
de los hombres, que en las mujeres acusan lo
que causan).

Hombres necios que acusáis
a la mujer sin razón,
sin ver que sois la ocasión
de lo mismo que culpáis:

Si con ansia sin igual
solicitáis su desdén
¿por qué queréis que obren bien
si las incitáis al mal?

290

Combatís la resistencia
y luego, con gravedad,
decís que fue liviandad
lo que hizo la diligencia.

Parecer quiere el denuedo
de vuestro parecer loco,
el niño que pone el coco,
y le tiene luego miedo.

Queréis, con presunción necia
hallar a la que buscáis,
para pretendida, Thais,
y en la posesión, Lucrecia.

¿Qué humor puede ser más raro
que el que, falto de consejo,
él mismo empaña el espejo
y siente que no está claro?

Con el favor y el desdén
tenéis condición igual,
quejándoos si os tratan mal,
burlándoos si os quieren bien.

Opinión ninguna gana,
pues la que más se recata
si no os admite es ingrata
y si os admite es liviana.

Siempre tan necios andáis,
que con desigual nivel,
a una culpáis por cruel
y a otra por fácil culpáis.

¿Pues cómo ha de estar templada
la que vuestro amor pretende
si la que es ingrata ofende,
y la que es fácil enfada?

Mas entre el enfado y la pena
que vuestro gusto prefiere,
bien haya la que no os quiere
y quejaos enhorabuena.

Dan vuestras amantes penas
a sus libertades alas,
y después de hacerlas malas
las queréis hallar muy buenas.

¿Cuál mayor culpa ha tenido
en una pasión errada,
la que cae de rogada,
o el que ruega de caído?

¿O cuál es más de culpar,
aunque cualquiera mal haga:
la que peca por la paga
o el que paga por pecar?

¿Pues para qué os espantáis
de la culpa que tenéis?
queredlas cual las hacéis
o hacedlas cual las buscáis.

Dejad de solicitar,
y después con más razón,
acusaréis la afición
de la que os fuere a rogar.

Bien, con muchas armas fundo
que lidia vuestra arrogancia:
pues en promesa e instancia,
juntáis diablo, carne y mundo.

Las "Redondillas", son, sin disputa, los versos más divulgados
de Sor Juana. Lo cual no quiere decir que sean los mejores, o los
más profundos u originales. Sin embargo, la monja mexicana es
la primera gran poetisa nacida en este suelo y su ironía, inspirada

en lo que sus ojos veían en la corte virreynal, todavía es vigente. Por lo tanto no sorprenda que pongamos esta poesía para iniciar nuestra sección de mujeres poetas. Mientras otras composiciones de Sor Juana Inés de la Cruz han perdido vigencia temática, las "redondillas" parecen cada vez más actuales: los hombres todavía pretenden que las mujeres sean como ellos querrían que fueran. Aunque luego de la rebelión a las mujeres les importó cada vez menos cómo las desean ellos. Ahora son las mujeres las que escogen a los hombres, al que las hará sufrir, reír o ser madres. La abeja reina, cada vez más claramente, se apodera del campo poético.

JUANA BORRERO

ULTIMA RIMA

He soñado en mis lúgubres noches,
en mis noches tristes de penas y lágrimas,
con un beso de amor imposible,
sin sed y sin fuego, sin fiebre y sin ansias.

Yo no quiero el deleite que enerva,
el deleite jadeante que abrasa,
y me causan hastío infinito
los labios sensuales que besan y manchan.

¡Oh mi amado! ¡Mi amado imposible!
Mi novio soñado de dulce mirada,
cuando tú con tus labios me beses
bésame sin fuego, sin fiebre y sin ansias.

Dadme el beso soñado en mis noches,
en mis noches tristes de penas y lágrimas,
¡que me deje una estrella en los labios
y un tenue perfume de nardo en el alma!

(1896)

APOLO

Marmóreo, altivo, refulgente y bello,
corona de su rostro la dulzura,
cayendo en torno de su frente pura
en ondulados rizos su cabello.

Al enlazar mis brazos a su cuello
y al estrechar su espléndida hermosura
anhelante de dicha y de ventura
la blanca frente con mis labios sello.

Contra su pecho inmóvil, apretada,
adoré su belleza indiferente;
y al quererla animar, desesperada,

llevada por mi amante desvarío,
¡dejé mil besos de ternura ardiente
allí apagados sobre el mármol frío!

(1897)

Juana Borrero (cub. 1877-1896) fue la imposible enamorada de Julián del Casal, a quien alude en su poema a la estatua de Apolo (Casal le respondió, según Henríquez Ureña, con el poema que comienza: 'Tú sueñas con las flores de otras praderas...''). Casal muere en 1893 y Juanita se compromete con el poeta Carlos Pío Uhrbach, que cae en la guerra por la libertad de Cuba. En su casaca se encuentra "Ultima Rima", escrita por Juana Borrero, que había muerto de pulmonía fulminante.

MARIA EUGENIA VAZ FERREIRA

FANTASIA DEL DESVELO

Alma mía, ¿qué velas
en la nocturna hora, como los centinelas,
con los ojos abiertos para mejor velar,
si no tienes ningún tesoro que guardar?
¿Qué velas, alma mía,
mientras que, asordinados en su funda sombría,
redoblan sin cesar
tambores misteriosos su trémula elegía?

Que guardar ni esperar tienes ningún tesoro,
sobre el oleaje inquieto,
ni el birreme de oro
llega para la cita,
no te revelarán la Esfinge su secreto
ni las esferas cósmicas su música inaudita.

¿Por qué guardas, celoso, como un soldado alerta,
mientras reposa todo, tu solitaria puerta,
si no tienes ningún tesoro que escoltar,
ninguno que esperar?

Es en vano, alma mía,
es en vano que veles;
la noche pasa sobre sus fúnebres corceles,
y el sol del nuevo día,
con la irisada pompa de todos sus caireles,
se quebrará en el fondo de tu urna vacía.

("*La isla de los cánticos*", 1925).

María Eugenia Vaz Ferreira (urug. 1875-1924) sufrió más que por los hombres, por la boca de las demás mujeres. La siquiatría moderna podría interpretar hoy mejor que entonces su afán exhibicionista al mismo tiempo que su escapismo constante. Sus timideces,

295

su orgullo, su narcisismo desesperado, su incapacidad de amor. Tuvo el centro de la elegancia literaria en Montevideo, pero detrás de ella llegaron Juana de Ibarbouru, femenina y astuta, y la "ninfa constante", Delmira Agustini. Los hombres se apartaron de la desgraciada María Eugenia, que tenía un poco de estatua y algo de walkiria... Las calles de Montevideo, según dicen quienes la conocieron, la vieron deambular, extraviada la razón, perdida la juventud. Fue una desdichada por causa de ella misma. No es una gran poetisa, pero sí la primera de las mujeres en romper el fuego por su liberación literaria. "La isla de los cantos", su único libro, al que nunca accedió a publicar, vio la luz en 1925... Sus poemas que leía en el salón distinguido de su hermano, el filósofo Carlos Vaz Ferreira, fueron apreciados desde mucho antes. Sufrió la influencia de Herrera y Reissig, de Lugones, de Alvaro Armando Vasseur, de Díaz Mirón. Y lo mejor de su obra se mantiene en la corriente modernista.

DELMIRA AGUSTINI

EL ROSARIO DE EROS

O rosario fecundo,
collar vivo que encierra
la garganta del mundo.

Cadena de la tierra,
constelación caída.

O rosario imantado de serpientes,
glisa hasta el fin entre mis dedos sabios,
que en tu sonrisa de cincuenta dientes
con un gran beso se prendió mi vida:
una rosa de labios.

("*El rosario de Eros*", 1924).

EL INTRUSO

Amor, la noche estaba trágica y sollozante
cuando tu llave de oro cantó en mi cerradura;
luego, la puerta abierta sobre la sombra helante,
tu forma fue una mancha de luz y de blancura.

Todo aquí lo alumbraron tus ojos de diamante;
bebieron en mi copa tus labios de frescura,
y descansó en mi almohada tu cabeza fragante;
me encantó tu descaro y adoré tu locura.

Y hoy río si tú ríes, y canto si tú cantas;
y si tú duermes, duermo como un perro a tus plantas.
Hoy llevo hasta en mi sombra tu olor de primavera;

y tiemblo si tu mano toda la cerradura,
¡y bendigo la noche sollozante y oscura
que floreció en mi vida tu boca tempranera!

("El libro blanco", 1907)

MIS AMORES

Hoy han vuelto.
Por todos los senderos de la noche han venido
a llorar en mi lecho.
¡Fueron tantos, son tantos!
Yo no sé cuáles viven, yo no sé cuál ha muerto.
Me lloraré yo misma para llorarlos todos:
la noche bebe el llanto como un pañuelo negro.

Hay cabezas doradas al sol, como maduras...
Hay cabezas tocadas de sombra y de misterio,
cabezas coronadas de una espina invisible,
cabezas que sonrosa la rosa del ensueño,
cabezas que se doblan a cojines de abismo,
cabezas que quisieran descansar en el cielo,
algunas que no alcanzan a oler a primavera,
y muchas que trascienden a las flores de invierno.

Todas esas cabezas me duelen como llagas...
Me duelen como muertos...
¡Ah!... y los ojos... los ojos me duelen más: ¡son dobles!...
Indefinidos, verdes, grises, azules, negros,
abrasan si fulguran;
son caricia, dolor, constelación, infierno.
Sobre toda su luz, sobre todas sus llamas,
se iluminó mi alma y se templó mi cuerpo.
Ellos me dieron sed de todas esas bocas...
De todas esas bocas que florecen mi lecho:
vasos rojos o pálidos de miel o de amargura,
con lises de armonía o rosas de silencio
de todos estos vasos donde bebí la vida,
de todos estos vasos donde la muerte bebo...
El jardín de sus bocas venenoso, embriagante,
en donde respiraban sus almas y sus cuerpos,
humedecido en lágrimas
ha cercado mi lecho...

Y las manos, las manos colmadas de destinos
secretos y alhajadas de anillos de misterio...
Hay manos que nacieron con guantes de caricia,
manos que están colmadas de la flor del deseo,
manos en que se siente un puñal nunca visto,
manos en que se ve un intangible cetro;
pálidas o morenas, voluptuosas o fuertes,
en todas, todas ellas pude engarzar un sueño.

Con tristeza de almas,
se doblegan los cuerpos,
sin velos, santamente
vestidos de deseo.

Imanes de mis brazos, panales de mi entraña,
como a invisible abismo se inclinan a mi lecho...

¡Ah, entre todas las manos yo he buscado tus manos!
Tu boca entre las bocas, tu cuerpo entre los cuerpos,
de todas las cabezas yo quiero tu cabeza,

298

de todos esos ojos, tus ojos solos quiero.
Tú eres el más triste, por ser el más querido,
tú has llegado el primero por venir de más lejos ...

¡Ah, la cabeza oscura que no he tocado nunca
y las pupilas claras que miré tanto tiempo!
Las ojeras que ahondamos la tarde y yo inconscientes,
la palidez extraña que doblé sin saberlo,
                      ven a mí: mente a mente;
                      ven a mí: cuerpo a cuerpo.

Tú me dirás qué has hecho de mi primer suspiro,
tú me dirás qué has hecho del sueño de aquel beso ...
Me dirás si lloraste cuando te dejé solo ...
¡Y me dirás si has muerto! ...

Si has muerto,
mi pena enlutará la alcoba lentamente,
y estrecharé tu sombra hasta apagar mi cuerpo.
Y en el silencio ahondado de tiniebla,
y en la tiniebla ahondada de silencio,
nos velará llorando, llorando hasta morirse,
nuestro hijo: el recuerdo.

("*El rosario de Eros*", 1924).

EL ROSARIO DE EROS

Cuentas de Sombra

Los lechos negros logran la más fuerte
rosa de amor; arraiga en la muerte.

Grandes lechos tendidos de tristeza,
tallados a puñal y doselados
de insomnio; las abiertas
cortinas dicen cabelleras muertas;
buenas como cabezas
hermanas son las hondas almohadas:
plintos del Sueño y del Misterio gradas.

Si así en un lecho como flor de la muerte
damos llorando, como un fruto fuerte
maduro de pasión, en carnes y almas,
serán especies desoladas, bellas
que besen el perfil de las estrellas
pisando los cabellos de las palmas.

—Gloria al amor sombrío,
como la Muerte pudre y ennoblece.
¡Tú me lo des, Dios mío!

Cuentas de Fuego

Cerrar la puerta cómplice con rumor de caricia,
deshojar hacia el mal el lirio de una veste...
—La seda es un pecado, el desnudo es celeste;
y es un cuerpo mullido un diván de delicia—.

Abrir brazos...; así todo ser es alado,
o una cálida lira dulcemente rendida
de canto y de silencio... más tarde, en el helado
más allá de un espejo como un lago inclinado,
ver la olímpica bestia que elabora la vida...

Amor rojo, amor mío;
sangre de mundos y rubor de cielos...
¡Tú me lo des, Dios mío!

. . . .

Cuentas Falsas

Los cuervos negros sufren hambre de carne rosa;
en engañosa luna mi escultura reflejo;
ellos rompen sus picos, martillando el espejo,
y al alejarme irónica, intocada y gloriosa,
los cuervos negros vuelan hartos de carne rosa.

300

Amor de burla y frío,
mármol que el tedio barnizó de fuego
o lirio que el rubor vistió de rosa,
siempre lo dé, Dios mío. . .

(*El rosario de Eros,* 1924).

TU AMOR . . .

Tu amor, esclavo, es como un sol muy fuerte:
jardinero de oro de la vida,
jardinero de fuego de la muerte,
en el carmen fecundo de mi vida.

Pico de cuervo con olor de rosas
aguijón enmelado de delicias
tu lengua es. Tus manos misteriosas
son garras enguantadas de caricias.

Tus ojos son mis medianoches crueles,
panales negros de malditas mieles
que se desangran en mi acerbidad;

crisálida de un vuelo del futuro
es tu abrazo magnífico y oscuro
torre embrujada de mi soledad.

(*"Obras completas"*, 1924).

LO INEFABLE

Yo muero extrañamente. . . No me mata la vida,
no me mata la Muerte, no me mata el Amor;
muero de un pensamiento mudo como una herida . . .
¿No habéis sentido nunca el extraño dolor

de un pensamiento inmenso que se arraiga en la vida
devorando alma y carne, y no alcanza a dar flor?
¿Nunca llevásteis dentro una estrella dormida
que os abrasaba enteros y no daba un fulgor?

¡Cumbre de los martirios! . . . ¡Llevar eternamente,
desgarradora y árida, la trágica simiente
clavada en las entrañas como un diente feroz! . . .

¡Pero arrancarla un día en una flor que abriera
milagrosa, inviolable!. . . ¡Ah, más grande no fuera
tener entre mis manos la cabeza de Dios!

("Cantos de la mañana", 1910).

Delmira Agustini (urug. 1886-1914) fue postmodernista in-
decisa: fluctuó del romanticismo al erotismo, del planteo filosófico
del hombre redimido por el superhombre —Nietszche fue una de
sus grandes y más perjudiciales influencias— a ese intangible
aporte femenino a la poesía y a la vida. Rara vez Delmira Agustini
fue imprecante y rara vez disputa al hombre su supremacía. A ella
le gustaban los hombres tal como se le mostraban.

Se casó con Enrique Reyes —caprichosa, soñadora, consenti-
da por padres ricos que la adoraban y la consideraban genial—
y al mes lo abandonó, porque no era como ella creía que eran los
hombres. No resistió a que fueran distintos a como se mostraban,
a como se los imaginaba. Entonces tuvo citas clandestinas con . . .
su propio marido, que seguramente la mató por celos y rabia de
no poder aprisionar a esta "ninfa constante". Sus audacias eran
más en los versos que en la vida real, según ha podido saberse; pero
en poesía se arriesgó hasta donde nadie osó nunca. Pues la poesía
erótica de la mujer es más sutil que la del hombre —compárese
'Oceánida", de Lugones, con "Mis amores"— y al mismo tiempo
menos imaginativa, más real. El hombre recurre a metáforas, la
mujer hace pasar sus recuerdos —a los que podría dar lugar, nombre y hora— por metáforas o imágenes ilusorias. Adviértase el
tono dominante de "Tu amor . . .", con el calificativo de "esclavo"
para el hombre amado. "Lo inefable", como "Lo fatal" de Rubén
Darío, es un interesante antecedente a la poesía existencial de los
últimos años.

JUANA DE IBARBOURROU

REBELDE

Caronte: yo seré un escándalo en tu barca.
Mientras las otras sombras recen, giman o lloren,
y bajo tus miradas de siniestro patriarca
las tímidas y tristes en bajo acento oren,

yo iré como una alondra cantando por el río,
y llevaré a tu barca mi perfume salvaje,
e irradiaré en las ondas del arroyo sombrío
como una azul linterna que alumbrara en el viaje.

Por más que tú no quieras; por más guiños siniestros
que me hagan tus dos ojos, en el terror maestros,
Caronte, yo en tu barca seré como un escándalo.

Y extenuada de sombra, de valor y de frío,
cuando quieras dejarme a la orilla del río
me bajarán tus brazos cual conquista de vándalo.

("Las lenguas de diamante", 1919).

TE DOY MI ALMA . . .

Te doy mi alma desnuda,
como estatua a la cual ningún cendal escuda.

Desnuda con el puro impudor
de un fruto, de una estrella o de una flor.

De todas esas cosas que tienen la infinita
serenidad de Eva antes de ser maldita.

De todas esas cosas
frutos, astros y diosas,

303

que no sienten vergüenza del sexo sin celajes,
y a quienes nadie osara fabricarles ropajes.

¡Sin velos, como el cuerpo de una diosa serena,
que tuviera una intensa blancura de azucena!

¡Desnuda, y toda abierta de par en par
por el ansia de amar!

EL DULCE MILAGRO

¿Qué es esto? ¡Prodigio! Mis manos florecen.
Rosas, rosas, rosas a mis dedos crecen.
Mi amante besóme las manos y en ellas,
¡oh, gracia! brotaron rosas como estrellas.

Y voy por la senda voceando el encanto
y de dicha alterno sonrisa con llanto,
y bajo el milagro de mi encantamiento
se aroman de rosas las alas del viento.

Y murmura al verme la gente que pasa:
—¿No veis que está loca? Tornadla a su casa.
¡Dice que en las manos le han nacido rosas
y las va agitando como mariposas!

¡Ah, pobre la gente que nunca comprende
un milagro de éstos y que sólo entiende
que no nacen rosas más que en los rosales!
¡Y que no hay más trigo que el de los trigales!

VIDA GARFIO

Amante no me lleves, si muero, al camposanto.
A flor de tierra abre mi fosa, junto al riente
alboroto divino de alguna pajarera,
o junto a la encantada charla de alguna fuente.

A flor de tierra, amante. Casi sobre la tierra
donde el sol me caliente los huesos y mis ojos,
alargados en tallos, suban a ver de nuevo
la lámpara salvaje de los ocasos rojos.

A flor de tierra, amante. Que el tránsito así sea
más breve. Yo presiento
la lucha de mi carne por volver hacia arriba,
por sentir en sus átomos la frescura del viento.

Yo sé que acaso nunca allá abajo mis manos
podrán estarse quietas.
que siempre, como topos, arañarán la tierra
en medio de las sombras estrujadas y prietas.

Arrójame semillas. Yo quiero que se enraícen
en la greda amarilla de mis huesos menguados.
¡Por la parda escalera de las raíces vivas
yo subiré a mirarte en los lirios morados!

("Lenguas de diamante", 1918).

DESPECHO

¡Ah, que estoy cansada! Me he reído tanto,
Tanto, que a mis ojos ha asomado el llanto;
Tanto, que este rictus que contrae mi boca
Es un rastro extraño. de mi risa loca.

Tanto, que esta intensa palidez que tengo
(Como en los retratos del viejo abolengo)
Es por la fatiga de la loca risa
Que en todos mis nervios su sopor desliza.

¡Ah, que estoy cansada! Déjame que duerma,
Pues, como la angustia, la alegría enferma;
¡Qué rara ocurrencia decir que estoy triste!
¿Cuándo más alegre que ahora me viste?

¡Mentira! No tengo ni dudas, ni celos,
Ni inquietud, ni angustias, ni pena, ni anhelo.
Si brilla en mis ojos la humedad del llanto
Es por el esfuerzo de reírme tanto . . .

EL FUERTE LAZO

Crecí
para tí.
Tálame. Mi acacia
implora a tus manos el golpe de gracia.

Florí
para tí.
Córtame. Mi lirio
al nacer dudaba ser flor o ser lirio.

Fluí
para tí.
Bébeme. El cristal
envidia lo claro de mi manantial.

Alas dí
por tí.
Cázame. Falena,
rodeo tu llama de impaciencia llena.

Por tí sufriré.
¡Bendito sea el daño que tu amor me dé!
¡Bendita sea el hacha, bendita la red,
y loadas sean tijeras y sed!

Sangre del costado
manaré, mi amado.
¿Qué broche más bello, qué joya más grata,
que por tí una llaga color escarlata?

En vez de abalorios para mis cabellos,
siete espinas largas hundiré entre ellos.
Y en vez de zarcillos pondré en mis orejas,
como dos rubíes dos ascuas bermejas.

Me verás reír
viéndome sufrir.
Y tú llorarás,
y entonces . . . ¡más mío que nunca serás!

("Lenguas de diamante", 1918).

COMO LA PRIMAVERA

Como un ala negra tendí mis cabellos
sobre tus rodillas.
Cerrando los ojos su olor aspiraste
diciéndome luego:

—¿Duermes sobre piedras cubiertas de musgos?
¿Con ramas de sauces te atas las trenzas?
¿Tu almohada es de trébol? ¿Las tienes tan negras
porque acaso en ellas exprimiste un zumo
retinto y espeso de moras silvestres?
¡Qué fresca y extraña fragancia te envuelve!
Hueles a arroyuelos, a tierra y a selvas.
¿Qué perfume usas? Y riendo, te dije:
—¡Ninguno, ninguno!
Te amo y soy joven, huelo a primavera.
Este olor que sientes es de carne firme,
de mejillas claras y de sangre nueva.
Te quiero y soy joven, por eso es que tengo
las mismas fragancias de la primavera!

("Raíz salvaje", 1922).

TIEMPO

Me enfrento a tí, oh vida sin espigas,
desde la casa de mi soledad.
Detrás de mí anclado está aquel tiempo
en que tuve pasión y libertad,
garganta libre al amoroso grito,
y casta desnudez, y claridad.

Era una flor, oh vida, y en mí estaba,
arrulladora, la eternidad.
Sombras ahora, sombras sobre el tallo,
y no sentir ya más
en la cegada clave de los pétalos
aquel ardor de alba, miel y sal.

Criatura perdida
en la maleza de la antigua mies.
Inútil es buscar lo que fue un día
lava de oro y furia de clavel.
En el nuevo nacer, frente inclinada;
sumiso, el que era antes ágil pie;
ya el pecho con escudo; ya pequeña
la custodiada sombra del laurel.

¿Quién viene ahora entre la espesa escarcha?
Duele la fría rosa de la faz
y ya no tienen los secretos ciervos,
para su dura sed, el manantial.

Angel del aire que has velado el rostro:
crece tu niebla sobre mi pleamar.

("Perdida", 1950).

Juana de Ibarbourou, (Juana Fernández de Ibarbourou, uru. 1895) fue declarada en 1929 "Juana de América" por la legislatura de su país, a iniciativa de José Santos Chocano. Miguel de Unamuno calificó a su poesía de "Castísima desnudez espiritual". Se ha dicho que "Las lenguas de diamante" (1919) equivale a la primavera de la vida de la poetisa, toda plenitud, entrega, oferta gozosa del amor; "Raíz salvaje" (1922) corresponde al verano, más firme, más seguro de sí y con temas de paisajes que la alejan de la idea obsesionante del amor; "La rosa de los vientos" (1930) es el otoño, con otras inquietudes, con cierta melancolía, con cierto dejo superrealista. La poetisa no quiere quedarse atrás en la moda de su tiempo. Finalmente, "Perdida", título significativo, corresponde con la época invernal. Es en 1950, la juventud se evapora, el acentuado narcisismo que marcó su obra deja lugar a un sentimiento místico —que ya apuntó en las prosas de "Loores a Nuestra Señora" (1934)— y la bella mujer que fue se encierra orgullosamente en su casa, a esperar la vejez. Del paganismo ingenuo, espontáneo, de su adoración por su cuerpo y su belleza, queda poco: algunas piezas de teatro infantil y "Chico-Carlo" (1944), una biografía personal y nostalgia. Su femineidad es menos intensa pero más astuta que la de Delmira. Se entrega menos, aparentando entregarse más; en el fondo —y por eso las mujeres hicieron de ella su poetisa preferida— es un espejo de burguesía. Algo le quedó de su pasado provinciano, tan bellamente vivo en los paisajes de algunos de sus poemas. Tal vez el adjetivo para caracterizarla sea "sutil", fue sutilmente femenina.

ALFONSINA STORNI

TU ME QUIERES BLANCA

Tú me quieres alba,
Me quieres de espumas,
Que sea azucena
Sobre todas, casta.
De perfume tenue.
Corola cerrada.

Ni un rayo de luna
Filtrado me haya.
Ni una margarita
Se diga mi hermana.
Tú me quieres nívea,
Tú me quieres blanca,
Tú me quieres alba.

Tú que hubiste todas
Las copas a mano,
De frutos y mieles
Los labios morados.

Tú que en el banquete
Cubierto de pámpanos
Dejaste las carnes
Festejando a Baco.
Tú que en los jardines
Negros del Engaño
Vestido de rojo
Corriste al Estrago.

Tú que el esqueleto
Conservas intacto
No sé todavía
Por cuales milagros,
Me pretendes blanca
(Dios te lo perdone).
Me pretendes casta
(Dios te lo perdone),
¡Me pretendes alba!

Huye hacia los bosques;
Vete a la montaña
Límpiate la boca;
Vive en las cabañas;
Toca con las manos
La tierra mojada:
Alimenta el cuerpo
Con raíz amarga;
Bebe de las rocas;
Duerme sobre escarcha;
Renueva tejidos
Con salitre y agua;
Habla con los pájaros
Y lávate al alba.
Y cuando las carnes
Te sean tornadas,
Y cuando hayas puesto
En ellas el alma
Que por las alcobas
Se quedó enredada,

Entonces, buen hombre,
Preténdeme blanca,
Preténdeme nívea,
Preténdeme casta.

("El dulce daño", 1918).

¡OH, TU

Oh tú que me subyugas. ¿Por qué has llegado tarde?
¿Por qué has venido ahora cuando el alma no arde,
Cuando rosas no tengo para hacerte con ellas
Una alegre guirnalda salpicada de estrellas?

Oh, tú, de la palabra dulce, como el murmullo
Del agua de la fuente; dulce como el arrullo
De la torcaza; dulce como besos dormidos
Sobre dos manos pálidas protectoras de nidos.

Oh tú, que con tus manos puedes tomar mi testa
Y hacerle brotar flores como un árbol en fiesta
Y hacer que entre mis labios se arquee la sonrisa
Como un cielo nublado que de pronto se irisa.

¿Por qué has llegado tarde? ¿Por qué has venido ahora
Cuando he sido vencida por llama destructora,
Cuando he sido arrastrada por el fuego divino
Y voy, cegada y triste, por un negro camino?

Yo quiero, Dios de dioses, que me hagan nueva toda.
Que me tejan con lirios; me sometan a poda
Las manos del Misterio; que me resten maleza.
Tus labios no se hicieron para curar tristeza.

. . . .

("El dulce daño", 1918).

CAPRICHO

Escrútame los ojos, sorpréndeme la boca,
Sujeta entre tus manos esta cabeza loca;
Dame a beber el malvado veneno
Que te moja los labios a pesar de ser bueno.

Pero no me preguntes, no me preguntes nada
De por qué lloré tanto en la noche pasada;
Las mujeres lloramos sin saber, porque sí:
Es esto de los llantos pasaje baladí.
Bien se ve que tenemos adentro un mar oculto,
Un mar un poco torpe, ligeramente estulto,
Que se asoma a los ojos con bastante frecuencia
Y hasta manejamos con una dúctil ciencia.
No preguntes, amado, lo debes sospechar:
En la noche pasada no estaba quieto el mar.
Nada más. Tempestades que la trae y la lleva
Un viento que nos marca cada vez costa nueva.
Sí, vanas mariposas sobre el jardín de enero,
Nuestro interior es todo sin equilibrio y huero.
Luz de cristalería, fruto de carnaval
Decorado en escamas de serpientes del mal.
Así somos, ¿no es cierto? Ya lo dijo el poeta:
Movilidad absurda de inconsciente coqueta.
Deseamos y gustamos la miel de cada copa
Y en el cerebro habemos un poquito de estopa.
Bien; no, no me preguntes. Torpeza de mujer,
Capricho, amado mío, capricho debe ser.
Oh, déjame que ría... ¿No ves qué tarde hermosa?
Espínate las manos y córtame esa rosa.

("El dulce daño", 1918).

PESO ANCESTRAL

Tú me dijiste: no lloró mi padre;
tú me dijiste: no lloró mi abuelo;
no han llorado los hombres de mi raza,
eran de acero.

Así diciendo te brotó una lágrima
y me cayó en la boca...; más veneno
yo no he bebido nunca en otro vaso
así pequeño.

Débil mujer, pobre mujer que entiende,
dolor de siglos conocí al beberlo.
Oh, el alma mía soportar no puede
todo su peso.

("*Irremediablemente*", *1919*).

HOMBRE PEQUEÑITO

Hombre pequeñito, hombre pequeñito,
suelta a tu canario, que quiere volar...
Yo soy el canario, hombre pequeñito,
déjame saltar.

Estuve en tu jaula, hombre pequeñito,
hombre pequeñito que jaula me das.
Digo pequeñito porque no me entiendes
ni me entenderás.

Tampoco te entiendo, pero mientras tanto
ábreme la jaula, que quiero escapar;
hombre pequeñito, te amé media hora,
no me pidas más.

("*Irremediablemente*", *1919*).

VEINTE SIGLOS

Para decirte, amor, que te deseo,
Sin los rubores falsos de instinto,
Estuve atada como Prometeo,
Pero una tarde me salí del cinto.

313

Son veinte siglos que movió mi mano
Para poder decirte sin rubores:
"Que la luz edifique mis amores".
¡Son veinte siglos los que alzó mi mano!

Pasan las flechas sobre mis cabellos,
Pasan las flechas, aguzados dardos . . .
¡Son veinte siglos de terribles fardos!
Sentí su peso al libertarme de ellos.

("*Irremediablemente*", 1919).

LA CARICIA PERDIDA

Se me va de los dedos la caricia sin causa.
Se me va de los dedos. . . En el viento, al rodar
la caricia que vaya sin destino ni objeto,
la caricia perdida, ¿quién la recogerá?

Pude amar esta noche con piedad infinita,
pude amar al primero que acertara a llegar.
Nadie llega. Están solos los floridos senderos.
La caricia perdida, rodará . . . rodará . . .

Si en el viento te llaman esta noche, viajero,
si estremece las ramas un dulce suspirar,
si te oprime los dedos una mano pequeña
que te toma y te deja, que te logra y se va.

Si no ves esa mano, ni la boca que besa,
si es el aire quien teje la ilusión de llamar,
¡Oh! viajero, que tienes como el cielo los ojos,
en el viento fundida ¿me reconocerás?

("*Languidez*", 1920).

EL CLAMOR

Alguna vez, andando por la vida,
Por piedad, por amor,
Como se da una fuente sin reservas,
Yo dí mi corazón.

Y dije al que pasaba sin malicia
Y quizás con fervor.
—Obedezco a la ley que nos gobierna:
He dado el corazón.

Y tan pronto lo dije, como un eco
Ya se corrió la voz:
—Ved la mala mujer, ésa que pasa:
Ha dado el corazón.

De boca en boca, sobre los tejados
Rodaba este clamor:
—¡Echadle piedras, eh, sobre la cara!
Ha dado el corazón.

Ya está sangrando, sí, la cara mía,
Pero no de rubor,
Que me vuelvo a los hombres y repito:
¡He dado el corazón!

("Languidez", 1920).

TU QUE NUNCA SERAS ...

Sábado fue y capricho el beso dado,
capricho de varón, audaz y fino,
más dulce el capricho masculino
a este mi corazón, lobezno alado.

No es que crea, no creo; si inclinado
sobre mis manos te sentí divino
y me embriagué, comprendo que este vino
no es para mí, mas juego y rueda el dado ...

Yo soy ya la mujer que vive alerta,
tú el tremendo varón que se despierta
y es un torrente que se ensancha en río

y más se encrespa mientras corre y poda.
Ah, me resisto, mas me tienes toda,
tú, que nunca serás del todo mío.

("Ocre", 1925).

EL ENGAÑO

Soy tuya, Dios lo sabe por qué, ya que comprendo
que habrás de abandonarme, fríamente, mañana,
y que, bajo el encanto de mis ojos, te gana
otro encanto el deseo, pero no me defiendo.

Espero que esto un día cualquiera se concluya,
pues, intuyo, al instante, lo que piensas o quieres.
Con voz indiferente te hablo de otras mujeres
y hasta ensayo el elogio de alguna que fue tuya.

Pero tú sabes menos que yo, y algo orgulloso
de que te pertenezca, en tu juego engañoso
persistes, con un aire de actor del papel dueño.

Yo te miro calada con mi dulce sonrisa,
y cuando te entusiasmas, pienso: no te dés prisa,
no eres tú el que me engaña; quien me engaña es mi sueño.

("Ocre", 1925).

DOLOR

Quisiera esta tarde divina de octubre
pasear por la orilla lejana del mar;
que la arena de oro y las aguas verdes
y los cielos puros me vieran pasar . . .
Ser alta, soberbia, perfecta, quisiera,
como una romana, para concordar
con las grandes olas, y las rocas muertas
y las anchas playas que ciñen el mar.
Con el paso lento y los ojos fríos
y la boca muda dejarme llevar;
ver cómo se rompen las olas azules
contra los granitos y no parpadear;
ver cómo las aves rapaces se comen
los peces pequeños y no suspirar;
pensar que pudieran las frágiles barcas
hundirse en las aguas y no despertar;
ver que se adelanta, la garganta libre,
el hombre más bello; no desear amar . . .
Perder la mirada, distraídamente,
perderla y que nunca la vuelva a encontrar;
y, figura erguida entre cielo y playa,
¡sentirme el olvido perenne del mar!

("Ocre", 1925).

EPITAFIO PARA MI TUMBA

Aquí descanso yo: dice "Alfonsina"
el epitafio claro al que se inclina.

Aquí decanso yo, y en este pozo
pues que no siento, me solazo y gozo.

Los turbios ojos muertos ya no giran,
los labios, desgranados, no suspiran.

317

Duermo mi sueño eterno a pierna suelta;
me llaman y no quiero darme vuelta.

El verano mis sueños no madura,
la primavera el pulso no me apura.

El corazón no tiembla, salta o late,
fuera estoy de la línea de combate.

¿Qué dice el ave aquella, caminante?
Tradúceme su canto perturbante:

"Nace la luna nueva, el mar perfuma,
los cuerpos bellos báñanse de espuma.

Va junto al mar un hombre que en la boca
lleva una abeja libadora y loca:

Bajo la blanca tela el torso quiere
el otro torso que palpita y muere.

Los marineros sueñan en las proas,
cantan muchachas desde las canoas,

zarpan los buques y en sus claras cuevas,
los hombres parten hacia tierras nuevas.

La mujer que en el suelo está dormida
y en su epitafio ríe de la vida,

como es mujer grabó en su sepultura
una mentira aún: la de su hartura".

("Ocre", 1925).

A HORACIO QUIROGA

Morir como tú, Horacio, en tus cabales,
y así como en tus cuentos, no está mal;
un rayo a tiempo y se acabó la feria . . .
Allá dirán.

No se vive en la selva impunemente,
ni cara al Paraná.
Bien por tu mano firme, gran Horacio . . .
Allá dirán.

"Nos hiere cada hora —queda escrito—
nos mata la final".
Unos minutos menos . . . ¿quién te acusa?
Allá dirán.

Más pudre el miedo, Horacio, que la muerte
que a las espaldas va.
Bebiste bien, que luego sonreías . . .
Allá dirán.

Sé que la mano obrera te estrecharon,
mas no, si Alguno, o simplemente Pan,
que no es de fuertes renegar de su obra . . .
(Más que tú mismo es fuerte quien dirá).

("Antología poética", 1938).

Alfonsina Storni (suiza-argentina, 1892-1938) se crió en Argentina, donde se suicidó el mismo año que Leopoldo Lugones y uno después de Horacio Quiroga, dos de sus grandes amigos. Alfonsina Storni fue valiente como pocas, hizo suya la militancia en favor de la independencia de la mujer y vivió de acuerdo con sus principios. La sociedad la volvió desafiante, amarga, arrogante, a fuerza de humillarla. En "La inquietud del rosal" figura un poema de admirable valor humano, más considerando la época en que fue escrito: "Yo tengo un hijo, fruto del amor sin ley . . ." (1917).

"Ocre" (1925) se considera su mejor libro —aunque sus poemas más desafiantes son de "El dulce daño" (1918) ; "Irremediablemente" (1919) y "Languidez" (1920). En "Mundo de siete pozos" (1934) intentó pegarse al ultraísmo (véa:e la sección Vanguardia). La sensualidad de Alfonsina es más mental que erótica. Cree, sinceramente, que la mujer es superior al hombre y la indigna sentirse esclava de éste, que ama sin permanencia, con urgencia física. En toda su poesía hay cierto desprecio hacia el hombre que le es imprescindible y un escepticismo constante sobre la duración o la espiritualidad del amor, Su "Tú me quieres blanca" es la respuesta a las "Redondillas" de Sor Juana. Entre ambas mujeres han carrido siglos y lo que en una es reproche a la conducta del hombre, en la otra es altanero desdén. En "Mundo de siete pozos" dijo: "En la ciudad, erizada de dos millones de hombres, — No tengo un ser amado . . .". Su último poema, maica su última decepción: "Ah, un encargo: — Si él llama nuevamente por teléfono — Le dices que no insista, que he salido. . .". Esta fue siempre su respuesta a los hombres que porque era independiente la creyeron fácil.

La muerte fue un tema constante en Alfonsina. Véanse "Silencio" y Melancolía", de "Irremediablemente"; "Borrada" y "Letanías de la tierra muerta", en "Languidez'; "Epitafio para mi tumba" y "Dolor" en "Ocre"; "Voy a dormir", su poema póstumo (enviado al diario "La Nación" de Buenos Aires el día antes de su suicidio) fue incluído en "Mascarilla y trébol", en 1938, publicado después de su muerte. "A Horacio Quiroga", escrito poco antes, figura en la "Antología poética", que la editorial Losada publicó en 1956.

GABRIELA MISTRAL

LOS SONETOS DE LA MUERTE

I

Del nicho helado en que los hombres te pusieron,
te bajaré a la tierra humilde y soleada.
Que he de dormirme en ella los hombres no supieron,
y que hemos de soñar sobre la misma almohada.

Te acostaré en la tierra soleada, con una
dulcedumbre de madre para el hijo dormido,
y la tierra ha de hacerse suavidades de cuna
al recibir tu cuerpo de niño dolorido.

Luego iré espolvoreando tierra y polvo de rosas,
y en la azulada y leve polvareda de luna,
los despojos livianos irán quedando presos.

Me alejaré cantando mis venganzas hermosas,
¡porque a ese hondor recóndito la mano de ninguna
bajará a disputarme tu puñado de huesos!

II

Este largo cansancio se hará mayor un día,
y el alma dirá al cuerpo que no quiere seguir
arrastrando su masa por la rosada vía,
por donde van los hombres, contentos de vivir.

Sentirás que a tu lado cavan briosamente,
que otra dormida llega a la quieta ciudad.
Esperaré que me hayan cubierto totalmente . . .
¡y después hablaremos por una eternidad!

Sólo entonces sabrás el por qué no madura
para las hondas huesas tu carne todavía,
tuviste que bajar, sin fatiga, a dormir.

Se hará luz en la zona de los sinos, oscura;
sabrás que en nuestra alianza signo de astros había
y, roto el pacto enorme, tenías que morir . . .

III

Malas manos tomaron tu vida, desde el día
en que, a una señal de astros, dejara su plantel
nevado de azucenas. En gozo florecía.
Malas manos entraron trágicamente en él . . .

Y yo dije al Señor: *"Por las sendas mortales
le llevan. ¡Sombra amada que no saben guiar!
Arráncalo, Señor, a esas manos fatales
o le hunden en el largo sueño que sabes dar!*

*¡No le puedo gritar, no le puedo seguir!
Su barca empuja un negro viento de tempestad.
Retórnalo a mis brazos o le siegas en flor".*

*Se detuvo la barca rosa de su vivir . . .
¿Que no sé del amor, que no tuve piedad?
Tú, que vas a juzgarme, lo comprendes, Señor!*

("Desolación", 1922).

EL RUEGO

*Señor, Tú sabes cómo, con encendido brío,
por los seres extraños mi palabra te invoca.
Vengo ahora a pedirte por uno que era mío,
mi vaso de frescura, el panal de mi boca,*

*cal de mis huesos, dulce razón de la jornada,
gorjeo de mi oído, ceñidor de mi veste.
Me cuido hasta de aquellos en que no puse nada.
¡No tengas ojo torvo si te pido por éste!*

*Te digo que era bueno, te digo que tenía
el corazón entero a flor de pecho, que era
suave de índole, franco como la luz del día,
henchido de milagro como la primavera.*

*Me replicas, severo, que es de plegaria indigno
el que no untó de preces sus dos labios febriles,
y se fue aquella tarde sin esperar tu signo,
trizándose las sienes como vasos sutiles.*

Pero yo, mi Señor, te arguyo que he tocado,
de la misma manera que el nardo de su frente,
todo su corazón dulce y atormentado
¡y tenía la seda del capullo naciente!

¿Que fué cruel? Olvidas, Señor, que le quería,
y que él sabía suya la entraña que llagaba.
¿Que enturbió para siempre mis linfas de alegría?
¡No importa! Tú comprende: ¡yo le amaba, le amaba!

Y amar (bien sabes de eso) es amargo ejercicio;
un mantener los párpados de lágrimas mojados,
un refrescar de besos las trenzas de cilicio
conservando, bajo ellas, los ojos extasiados.

El hierro que taladra tiene un gustoso frío,
cuando, abre, cual gavillas, las carnes amorosas.
Y la cruz (Tú te acuerdas ¡oh Rey de los Judíos!)
se lleva con blandura, como un gajo de rosas.

Aquí me estoy, Señor, con la cara caída
sobre el polvo, parlándote un crepúsculo entero,
o todos los crepúsculos a que alcance la vida,
si tardas en decirme la palabra que espero.

Fatigaré tu oído de preces y sollozos,
lamiendo, lebrel tímido, los bordes de tu manto,
y ni pueden huírme tus ojos amorosos
ni esquivar tu pie el riego caliente de mi llanto.

¡Di el perdón, dilo al fin! Va a esparcir en el viento
la palabra el perfume de cien pomos de olores
al vaciarse; toda agua será deslumbramiento;
el yermo echará flor y el guijarro esplendores.

Se mojarán los ojos oscuros de las fieras,
y, comprendiendo, el monte que de piedra forjaste
llorará por los párpados blancos de sus neveras:
¡Toda la tierra tuya sabrá que perdonaste!

(1914, "Desolación", 1922).

INTERROGACIONES

¿Cómo quedan, Señor, durmiendo los suicidas?
¿Un cuajo entre la boca, las dos sienes vaciadas,
las lunas de los ojos albas y engrandecidas
hacia un ancla invisible las manos orientadas?

¿O Tú llegas después que los hombres se han ido,
y les bajas el párpado sobre el ojo cerrado,
acomodas las vísceras sin dolor y sin ruido
y entrecruzas las manos sobre el pecho callado?

El rosal que los vivos riegan sobre su huesa
¿no le pinta a sus rosas unas formas de heridas?
¿No tiene acre el olor, siniestra la belleza
y las frondas menguadas de serpiente tejidas?

Y responde, Señor: cuando se fuga el alma,
por la mojada puerta de las hondas heridas,
¿entra en la zona tuya hendiendo el aire en calma
o se oye un crepitar de alas enloquecidas?

¿Angosto cerco lívido se aprieta en torno suyo?
¿El éter es un campo de monstruos florecido?
¿En el pavor no aciertan ni con el nombre tuyo?
¿O van gritando sobre tu corazón dormido?

¿No hay un rayo de sol que los alcance un día?
¿No hay agua que los lave de sus estigmas rojos?
¿Para ellos solamente queda tu entraña fría,
sordo tu fino oído y apretados tus ojos?

Tal el hombre asegura por error o malicia;
mas yo, que te he gustado, como un vino, Señor,
mientras los otros sigan llamándote Justicia
¡no te llamaré nunca otra cosa que Amor!

Yo sé que como el hombre fue siempre zarpa dura:
la catarata, vértigo: aspereza la sierra,
¡Tú eres el vaso donde se esponjan de dulzura
los nectarios de todos los huertos de la Tierra!

("Desolación", 1922).

BALADA

El pasó con otra;
Yo lo ví pasar.
Siempre dulce el viento
y el camino en paz.

¡Y estos ojos míseros
le vieron pasar!
El va amando a otra
por la tierra en flor.

Ha abierto el espino;
pasa una canción.
¡Y él va amando a otra
por la tierra en flor!

El besó a la otra
a orillas del mar;
resbaló en las olas
la luna de azahar

¡Y no untó mi sangre
la extensión del mar!
El irá con otra
por la eternidad.

Habrá cielos dulces,
(Dios quiere callar).
¡Y él será con otra
por la eternidad!

("Desolación", 1922).

MIEDO

Yo no quiero que a mi niña
golondrina me la vuelvan;
se hunde volando en el Cielo
y no baja hasta mi estera;
en el alero hace nido
y mis manos no la peinan.
Yo no quiero que a mi niña
golondrina me la vuelvan.

Yo no quiero que a mi niña
la vayan a hacer princesa.
Con zapatitos de oro
¿cómo juega en las praderas?
Y cuando llegue la noche
a mi lado no se acuesta . . .
Yo no quiero que a mi niña
la vayan a hacer princesa.

Y menos quiero que un día
me la vayan a hacer reina.
La subirían al trono
a donde mis pies no llegan.
Cuando viniese la noche
yo no podría mecerla . . .
Yo no quiero que a mi niña
¡me la vayan a hacer reina!

("Ternura", 1924).

HALLAZGO

Me encontré este niño
cuando al campo iba:
dormido lo he hallado
en unas espigas . . .

O tal vez ha sido
cruzando la viña:
buscando los pámpanos
topé su mejilla . . .

Y por eso temo,
al quedar dormida,
se evapore como
la helada de las viñas . . .

("Ternura", 1924).

326

Gabriela Mistral (Lucila Godoy Alcayaga, chil. 1899-1957) desborda a todas las demás poetisas de América —que en inspiración y talento podrían disputarle terreno— en la proyección que su persona adquirió. Su personalidad contribuyó tanto como su obra a que le otorgaran el Premio Nobel en 1945. Su firmeza de carácter hizo que detestara el escándalo. Adquirió cierto tono maternal —y la maternidad frustrada es uno de sus temas más hondos—, como resabio de sus años de maestra normal. En una época en que las mujeres instauraban un matriarcado audaz en la poesía amorosa, escudándose en una fragilidad más aparente que real, Gabriela rehuye la protesta violenta —y su labor feminista fue más efectiva tal vez por esta razón— y canta a un amor muerto. Sabía que el feminismo era una actitud a ganar después de que las sufragistas, las feministas estridentes, abrieran la brecha. Al feminismo legítimo, al que no hace perder la femineidad, dedicó hábilmente gran parte del peso de sus lauros intelectuales (que la llevaron a representar a Chile en Brasil, como cónsul) y a trabajar con Vasconcelos en la reforma educacional mexicana).

"Los sonetos de la muerte" figuran en su libro "Desolación" (1922), pero datan de 1914. Los presentó en unos juegos florales en Santiago de Chile y provocaron la admiración de todos. Fueron inspirados por el suicidio en 1909 de Romelio Ureta, un joven empleado en el ferrocarril de Coquimbo, que se vió acusado de un desfalco. Fue el primer amor y quizás el único de la vida de Gabriela. Casi todos los poemas de "Ternura" provenían de "Desolación". Famoso es "Caperucita Roja". Federico de Onís, en 1921 leyó en Columbia University unos poemas de la poetisa chilena y fue él quien, en 1922, publicó en Nueva York la primera edición de "Desolación", a la que siguió otra en 1923, prologada por Pedro Prado, en Chile, y otra más en 1926, con un estudio de Alone (Hernán Díaz Arrieta) famoso crítico chileno. En 1924 Gabriela publica "Ternura", libro donde aparece todo su amor por los niños. Allí es visible el tema constante en ella de la "pérdida del hombre", el temor a que algo la separe para siempre del ser que ama. Su afán de ternura se traspasa a los niños. "Tala" fue publicado a pedido de Victoria Ocampo —por la revista "Sur" de Buenos Aires— en 1938 y su venta se destinó al fondo de ayuda para los refugiados de la guerra civil española. Allí aparecen sus poemas dedicados a indoamérica. La actitud ante la muerte en Gabriela es distinta a la de

Alfonsina Storni, que la solicita. Gabriela, creyente en Dios —son muchos sus poemas religiosos— interroga, pregunta, pero desea la muerte como liberación. (Del tema de la muerte y Dios, es buen ejemplo "Interrogaciones"). El catolicismo de Gabriela Mistral se fue debilitando con los años. Siguió en el terreno religioso, el camino inverso a Juana de Ibarbourou. Pero nunca fue indiferente, como Alfonsina Storni.

ROSARIO CASTELLANOS

DOS MEDITACIONES

1

Considera, alma mía, esta textura
áspera al tacto, a la que llaman vida.
Repara en tantos hilos tan sabiamente unidos
y en el color, sombrío pero noble
firme y donde ha esparcido su resplandor el rojo.

Piensa en la tejedora; en su paciencia
para recomenzar
una tarea siempre inacabada.
Y odia después, si puedes.

2

Hombrecito, ¿qué quieres hacer con tu cabeza?
¿Atar al mundo, al loco, loco y furioso mundo?
¿Castrar al potro de Dios?

Pero Dios rompe el freno y continúa engendrando
magníficas criaturas,
seres salvajes cuyos alaridos
rompen esta campana de cristal.

FALSA ELEGIA

Compartimos sólo un desastre lento.
Me veo morir en tí, en otro, en todo,
y todavía bostezo o me distraigo
como ante el espectáculo aburrido.

Se destejen los días,
las noches se consumen antes de darnos cuenta;
así nos acabamos.
Nada es. Nada está
entre el alzarse y el caer del párpado.

Pero si alguno va a nacer (su anuncio,
la posibilidad de su inminencia
y su peso de sílaba en el aire),
trastorna lo existente,
puede más que lo real
y desaloja el cuerpo de los vivos.

DISTANCIA DEL AMIGO

En una tierra antigua de olivos y cipreses
ha fechado mi amigo su más reciente carta.
Lo imagino escribiendo, sentado en una roca
a la orilla del mar, tirando piedrecitas
sobre el lomo pardusco de las olas.
(Si estuviera en un parque tiraría
migas a los gorriones;
si en un estanque, Ledas a los cisnes).
Lo imagino volviendo su rostro hacia el crepúsculo,
mordisqueando una brizna mientras piensa
que la vida es tan bella porque es corta.
(No es de los que invocan a la muerte.
Es de los que la hospedan, silenciosos,
en el sitio más hondo de su cuerpo).
Se levanta después y camina despacio,
con las manos metidas en las bolsas

de un traje viejo y ancho . . .
Puede hervir a su lado la multitud. Mi amigo
está sólo. Entre hombres embriagados
de dicha, entre mujeres ojerosas de duelo,
lleva su soledad como una espada
desnuda y eficaz, radiante de amenazas.
Llega a su cuarto. Lo abre. Nadie espera.
Hay un olor oscuro
pesado, de ventana estrangulada.
Igual que cuatro cirios metálicos relucen
las cuatro extremidades agudas de la cama.
Se ha desplomado en ella y una punta lo hiere.
¡Cómo sangra empapando las sábanas, tiñéndolas!
¡Cómo se queda lívido y exangüe
mientras bajo su frente se incendian las almohadas!

La fecha de esta carta que estrujo es muy remota
—de un tiempo en que el tiempo no existía—,
y la ciudad de que habla se reclina
más allá de los mapas.
Mi amigo, sin embargo, está cercano.
Podría yo tocarlo si pudiera
tocar mi corazón recóndito y sellado.

Rosario Castellanos nació en la ciudad de México, en 1925. "Entre el crecido número de las poetisas mexicanas es sin duda la más importante de este decenio", afirma Max Aub. Tal vez la afirmación sea demasiado definitiva, pero es indudable que el culteranismo de Rosario Castelanos, unido a la perfección formal y a la intención metafísica, siempre unida con la idea de la muerte, la coloca, por lo menos, al mismo nivel que Margarita Michelena. Rosario Castellanos publicó "De la vigilia estéril" (1950); "El rescate del mundo" (1952); "Poemas" (1957); "Al pie de la letra (1959). Debe catalogársela entre los poetas existenciales que surgen en la postguerra de 1945.

MARGARITA MICHELENA

MONOLOGO DEL DESPIERTO

... y solamente
lo fugitivo permanece y dura.

Quevedo

1

Caen los rostros a oscuras,
las palabras cerradas.
A espaldas de la luz se ensaya la catástrofe
del aire cercenado,
del corazón caído en medio de su sangre
con el asombro de un asesinado.

Esta tiniebla sorda, este silencio
donde apenas se eriza
un escarpado grito de bestia solitaria
o atraviesa el aliento
de una maligna víscera invisible,
es ya la asfixia de una sola tumba,
es la victoria de una sola muerte.
Estamos arrasados, detenidos,
fuera ya de nosotros, sin ribera ni centro,
sin nombre ni memoria,
perdida ya la clave del límite, la cifra
de nuestra propia imagen y su espejo.

Todo aquí es más allá.
Se ha trascendido el círculo.
Se ha derogado el número.
Ni distancia. Ni música. Ni latido. Ni órbita.
La dulzura sin fondo terrible de la nada.
Si ahora cierro los ojos, caeré en su abismo ciego.

Pero no. Sobre el rostro arden como testigos
de la luz y del orden.
Son las llaves que guardan la puerta de mi nombre,
la presencia del muro, el regreso del alba.
Y herido, me resisto.
Me restaño la vida, que me huye en oleadas sin forma,
como un gas, disolviéndose en el sordo vacío.
¿Pues qué soy yo —qué somos—,
qu es entonces el mundo sino el instante ardiendo
en dónde me reúno —fuerza aterrada y sola—
a detener mi sombra, a denegarme
al dulce horror que acecha tras mis ojos,
al vaho que se extiende en el espejo
donde puedo encontrarme?

. . . .

2

Pero ahora me voy. Yo soy el cuerpo
desordenado, ciego de la arena.
Y sus miembros ardidos y dispersos
hacen conmigo el viaje
de morir.
Morir... morir inacabablemente
en cada grano seco, en cada sitio
del viento que me arrastra.

En soledad, inmune bajo mi nombre, vivo.
Pero con todos, en la noche, muero.
Muero por los que duermen,
por los que dan la espalda al oscuro jadeo,
por todos los que ignoran que en esta noche han muerto
y que mañana
volverán a morir.
Muero porque su muerte sea reconocida
y les sea devuelta la gracia de su nombre
y acordado el rescate.

Aquí está el Enemigo,
el que muestra su rostro en esplendor y ruina,
ése que en rosa y piedra encuentra su alimento
y en cada criatura se nace y finaliza.
Gotea sobre el mundo su cuenta solitaria,
devora en los rincones la música del día,
afelpado y feroz pisa a los fugitivos
y extiende su fisura narcótica en secreto.
Y sé que no lo saben.

El está aquí, a la orilla de los cuerpos vencidos
a oscuras, sin combate,
de cuantos abatieron el brazo de su llanto
y no llevan los ojos como un ardiente escudo.
Nadie escucha su lenta mordedura ni siente
cómo cae sobre el sueño en ceniza implacable,
un muerto en agonía perpetua, un polvo oscuro
al que nadie vigila, y crece, y crece, y crece,
hasta que todo sea una noche, una hora,
su montaña de arena, su total desolado.
. . . . .

Navegante del pulso, vigila su corriente,
iza su ardiente oleaje y para su sonido.
¡Ay de aquel que no siente el rumor de su quilla!
¡Ay de aquel que no siente su cuerpo navegado!
Porque luego regresa, más y más lentamente,
cada vez más dormido y cada vez más muerto,
de la gruta sin fondo del espacio encendido,
del reino de la piedra al resplandor del ojo.

3

Aún ha vuelto el alba. Pero nadie se asoma
de su orilla quemada al brocal del espejo
a saber lo que falta, lo que fue consumido
a ciegas, en la noche, dentro de la caverna
suspendida del sueño.

333

Por todos los que duermen en esta hora, velo,
soportando en la frente el mundo abandonado,
recogiendo los nombres en la tierra caídos.
Oído la oscura ruina demoliendo en secreto
una orilla de hierba y una punta de astro.
Todo lo sé y lo sufro en este solo instante
en que mis ojos arden en el espacio ciego.
Y en plenitud fugaz e irrevocable,
soy eterno.

No lo sabéis, dormidos, pero soy el escudo
que oculta vuestra fuga y salva vuestros pasos.
Y por todos vosotros pido una muerte viva.

. . . .

Sí. Por todos vosotros, ciegos, sordos, inmóviles,
pido morir de pronto y no con esa lenta y horrible desmemoria
del que hace poco a poco su cadáver,
del que junta su muerte noche a noche en el sueño.
Sí. Morir con mi nombre en mitad de la frente,
ojo del alma y última columna
presenciando el desastre.
Sí. Morir vigilando el rumor de la muerte
y por todos los ojos en esa sombra huídos,
mirarla en el espejo del alto mediodía
abrir la puerta y derramar la noche.

Margarita Michelena nació en 1947, en el estado de Hidalgo, México. Publicó dos obras en 1945 y 1948.

Este poema donde lo trascendente se mezcla, en imágenes difíciles de descifrar, con lo real y cotidiano, tiene un gran interés. Marca un signo, una característica de las poetisas mexicanas: más que el amor físico, aunque esta nota también existe en muchas de ellas, lo que da valor a la poesía femenina en México es el tono introspectivo, ontológico a veces. Aquí, a la imagen de la primera parte —los hombres que se entregan al sueño—, se une la fusión entre la muerte y el Enemigo, el tiempo, que acecha a los dormidos inconscientes de que gastan la vida en el reposo. La tercera parte señala cómo el poeta vigilante, asume en sí, con júbilo, la desdicha ignorada por los otros y pide su muerte —uno de los grandes temas de la poesía mexicana— para enfrentarla sin miedo. .. ..

GUADALUPE AMOR

SONETO

¿Por qué me desprendí de la corriente
misteriosa y eterna en la que estaba
fundida, para ser siempre la esclava
de este cuerpo tenaz e independiente?

¿Por qué me convertí en un ser viviente
que soporta una sangre que es de lava
y la angustiosa oscuridad excava
sabiendo que su audacia es impotente?

¡Cuántas veces pensando en mi materia
consideréme absurda y sin sentido,
farsa de soledad y de miseria

ridícula criatura del olvido,
máscara sin valor de inútil feria
y eco que no proviene de sonido!

VEN DISFRAZADO

Ven disfrazado de amor,
de silencio, de quietud,
de ternura, de virtud,
pero aprovecha mi ardor.
A este fuego abrasador
que en mi corazón llamea
dale un motivo que sea
como eterno combustible.
¡Dios, vuélvete ya visible!
¿Qué pierdes con que te vea?

Max Aub dice, sobre Guadalupe Amor (mex. 1920): "Representa el éxito. Cierto afán natural de exhibir sus gracias y su facilidad le ha atraído público, no sólo lector: hizo teatro, aparece en televisión, usa de la radio y de los discos para dar a conocer su poesía, la mejor vendida de los últimos años". Una poesía moderna escrita por una mujer de nuestro tiempo. Comenzó por publicar sus "Poesías completas", en 1951; fue su primer libro. Después siguieron "Décimas a Dios", 1953; "Sirviéndole a Dios de hoguera" (1958) y "Todos los siglos del mundo" (1959). Aunque tiene intenciones metafísicas no se crea que su poesía es religiosa: está aferrada a sus sentidos.

JULIA DE BURGOS

DADME MI NUMERO

¿Qué es lo que esperan? ¿No me llaman?
Me han olvidado entre las yerbas,
mis camaradas más sencillos,
todos los muertos de la tierra?

¿Por qué no suenan sus campanas?
Ya para el salto estoy dispuesta.
¿Acaso quieren más cadáveres
de sueños de inocencia?

¿Acaso quieren más escombros
de más goteadas primaveras,
más ojos secos en las nubes,
más rostro herido en las tormentas?

¿Quieren el féretro del viento
agazapado entre mis greñas?
¿Quieren el ansia del arroyo,
muerta en mi muerte de poeta?

¿Quieren el sol desmantelado,
ya consumido en mis arterias?
¿Quieren la sombra de mi sombra,
donde no quede ni una estrella?

Casi no puedo con el mundo
que azota entero mi conciencia...

¡Dadme mi número! No quiero
que hasta el amor se me desprenda.
(Unido sueño que me sigue
como a mis pasos va la huella).

¡Dadme mi número, porque si no,
me moriré después de muerta!

PRESENCIA DE AMOR EN LA ISLA
(En Trinidad, Cuba)

Aquí mi corazón dice "te amo"...
en la desenfrenada soledad de la isla
saliéndose en los ojos tranquilos del paisaje.

El mar asciende a veces la lápida del monte.
Es allá cielo verde, como queriendo auparse hasta mis manos.
La loma no ha crecido más alto que una espiga.
La tierra mira y crece.
Van detrás de los trinos saludando los pájaros.

Aquí mi corazón, cabalgando el paraje,
dice "te amo" en el verde lenguaje de los bosques.

Recuerdo que me hablaron una vez las estrellas
de un rincón enterrado, sin mirada y sin viaje,
algo así como un mundo detenido en su historia,
como un trino extraviado, como un ala sin ave.

Aquí quieren palomas detenerme el camino ...
centinelas ardientes de un pasado inviolable.
Una paz retraída me columpia el espíritu,
y mis pasos se tumban, como muertos, al aire.
Entre el monte y el mar, por escala de estirpe,
Trinidad de leyenda, me saludan tus calles.

Aquí mi corazón, desandándose el tiempo,
dice "te amo" en la sombra legendaria del valle.
Para mirarnos suben sus pupilas insomnes,
cuatro siglos de auroras tirándose al paisaje.

VICTIMA DE LUZ

Aquí estoy,
desenfrenada estrella, desatada,
buscando entre los hombres mi víctima de luz.

A ti he llegado.
Hay algo de universo en tu mirada,
algo de mar sin playa desembocando cauces infinitos,
algo de amanecida nostalgia entretenida en imitar palomas ...

Mirarte es verme entera de luz
rodando en un azul sin barcos y sin puertos.

Es inútil la sombra en tus pupilas ...
Algún soplo inocente debe haberse dormido en tus entrañas

Eres, entre las frondas, mi víctima de luz.
Eso se llama amor, desde mis labios.

Tienes que olvidar sendas,
y disponerte a manejar el viento.

¡A mis brazos, iniciado de luz,
víctima mía!

Pareces una espiga debajo de mi alma,
y yo, pleamar tendida bajo tu corazón.

Julia de Burgos (Julia Constancia Burgos García, puert. 1916-1953) es, con Clara Lair (Clara Negrón Muñoz, 1895); Carmelina Vizcarrondo (1906); Marigloria Palma (1920) o Diana Ramírez de Arellano (1919) una de las mejores representantes de la poesía de Puerto Rico. Después de su muerte su nombre ha ido creciendo y no hay dudas que la valoración es justa. Hace poesía amorosa, muy intensa y llena de dolor; porque los hombres la explotaron miserablemente. Se inflama de ira o entusiasmo frente a las tiranías que asuelan a los países de América. O se maravilla frente al paisaje. Recurre a imágenes de gran originalidad. Su desdichada vida concluye en New York, donde muere en la calle víctima de una cirrosis. Trabajaba en una fábrica y la bebida era su refugio. La enterraron en la fosa común de donde la sacaron sus amigos (se fotografía a los muertos desconocidos y se pone un número a su tumba). Como rara premonición, había escrito un poema "Dadme mi número . . ." Su gran nota lírica es la del desgarrado deseo de que la muerte la libre de una vida que ama a pesar de todo. Ama a los hombres y no consiente en perderlos; por esto no se suicida. Vive enferma de esperanza, hambrienta de que su amor sea correspondido. No tiene la rebeldía de Alfonsina Storni, pero sí su misma desesperación ante la impotencia de enfrentar la vida. En 1937 editó, en mimeógrafo, su libro "Poemas exactos a mí misma", en 1938 "Poemas en 20 surcos" y en 1939 "Canción de la verdad sencilla".

CLAUDIA LARS

ME SALVA DE MI MISMA ...

I

Me salva de mí misma:
huésped del alma en alma devolviendo
la palabra que abisma,
lo que entiendo y no entiendo
por este viaje en que llorando aprendo.

Amoroso elemento
forma su fina y leve arquitectura;
con ágil movimiento
de flor sin atadura
abre su vuelo reino de blancura.

Sube de mí, conmigo,
a cumbres de silencio, a ruido vano;
siendo el eterno amigo
con invisible mano
siembra fuego cantor en barro humano.

Su llamada secreta
colma venas de noche, luz vigía;
es canción y saeta,
profunda compañía
íntimo sol . . . para mi breve día.

Le he visto por la nube
con rabel de pastor, cuidando sueños;
por su arboleda anduve
sobre aromas pequeños,
y era el abril de verdes abrileños.

Cuando el clavel tenía
edad de tierna boca adolescente;
cuando el gorrión ponía
aleteo en mi frente,
él ya me daba su lección paciente.

Mi soledad le pide
alta verdad y voz corregidora;
sé que su tiempo mide
vida razonadora
y miseria viviente, hora tras hora.

Calor sin mengua vierte
en puertasola, bajo nieve hundida;
amando me convierte
en amante aprehendida,
y ya no puedo estar semidormida.

Contraluz de mi pecho
a veces me lo vuelve casi nada;
mas del soplo deshecho
su pena derramada
es goce de otra cita enjazmisada.

Isla de mar adentro,
donde dulce marea crece y canta;
iluminado centro
que hasta el cielo levanta
angélico poder de mi garganta.

(*"Sobre el Angel y el Hombre"*, *1962*).

Claudia Lars (Carmen Brannon, salvadoreña, 1899?) ha sido diplomático y es el mejor representante que ha tenido la poesía de El Salvador. Comenzó, bajo la influencia de García Lorca, en 1934, con "Estrellas en el pozo" y encontró su propio estilo en los libros posteriores: "Sonetos", (1947); "Donde llegan los pasos", (1953); "Escuela de pájaros", (1955); "Fábula de la verdad", (1959); "Canciones", (1960); "Sobre el Angel y el hombre", (1962).

MARIA ALICIA DOMINGUEZ

YO NO HE CRUZADO EL MAR

Yo no he cruzado el mar, pero tú llevas
El mundo entero sobre tus pupilas
Que por hondas y graves y tranquilas
Por más que vieron permanecen nuevas.

Yo no he cruzado el mar, pero si elevas
Tus ojos, veo mundos y rutilan
Ciudades bajo el sol, mientras desfilan
Los continentes que en tus ojos llevas.

Cuando te vayas por la noche oscura
Y silencioso, en paz definitiva,
Te halles ya lejos para mis canciones,

Yo gemiré: "Murió la tierra viva"
Y miraré a través de tu alma pura
Los altos mundos, las constelaciones.

("La rueca", 1925).

"El hermano ausente" (1929); "Canciones de la niña de Andersen" (1933); "Romanzas del lucero y el Pesebre" (1937); "Rosas en la nieve" (1940), son las obras principales de esta poetisa argentina, nacida en 1908. Ha sido permeable a la influencia de los grupos ultraístas que la rodearon primero y a la nota nacionalista de los que la admiraron luego. Tocó el tema patriótico y el cristianismo tradicional se mezcló en ella con el hinduismo adquirido. Junto a Margarita Abella Caprille, a Nora Lange, a María de Villarino y a Silvina Ocampo, forma el grupo contemporáneo y continuador de Alfonsina Storni. Otra nueva generación llegó después: Olga María Granata, Ana Emilia Lahitte, María Elena Walsh . . .

MARIA DE VILLARINO

VIDA RETIRADA

No me conceda paz esta amargura
ni calle la razón que más me hiera
si al corazón desnudo no le diera
decoro de alas, defendida altura.

Cielo de ausencias que el vivir apura
renueve su verdad si amor no fuera
bien perdurable y descansada espera
que da del agua aunque la sed procura.

Y niegue al tiempo lágrima obstinada,
constancia de dolor niegue a la vida,
a la razón avaro pensamiento,

que cielo, fuente y vida retirada,
ya es gracia a su presencia concedida,
virtud de vuelo y recobrado acento.

("Calla apartada", 1930).

"Junco sin sueño" (1935); "Tiempo de angustia" (1937); "Elegía del recuerdo" (1940), son las principales obras de María de Villarino (arg. 1909?), que sigue la poesía culterana, hermética, de tradición clásica española.

SOFIA MAFFEI

ALZA TUS MANOS

Alza tus manos a la luz
Aunque la sombra
De tantos sueños rotos se levante
Y ciña tus rodillas
De guirnaldas amargas.

Aunque la tierra
Con blanco duelo de azucena clame
Su viudez incesante
Su destino de madre funeraria
Con dedos otoñales destejiendo
Su gozosa creación
El tapiz de animales y de frutos
Con pueblos y con flores enlazados.

Aunque tu sangre gima derramada
En las venas oscuras de la tierra
Y la lluvia que baña las mejillas
Y los cabellos tristes de tus muertos
Te recubra de asfódelos el pecho.

Aunque tu paso hierá
Con su eterno lamento
La carne mutilada de los mármoles
Entre zarzas salvajes relatando
La muerte de los dioses
Y en tus oídos llore la nostalgia
De la voz de Safo incorporada
De nuevo
Al gran silencio
Sobre la roca de las lamentaciones
Alza tus manos a la luz
Y canta.

Entre las mujeres poetas que en Argentina cultivaron la poesía pura, Sofía Maffei es una de las mujeres más jnspiradas. A pesar de haberse negado a publicar sus poemas en libros, su influencia ha sido importante en los poetas de su generación.

CLARA SILVA

TE PREGUNTO, SEÑOR

Te pregunto, Señor,
¿es ésta la hora
o debo esperar que tu victoria nazca
de mi muerte?

Estoy en la infancia de tu nombre.
Voy de la mano por tu desangrada noche;
me caigo, me levanto,
vuelvo a caer arrastrándote conmigo
en la ceguedad de mis pasos.

No soy como tus santas,
tus esposas,
Teresa, Clara, Catalina,
que el Angel sostiene en vilo
sobre la oscuridad de la tierra,
mientras tu aliento
tempranamente las madura.

No soy siquiera como aquellas
que te siguen humildes
en el quehacer del pan y la casa,
pero amamantando tu esperanza
sin saber de tus graves decisiones.

Soy como soy,
yo misma,
la de siempre,
con esta muerte diaria
y la experiencia triste
que guardo en los cajones
como cartas;
con mi pelo, mi lengua, mis raíces,
y el escándalo que hago con tu nombre
para oírme;
y tu amor que revivo en mí cada mañana,
masticando tu cuerpo
como un perro su hueso

Y nada ha cambiado.
Me derriba en el cuerpo de mi sombra
cada acto de amor, cólera o llanto,
espadas que me cruzan y te cruzan.
De todo lo que fue,
de lo que espero,
el alma se me quema.
Y no fulgura.

("Bodas", 1960).

Clara Silva es una de las nuevas poetisas del Uruguay que
más interés despiertan. Su libro "Bodas" muestra su apasionada
conversión al catolicismo y los transportes de los "goces místicos"
que de pronto la alzan o la derrumban en una fe torturada y sin
sostén. Dios parece no responder a las preguntas cuando el poeta
lo increpa, en cambio participa del poeta mismo cuando éste, como
un sacerdote, entrega su espíritu a la divinidad en bodas espirituales, como las describió Ruysbroeck.

SARA DE IBAÑEZ
TIEMPO III
I

El alba multiplica sus alertas.
Sopla desde la mar sobre el cerezo
su ráfaga de espumas entreabiertas.

Mi flauta ondula un vago desperezo
y estrenando una sombra aljofarada
la ciega lidia de mi sangre empiezo.

Con brusco andar de engavillado río
despierto a la sonámbula manada.
Gira un pez en su gruta nacarada;
late un guijarro en el desnudo frío.

Corto es mi sueño. ¡Oh lúcida agonía!
Con punzantes palomas de agrio fuego
el alma entre mis médulas porfía.

Parto, vuelvo a partir y nunca llego:
de una abeja a su miel mi sol se enfría.

II

En la bullente luz de la majada
quejas de caracolas y zorzales.
Caramillos de miel. Flauta salada.

Rozan mi pecho júbilos boreales.
Rumor de selva aguda y ventisqueros
entre el caliente andar de los erales.

Cruje una orquídea en la boscosa llama.
Silban los arenales prisioneros.
Y sobre el leve olear de los corderos
un pálido bramido se derrama.

A la intemperie sin orilla ofrezco
puro el oído en mi llagada vela.
Brisas indago, ráfagas padezco
y hundido en la profunda pastorela
muriendo a briznas, en el ángel crezco.

XIV

Si a un hemisferio de panal sonrío
en el nocturno de la miel desciendo
entre aguijones de cuajado frío.

En brasa de paloma el aire hiendo,
transparente de amor, largo en promesa,
y ya el limo del mar me está comiendo.

Voraz la breña avanza repentina
cuando mi huerto adulta flor confiesa,
y el implume zorzal que en mi profesa
de rudísimo azor se contamina.

Seguro estoy de alzar la vestidura
del trigo, de entreabrir los manantiales,
cuando es mi pan espina y quemadura
y el olor de las trojes celestiales
hunde en azul carroña la onda pura.

XV

Tu aire esculpe el otoño en mi garganta.
La lumbre de las uvas montaraces
mis arriscadas vértebras levanta.

Dividido entre lágrimas rapaces
cruzo tus laberintos transparentes
empañados de perros y torcaces.

Palpo en tu rostro mis cenizas, claras,
mis pies vislumbro en tus cerradas fuentes.
Todo me nombra en cláusulas ardientes
y tú de toda puerta me separas.

En ti soy, de tí vengo, a tí me inclino.
Columnas son mis huesos de tu hoguera.
Sílaba de tu canto es mi camino.

Pero mi triste boca es extranjera
oh, duro reino, en tu solar divino.

("Pastoral", 1948)

Mientras Clara Silva ahonda en la línea que le mostró Juana
de Ibarbourou en su última época: hacia un catolicismo interrogante
y quizás inseguro a pesar del ruido de las palabras, su compatriota
Sara de Ibáñez, guiada en la poesía pura por la mano de Garcilaso
y Fray Luis de León, alcanza un alto grado en la mística hispanoamericana moderna. Sus poemas no discuten la justicia o la injusticia de Dios, no interroga la naturaleza que es el testimonio mismo
de la creación, sus poemas miran "desde el Paraíso" al mundo terrenal y no, como casi siempre ocurre —y es visible en los poemas
de Clara Silva— de la insegura tierra a la isla de bienaventuranza.
Publicó "Canto" en 1940 y Pablo Neruda dijo de ella que recogía
de Sor Juana Inés de la Cruz "un arrebato sometido al rigor". En
1943 aparece "Hora ciega" y en 1952 cambia el tono hacia un complejo patriotismo con "Artigas".

El Culteranismo

POESIA PURA
POESIA RELIGIOSA
POESIA EXISTENCIAL

La "fiebre" de cultura del modernismo, su intento de tras-
plantar culturas foráneas, terminó en la reacción panamericanista
del mundonovismo. Después de un período de prosaísmo poético
—como consecuencia de las crisis sociales y de la guerra de 1914—
la vanguardia volvió a llevar a primer plano la condición del hombre
en el mundo. Como dijimos en la sección correspondiente, el vanguardismo fue un movimiento culterano; pero espúreo, con influ-
jos folklóricos y tendencias sociales. Simultáneamente, y arrancando
más de la poesía de la nación que del mundonovismo, se desarrolla
una poesía culta, con fines puramente estéticos, que no intenta reformar o civilizar el ambiente; sino crear belleza, sin buscar en
lo bello otra finalidad. Sin embargo, es esta segunda "torre de
marfil" más verdadera que la de los modernistas, la que comienza
a investigar la crisis del hombre con respecto a él, en sí —el mismo
propósito que tuvo la vanguardia—. Desde la influencia de Paul
Valery, que continuaba la de Stéphane Mallarmé, se llegará a la
de Thomas Stearns Eliot. Si agrupáramos sus temas principales
habría que comenzar por "belleza y eternidad", continuar con "tiempo y vida" (tema que inició Ramón López Velarde y que desarro-
llaron Alfonso Reyes y Enrique Banchs), seguir después con "la
muerte", tan caro a la generación mexicana que se reunió alrededor
de la revista "Contemporánea", para derivar de éste la investigación
religiosa, su consecuencia lógica, por un lado; y la poesía existencial
última, que trata de resolver el problema de la condición humana
con prescindencia de Dios, por el otro.

Nosotros, para no interrumpir la continuidad en la evolución
histórica que venimos tratando de mostrar en esta Antología, no
analizaremos en particular cada uno de estos temas sino que los
reuniremos en tres conglomerados: poesía pura — poesía religiosa — poesía existencial.

POESIA PURA

El modernismo quiso importar cultura, asimilar culturas foráneas como único medio de civilizar a estas tierras salvajes. Se
cayó así en la recreación de lo ya creado. El producto al ser enviado
a Europa, deslumbró por su novedad más aparente que real, pues
era como mirarse en un espejo sin reconocer la faz. Más que la

originalidad formal, lo que reveló el modernismo al mundo fuera de estas tierras era el talento y la inspiración de los hombres de América.

El culteranismo es consciente de este talento y trata de establecer una corriente inversa a la del modernismo: exportar la cultura que antes importaron y reexpidieron. Pero exportar cultura propia, original, sin fronteras ni límites geográficos. Un mexicano no es diferente, dentro de la capacidad creadora, de un francés. Nada de folklorismos entonces, sino con un sentido eglógico, o con sabor al siglo de oro. Poesía pura, en una palabra, pero no sometida a los rígidos y fríos cánones parnasianos, sino viva, modulada, siempre refinada —y más si aparenta ser rústica, como las antiguas Arcadias pastoriles—; los americanos no necesitan usar plumas ni tipismos superados.

Tal es la tesis de ese período poético que tiene a Góngora y a Paul Valery como principales inspiradores, que se produce como una reacción contra el vulgarismo o prosaísmo de comienzos de siglo.

Sin embargo, muy pronto estos poetas puros —y sus continuadores—, con Gorostiza, Novo, Torres Bodet, Arrieta, Roxlo, Ercasty, Juvencio Valle siguen distintos rumbos. Las doctrinas americanistas van a actuar sobre la creación de mexicanos como Alfonso Reyes, mientras que el tema inquietante del tiempo, la muerte, el sentido de la vida, abre perspectivas más hondas para la inmediata poesía existencial. Pellicer, Marechal, Bernárdez, continúan el culteranismo pero ya sin preocuparse de la "poesía pura" sino que andan por el camino del conflicto religioso que ha vuelto a plantearse. La etapa siguiente es la poesía existencial que veremos al cerrar esta antología.

ALFONSO REYES

DESCONCIERTO DEL POETA

Atónito, el poeta surgió desde sus mares,
enredado de algas;
mas la fosforescencia que traía en los ojos
no lo dejaba ver.

Hecho a su reino acuático,
el aire le agrumaba la garganta,
y quería nadar por el espacio,
dando sólo traspiés.
Lo rodeó la multitud a gritos,
y creyó ensordecer.
Lo coronaron de guirnaldas ásperas,
y creyó que le echaban cadenas de laurel,
cadenas en las sienes, las peores cadenas,
que ya nada dejan entender.

Y dijo a la Sirena:
—Huyamos prontamente a donde no nos vean
(la Sirena era su mujer);
tornemos a las grutas del ámbar cristalino
y al mar color de vino
que se solaza en los amaneceres
cuando, a la fresca, burbujea el pez,
y arráncame estas trenzas de laureles
que me arañan la piel.

SIN REPOSO

I

Insobornable pensamiento mío,
atento celador de mi cuidado,
¿cuándo me dejarás algún desvío,
desaprensión, olvido, desenfado?

Ceñí las aguas del bullente río
como por duro cauce bien labrado,
y pasmo fue si cada desvarío
halló la ley de oportuno vado.

Sufrí, gocé, fié la puerta franca
a las rojas imágenes del mundo,
que no mancharon mi morada blanca;
y digo, como nuevo Segismundo,
que sueño lo que vivo
y que vivo de sólo pensativo.

II

No deliraba Góngora por cierto:
La brújula del sueño vigilante
me trae desvelado bogavante
de mi celoso corazón despierto.

No duermes, corazón: entreabierto
el claustro de la noche vacilante,
filtra su luz la voluntad constante,
y ni reposo ni quietud concierto.

No se me da la gracia del olvido,
No se me da la dulce flor de loto
que mitigue mi ánimo rendido.

Forzado soy si me soñé piloto,
y voy despierto cuando más dormido
entre las risas del velamen roto.

RIO DE ENERO

I

Va tejiendo el emparrado,
espada de lanzadera,
enramada, corretona
luna de Santa Teresa.
Entre pestañas prendidos,
mientras huyen en pavesas,
presos y libres los ojos
convidan paz y dan guerra.

Y tiembla un negrito enjuto
y en su guitarra se enreda,
novio en fuga que se abraza
con una mujer pequeña.

Mujer trabada en la hora,
libre aunque, se da y ajena.
¡Cómo todo fluye, y todo
se va de donde se queda!

De las copas de las flores
escurren gotas de esencia:
a la vez que se consume,
otra vez todo comienza.

Abajo se escapa el mar
en la misma luz que entrega,
y aunque se escapa, no sale
de las manos de la tierra.

Pasa el jinete del aire
montado en su yegua fresca,
y no pasa: está en la sombra
repicando sus espuelas.

¡Eso de estar junto a mí,
y hace años que estaba muerta!
¡Eso de engañar a todos
como Zenón con su flecha!

Se enlaza el tiempo en la voz:
la canción tiene pereza.
Con ágiles pies los ángeles
se dejan venir a tierra.
—Voladora y quieta luna,
garza de sí misma presa,
entre arabescos de hojas
va, y no va, rueda y no rueda.

("Huellas", 1922).

Reyes comparte con Henríquez Ureña, Vasconcelos, Antonio Caso, Justo Sierra, las ideas americanistas que sustenta en México el "Ateneo de la juventud", fundado por ellos. Reyes adora la belleza de la antigua Grecia, modelo de un pueblo disciplinado por la cultura, y preconiza la reconciliación con España. Si los clásicos —traduce la Ilíada— lo influencian, y el español lo enamora —hay cierto hermetismo gongorino en su poesía—, y García Lorca le señala nuevos caminos (inventa para la vanguardia, que él no comparte personalmente, una teoría de la palabra "jitanjáfora"). En la poesía de Reyes se mezcla la oscuridad, al tratar el tema del tiempo —como en "Río de enero"— con la transparencia de su "Glosa de mi tierra", uno de sus poemas más conocidos. . . . . . .

ENRIQUE BANCHS

ROMANCE DEL CAUTIVO

Mujer, la adorada
que está en el solar,
tus mejillas suaves
ya no veré más.

Hijos, los que quise,
mi mejor laurel:
mis hijos dormidos
nunca más veré.

Estrella de tarde
que encendida ví
sobre mi molino,
se apagó por fin.

Buenos compañeros
los que en el mesón
conmigo bebieron,
todo pereció.

Me cogieron moros
en el mar azul;
lloro en morería
la mi juventud.

("*El cascabel del halcón*", 1909).

CARRETERO

Oloroso está el heno, carretero,
oloroso está el heno;
huele a trébol del valle, a vellón nuevo
y al patio viejo del mesón del pueblo.

Oloroso está el heno en la carreta,
el heno de la húmeda pradera
sembrada de corderas . . .
¡Oh, pradera que está en la primavera!

. . . .

—Lo cortamos, cuando era luna nueva,
—¿Sonaba la vihuela?
—Sí, una vihuela de baladas llena
a la luz de la luna, luna nueva.

. . . .

Quien sabe si es tristura
la que empaña la breve felpa oscura
del ojo de los bueyes, de la yunta
de mansedumbre grave y de dulzura.

Carreta y carretero
se humedecen en ese raso viejo
del ojo de los bueyes, y por eso
están tus manos tristes, carretero.

Tus manos grandes, óseas, morenicas,
como sarmientos de las viejas viñas,
sobre el heno oloroso están dormidas,
carretero que vas para la villa.

("*El cascabel del halcón*", *1909*).

SONETOS

Hospitalario y fiel en su reflejo
donde a ser apariencia se acostumbra
el material vivir, está el espejo
como un claro de luna en la penumbra.

Pompa le da en las noches la flotante
claridad de la lámpara, y tristeza
la rosa que en el vaso, agonizante
también en él inclina la cabeza.

Si hace doble el dolor, también repite
las cosas que me son jardín del alma
y acaso espera que algún día habite

en la ilusión de su azulada calma,
el Huésped que le deje reflejadas
frentes juntas y manos enlazadas.

*

Fueron un tiempo mi apagada suerte
diminuto dolor, dicha menuda:
la vida a un lado me dejó, sin duda;
sin duda, a un lado me dejó la muerte . . .

Tenía esa paz que sordamente anuda
el nervio fino más vibrante y fuerte;
temí que el alma, poco a poco inerte,
se me quedara para siempre muda.

Pero el silencio, roto apenas, era
acecho inmóvil de escondida fiera . . .
Saltó de pronto en la callada ruta

y supe entonces del vivir bravío,
tanto, que ahora solamente ansío
dolor menudo y dicha diminuta.

*

Muerta suntuosidad, marchitos oros,
púrpura desteñida, pompa inmota,
corona seca en la columna rota
del templo solo, silenciosos foros;

parques que el olifante hizo sonoros,
caída estatua en la que puso cota
sombría el musgo, pátina que embota
el brillo agudo en bruma de tesoros:

morada son dilecta de mi alma
que, alumna secular, prefiere ruinas
próceres, a la de hoy menguada palma,

y pliega, entre el fragor de vanos vientos,
las inútiles alas aquilinas
en las cenizas de los monumentos.

("*La urna*", 1911).

Cuatro libros escribió Enrique Banchs en su juventud. Luego desistió de publicar, a partir de "La urna", aunque no de escribir. En el transcurso de los años son muy pocos los poemas nuevos que ha dado a conocer y es difícil advertir en ellos rumbos diferentes suficientemente claros como para dictaminar sobre su evolución espiritual. Las razones por las cuales Banchs se silenció a él toca explicarlas, la conjetura es adivinanza. "La urna" tuvo una continuada influencia en varias generaciones de poetas. Su rara perfección, que no llega a la frialdad parnasiana, llamó la atención y fue ejemplo de buen rimar. Pero lo importante, tal vez más fácil de advertir ahora que entonces, es que introdujo al hermetismo cultista —es obvia su admiración por el siglo XVI español— una serie de temas que pasarían de inmediato a otros poetas y que son, si bien se mira, los mismos de la poesía existencial: la finitud y el sentido de la vida, la falsedad de la apariencia, el tiempo y la muerte, la sabiduría de la contemplación para llegar a la clave del existir.

RAFAEL ALBERTO ARRIETA

CANCION DE LOS DIAS SERENOS

Tenemos el corazón
abierto como una rosa
y liba en él la mariposa
de juventud, la ilusión.

En los labios musicales
canción y beso han nacido
juntos, al calor del nido
de los ensueños cordiales.

Los ojos, a toda forma
dan su dulzura, y en torno
armonizan el contorno
con la visión de su norma.

Y vemos crecer el día
como un árbol a la vera
de un amor de primavera
que canta, espera y confía.

(Y van las horas fatales
hilando la eternidad
con esta fugacidad
de nuestras vidas mortales.

Mas nada en redor advierte
la inevitable presencia:
tal es la ilusoria ausencia
del dolor y de la muerte ...

Miramos crecer el día
como un árbol absoluto
de cuyo inminente fruto
se nutre la fantasía.

El sol renueva las cosas
con su oro matinal,
y da su amor sustancial
a las almas y a las rosas ...

Inefable beatitud
la de estar sano y ser bueno
y adormecerse en tu seno
¡pasajera juventud!

Serenidad, honda fuente;
en tu espejo cristalino
muéstrame casi divino:
silencioso y transparente.
　　　　("El espejo de la fuente", 1912).

ARTURO MARASSO

POEMAS DE INTEGRACION
(Fragmentos)

Distraído en los campos, cedo al vagar del aire,
es el verano inmenso; me arrastra, me disuelve,
me transforma en las ramas, me dispersa en los brillos,
me da el sabor, el líquido maduro de las savias,
no soy ajeno, vívido coleóptero; amistoso
llego a estas hondonadas de fiesta en los penachos
de carrizos soy huésped de las fragantes hierbas,

del tatú, del escuerzo, del chajó, del chingolo;
soy con la tierra parte de la familia múltiple,
un desnivel no temas, ni en mi intención sospeches
la crueldad instintiva; de aplastar no me glorio,
no creas que mi heráldica quiera imponer un cetro,
me colma el vaho cálido del mediodía, tienen
mi expresión las cigarras; aroma de resinas
verdes, un blanco cúmulo, la nave de colores
entre el frescor de hojas y el encontrarnos nuestros.

*

De la hundida tinaja llega una deliciosa
fragancia, son las viñas prendidas a los álamos
verdes; al sol, copiosos se daban los racimos,
entre esta arcilla rota se embriaga aún el zumo;
busca aún las raíces, la corona de pámpanos,
vestigio herido aspira, toca el muro que impide,
detrás del muro quedan los estíos, las viñas,
en la miel de las uvas la luz en gotas de ámbar.

*

Llaman, me llama el árbol con mi ocultado nombre,
y el animal y el ave, me ha llamado la piedra,
me llaman mis sentidos, mis ignotos abuelos,
y la estrella marina y el espíritu errante,
me llama el desasido vagabundo que emprende
rutas en ascensiones de imprevistas distancias,
confianza en el acceso del umbral destellante
la esparcida palabra del todo me ha llamado.

*

Quiso andar y lo ataban los prodigios; tenía
el sol, la luna, el verde resplandor de la tierra;
lo que el musgo no dice su lenguaje decía
salido del misterio que a la palabra encierra;
su humildad en retoños se daba al aire bello,
su pie nació del agua que destila la gruta,
un aroma de noches traía en su cabello,
y en sus manos había la ofrenda de una fruta.

("Poemas de integración", 1963).

362

CONRADO NALE ROXLO

EL GRILLO

Música porque sí, música vana
como la vana música del grillo,
mi corazón eglógico y sencillo
se ha despertado grillo esta mañana.

¿Es este cielo azul de porcelana?
¿Es una copa de oro el espinillo?
¿O es que en mi nueva condición de grillo
veo todo a lo grillo esta mañana?

¡Qué bien suena la flauta de la rana!
Pero no es son de flauta: es un platillo
de vibrante cristal, de a dos desgrana

gotas de agua sonora. ¡Qué sencillo
es a quien tiene corazón de grillo
interpretar la vida esta mañana!

("El grillo", 1923).

MEDITACION ANTE UN PUÑAL

Duro puñal, espejo de la muerte,
Puente resbaladizo del infierno.
Helado surtidor de aguda punta
Hacia nubes de sangre levantada.
Tu cruz erige tumba provisoria
En que es lápida el pecho abandonado
Por el alma inmortal que huyó de pronto.
Lívido ejecutor de la venganza.
Clavado estás sobre mi mesa y brillas
Con reflejos de luna sobre el ébano
Como la antorcha de Caronte, pálida,
En las oscuras aguas del silencio.
Tiene tu puño acogedora forma.
Mi mano en él tan cómoda se siente,

363

Que el espanto me sube por el brazo
Como un lento veneno. Y me pregunto
En la profunda noche en que te miro:
¿Tu rayo azul alumbrará la luna
De las encrucijadas temerosas
Junto al negro caballo encabritado?
¿O en verde campo con monedas de oro,
Oro de naipes clavarás, vibrante,
Con la rápida mano del fullero?
¿Nocturno vino correrá mezclado
A la violenta sangre que derrames?
¿O el pecho del tirano, austeramente
Traspasarás en horas de justicia?
¿Qué oscuro azar despertará tus filos,
Duro puñal, espejo de la muerte?

("Claro desvelo", 1938).

HOY

Nada me preguntéis, que nada he visto.
Del pájaro no sé, ni sé del canto.
Sólo en espejos de caliente llanto
La inútil sangre ví correr del Cristo.

No sé quién soy, ni sé para qué existo.
Crece ante mí la flor del espanto.
Y el temeroso paso que adelanto
Las losas pisa de un dolor previsto.

Cerradas puertas, negras torres mudas.
Cadáveres de niños y campanas.
Gesticular de euménides y dudas.

Muertas bajo un laurel las nueve hermanas.
Y mis manos ardientes y desnudas
Escribiendo al azar palabras vanas.

("Claro desvelo", 1938).

Como hicimos en otras secciones de esta Antología, preferimos agrupar poetas de un mismo país, en la seguridad de que igual trayectoria (sujeta a lógicas variantes formales pero no esenciales) sigue la poesía de la misma época en otros pueblos de América. Rafael Alberto Arrieta introdujo en Argentina un lirismo, cuyo sencillismo era más complejo de lo que aparentaba ser. El refinamiento de la forma simple caracterizó al poeta que conocía muy bien a los líricos ingleses. Arturo Marasso, el gran erudito —en ese terreno comparable con Alfonso Reyes—, especialista en los clásicos españoles, la autoridad más alta sobre Rubén Darío, fue siempre un poeta de singulares méritos. O clásico griego o gongorino puro, nunca concedió nada al vulgo, creyó en ella y proclamó a la poesía única expresión posible del alma. Hermético a fuerza de profundo, con un sentido pánida de la naturaleza, es quizás el mejor ejemplo de poesía pura —el arte por el arte, la belleza no utilizable para cosas "prácticas", sino por ella misma— que podamos brindar. Finalmente, Conrado Nalé Roxlo, donde la sencillez elaborada de estos culteranos —una sencillez muy distinta a la de la poesía con inspiración folklórica que se cultiva simultáneamente— alcanza la perfección de su famoso poema "El grillo", trae otros interrogantes e inclina el camino de los culteranos argentinos hacia el rumbo donde se destacará Ricardo Molinari y que veremos poco a poco.

ELIAS NANDINO

VOZ DE MIS SOLEDADES

I

Estoy solo en el grito inesperado
que tengo en mi sabor de obscuridades
para llenar de voz mis soledades
y revivir mi ser deshabitado.

Corre miedo de muerte por mis venas
y mi sangre dolida se adelgaza
en una pena que temblores llora.

Si muero estoy entre las muertes llenas
de la inquietud de muerte que me abraza

Mi cuerpo se atormenta, desolado,
en una larga sombra de crueldades
y el pensamiento rueda en tempestades
de presencias de infierno exasperado.
¿con qué muerte podré salvarme ahora?

XAVIER VILLAURRUTIA

DECIMA MUERTE

¡Qué prueba de la existencia
habrá mayor que la suerte
de estar viviendo sin verte
y muriendo en tu presencia!
Esta lúcida conciencia
de amar a lo que nunca visto
y de esperar lo imprevisto;
este caer sin llegar
es la angustia de pensar
que puesto que muero existo.

Si en todas partes estás,
en el agua y en la tierra,
en el aire que me encierra
y en el incendio voraz;
y si a todas partes vas
conmigo en el pensamiento,
en el soplo de mi aliento
y en mi sangre confundida,
¿no serás, muerte, en mi vida,
agua, fuego, polvo y viento?

. . . .

Por caminos ignorados,
por hendiduras secretas,
por las misteriosas vetas
de troncos recién cortados
te ven mis ojos cerrados
entrar en mi alcoba oscura
a convertir mi envoltura
opaca, febril, combatiente,
luminosa, eterna y pura,
en materia de diamante.

. . . ., ...

En vano amenazas, Muerte,
cerrar la boca a mi herida
y poner fin a mi vida
con una palabra inerte.
¿Qué puedo pensar al verte,
si en mi angustia verdadera
tuve que violar la espera;
si en vista de tu tardanza
para llenar mi esperanza
no hay hora en que yo no muera!

(México, 1941).

R E L O J

En el fondo del alma
un puntual enemigo
—de agua en el desierto
y de sol en la noche—
me está abreviando siempre
el júbilo, el quebranto;
dividiéndome el cielo
en átomos dispersos,
la eternidad en horas
y en lágrimas el llanto.

¿Quién es? ¿Qué oscuros triunfos
pretende en mí este avaro?
¿Y cómo, entre la pulpa
del minuto impalpable
se introdujo esta larva
de la nocturna fruta
que lo devora todo
sin dientes y sin hambre?

Pregunto... Pero nadie
contesta a mi pregunta
sino —en el vasto acecho
de las horas sin luna—
la piqueta invisible
que remueve en nosotros
una tierra de angustia
cada vez más secreta,
para abrir una tumba
cada vez más profunda.

("*Fervor*", *1918*).

JAIME TORRES BODET

CIVILIZACION

Un hombre muere en mí siempre que un hombre
muere en cualquier lugar, asesinado
por el miedo y la prisa de otros hombres.

Un hombre como yo durante meses
en las entrañas de una madre oculto;
nacido, como yo,
entre esperanzas y entre lágrimas,
y —como yo— feliz de haber sufrido,
triste de haber gozado,
hecho de sangre y sal y tiempo y sueño.

Un hombre que anhelé ser más que un hombre
y que, de pronto, un día comprendió
el valor que tendría la existencia
si todos cuantos viven
fuesen, en realidad, hombres enhiestos,
capaces de legar sin amargura
lo que todos dejamos
a los próximos hombres:
el amor, las mujeres, los crepúsculos,
la luna, el mar, el sol, las sementeras,
el frío de la piña rebanada
sobre el plato de laca de un otoño,
el alba de unos ojos,
el litoral de una sonrisa
y, en todo lo que viene y lo que pasa,
el ansia de encontrar
la dimensión de una verdad completa

. . . .

("Cripta", 1937).

OCTAVIO PAZ

ELEGIA

A UN JOVEN COMPAÑERO MUERTO EN EL FRENTE

I

Has muerto camarada,
en el ardiente amanecer del mundo.
    Y brotan de tu muerte,
    horrendamente vivos,
tu mirada, tu traje azul de héroe,
tu rostro sorprendido entre la pólvora,
tus manos, sin violines ni fusiles,
    desnudamente quietas.

Has muerto. Irremediablemente has muerto.
Parada está tu voz, tu sangre en tierra.
Has muerto. No lo olvido;
¿Qué tierra crecerá que no te alce?
¿Qué sangre correrá que no te nombre?

¿Qué voz madurará de nuestros labios
que no diga tu muerte, tu silencio,
el callado dolor de no tenerte?
Y alzándote,
    sembrándote,
dando voz a tu cuerpo desgarrado,
    sangre a tus venas rotas,
labios y libertad a tu silencio,
    crecen dentro de mí,
    me lloran y me nombran,
    furiosamente me alzan,
    otros cuerpos y venas,
otros abandonados ojos campesinos
otros negros anónimos silenciosos.

Jaime Torres Bodet, Elías Nandino, Xavier Villaurrutia, Bernardo Ortiz de Montellano, José Gorostiza, y más recientemente Alí Chamucero, Efraín Huerta, Rosario Castellanos, Margarita Michelena, marcan un período muy especial de la literatura poética mexicana: el que va de Alfonso Reyes (o tal vez debiéramos decir Ramón López Velarde) a Octavio Paz. El período en que al intento de poesía pura de Reyes, se sucede inmediatamente la inquietud culterana del grupo de "los poetas de la muerte", como se llamó a los de la revista "Contemporánea". Villaurrutia, que incursionó en el superrealismo, en esencia fue un buscador de la propia sustancia humana a través del lenguaje revelador de la poesía (véase "Nocturna rosa", otro de sus grandes poemas ya de intención metafísica). En Elías Nandino, como en Gorostiza o Montellano, el neoclasicismo español se hace presente. Pero el sentimiento de la muerte, tan fuerte en el México postrevolucionario que, a poco de aquietarse él mismo recibe el gran influjo de los refugiados de la guerra civil española, despierta otros sentimientos de interrogación sobre la vida misma, sobre la conducta final del hombre. El proceso de tentación social es claro en **Torres Bodet**; e inicia a Octavio Paz: su poesía parece que se encaminará al terreno al que Neruda lleva la suya. Pero Paz reacciona, y lo siguen Efraín Huerta, Rosario Castellanos, Margarita Michelena (v. poesía femenina): allí comienza, después del culteranismo por un instante amenazado por la propaganda social, la poesía de la existencia. Un desvío, un puente entre la poesía pura y la poesía existencial, un intento de conocimiento definitivo, lo da la poesía religiosa, de la cual Carlos Pellicer —que la trasciende— es el más alto ejemplo mexicano.

POESIA RELIGIOSA

Aunque la Iglesia participó de los movimientos revolucionarios de las independencias, las ideas liberales hicieron que los poetas se desinteresaran del tema religioso puro. Las alusiones a Dios eran más exclamativas y de intención dramática, que espirituales y profundas. El poeta, el yo romántico, estaba siempre antes que la divinidad.

El período de la Nacionalidad divide a los sectores: los liberales son prescindentes católicos; los conservadores son católicos militantes y apegados a la tradición. Estanislao del Campo, por ejemplo, el poeta gauchesco, tiene un largo poema a Jesús. No hay rompimiento agrio entre un bando y otro hasta que no irrumpen las transformaciones sociales poco antes de la guerra de 1914. Hay, naturalmente, atormentados, individualistas con pura fe, como Manul Gutiérrez Nájera o Amado Nervo. Habrá en el postmodernismo "endemoniados", como Rafael Arévalo Martínez; y voces de odio a la Iglesia como institución, en los poetas comunistas del vanguardismo (Neruda). Pero es interesante anotar que el liberalismo finisecular, las renovaciones sociales, producen un eclipse advertible en la poesía religiosa que tanta importancia tuvo en los primeros siglos de Hispanoamérica. El modernismo propiamente dicho solamente por excepción, como en el caso de Guillermo Valencia, trata de un catolicismo verdadero, que escape a la confesión o la efusión personal y entre en la corriente de la mística o el ascetismo.

La vanguardia y los movimientos del vulgarismo o prosaísmo

de la primera postguerra encuentran, en el medio intelectual, a poetas escépticos. Pero a partir de 1930 se produce la reaparición —a través de los movimientos nacionalistas— de una poesía de militancia católica, paralela a la poesía de militancia social. Allí está Gabriela Mistral que continúa el interrogarse ansioso de Ramón López Velarde ("mi corazón se amerita"). Allí comienzan Marechal, Bernárdez, Pellicer. Los tres nombres más importantes de la poesía católica en América. Son ellos los que, en la postguerra de 1945, convierten a la poesía religiosa en militante, para oponerla a la poesía proselitista a la vez que una culminación del culteranismo poético.

En ella se advierte, sin embargo, una escisión visible de los poetas católicos con la Iglesia. Hay algo así como una rebelión angélica y el poeta se enfrenta al Dios, al cual adora y en el cual cree, pero con un gesto insumiso; ya no interroga a la divinidad sino que le plantea los problemas del hombre y le exige la orientación necesaria para resolverlos.

MANUEL GUTIERREZ NAJERA

¿Señor, en dónde estás? ¡Te busco en vano!
¿En dónde estás, oh Cristo?
¡Te llamo con pavor porque estoy solo,
como llama a su padre el pobre niño!
¡Y nadie en el altar! ¡Nadie en la nave!
¡Todo en tiniebla sepulcral hundido!
¡Habla! ¡Que suene el órgano! ¡Que vea
en el desnudo altar arder los cirios!...
¡Ya me ahogo en la sombra... ya me ahogo!
¡Resucita, Dios mío!

("Después", 1889).

Manuel Gutiérrez Nájera (Mex. 1859-1895), en cuya alma selecta Justo Sierra decía que alberga la gracia, con minúscula, sufrió toda su vida la tortura de la Gracia, con mayúscula. Su madre lo dedicó a la carrera eclesiástica y aunque no fue sacerdote las precoces lecturas de los místicos lo arrastraron a escribir versos como "Después" (y a los 18 años escribe "La Cruz", "María", "Dios"). Su conflicto, en el México de Porfirio Díaz, fue interior y si su biografía no tiene accidentes mayores exteriores, quien siga el trazo a sus poemas advertirá cuán profundas eran las tormentas del alma azul y parisina de Gutiérrez Nájera.

AMADO NERVO

LA HERMANA AGUA
(Fragmento de "El agua multiforme")

¡Por qué tantos anhelos sin rumbo tu alma fragua
¿Pretendes ser dichoso? Pues bien: sé como el agua;
sé como el agua, llena de oblación y heroísmo,
sangre en el cáliz, gracia de Dios en el bautismo;
sé como el agua, dócil a la ley infinita,
que reza en las iglesias en donde está bendita,
y en el estanque arrulla meciendo la piragua.
¿Pretendes ser dichoso? Pues bien: sé como el agua;
viste, cantando, el traje de que el Señor te viste,
y no estés triste nunca, que es pecado estar triste.
Deja que en ti se cumplan los fines de la vida;
sé declive, no roca; transfórmate y anida
donde al Señor le plazca, y al ir del fin en pos,
murmuras —¡Que se cumpla la santa ley de Dios!
Lograrás, si lo hicieres así magno tesoro
*   de bienes, si eres bruma, serás bruma de oro;*
si eres nube, la tarde te dará su arrebol;
si eres fuente, en tu seno verás temblando al sol;
tendrán filetes de ámbar tus ondas, si laguna
eres, y si océano, te plateará la luna.
Si eres torrente, espuma tendrás tornasolada,
y una crencha de arco iris en flor, si eres cascada.
*   Así me dijo el agua con místico reproche,*
y yo, rendido al santo consejo de la Maga,
sabiendo que es el Padre quien habla entre la noche,
clamé con el Apóstol:—Señor ¿qué quieres que haga?

("Poemas", 1901).

VIEJO ESTRIBILLO

¿Quién es esa sirena de la voz tan doliente,
de las carnes tan blancas, de la trenza tan bruna?
—Es rayo de luna que se baña en la fuente,
es un rayo de luna...

¿Quién gritando mi nombre la morada recorre?
¿Quién me llama en las noches con tan trémulo acento?
—Es un soplo de viento que solloza en la torre,
es un soplo de viento...

Di ¿quién eres, arcángel cuyas alas se abrasan
en el fuego divino de la tarde y que subes
por la gloria del éter?
—Son las nubes que pasan;
mira bien, son las nubes...

¿Quién regó sus collares en el agua, Dios mío?
Lluvia son de diamantes en azul terciopelo.
—Es la imagen del cielo que palpita en el río,
es la imagen del cielo...

¡Oh, Señor! La Belleza sólo es, pues, espejismo,
nada más Tú eres cierto: sé Tú mi último Dueño.
¿Dónde hallarte, en éter, en la tierra, en mí mismo?
—Un poquito de ensueño te guiará en cada abismo,
un poquito de ensueño...

("El éxodo y Las flores del camino", 1902).

YO NO SOY DEMASIADO SABIO

Yo no soy demasiado sabio para negarte,
Señor: encuentro lógica tu existencia divina;
me basta con abrir los ojos para hallarte;
la creación entera me convida a adorarte,
y te adoro en la rosa y te adoro en la espina.

¿Qué son nuestras angustias para querer por ellas
argüirte de cruel? ¿Sabemos por ventura,
si tú con nuestras lágrimas fabricas las estrellas,
si los seres más altos, las cosas más bellas
se amasan con el noble barro de la amargura?

Esperemos, suframos, no lancemos jamás
a lo Invisible nuestra negación como un reto.
Pobre criatura triste, ¡ya verás, ya verás!
La Muerte se aproxima. ¡De sus labios oirás
el celeste secreto!

("*Serenidad*", *1904*).

ME MARCHARE

Me marcharé, Señor, alegre o triste;
mas resignado, cuando al fin me hieras.
Si vine al mundo porque Tú quisiste,
¿no he de partir sumiso cuando quieras?

Un torcedor tan sólo me acongoja,
y es haber preguntado el pensamiento
sus por qués a la vida... ¡Mas la hoja
quiere saber dónde la lleva el viento!

Hoy, empero, ya no preguto nada,
cerré los ojos, y mientras el plazo
llega en que se termine la jornada,
mi inquietud se adormece en la almohada
de la resignación, en tu regazo.

(*22 de diciembre de 1915, incluído en*
"*Elevación*", *1917*).

Como Nájera, Amado Nervo (mex. 1870-1919) estuvo des-
tinado a la carrera sacerdotal. Como su compatriota, la duda lo
asaltó en sus primeros libros —"Místicas" (1897), "Perlas Ne-

gras" (1898), "El éxodo y las flores del camino" (1902)— para afirmarse luego en "Serenidad" (1914), "Elevación" (1917) y "El arquero divino", publicado póstumamente. "De la poesía de Nervo se desprenden acentos muy diversos. En "La raza de bronce" llama a Hamlet —símbolo de la duda— su "doliente hermano"; pero no es sólo el hermano de Hamlet el que canta en el trovero de "Los jardines interiores" (1905), en el torvo soñador de "Perlas negras" o en el falso asceta de "Místicas"; es también el neurótico compañero de Verlaine y de Rimbaud", escribe Max Henríquez Ureña.

JUAN JOSE TABLADA

O N I X

Torvo fraile del templo solitario
que al fulgor de nocturno lampadario
o a la pálida luz de las auroras
desgranas de tus culpas el rosario...
—¡Yo quisiera llorar como tú lloras!

Porque la fe en mi pecho solitario
se extinguió como el turbio lampadario
entre la roja luz de las auroras,
y mi vida es un fúnebre rosario
más triste que las lágrimas que lloras.

Casto amador de pálida hermosura
o torpe amante de sensual impura
que vas —novio feliz o amante ciego—
llena el alma de amor o de amargura...
—¡Yo quisiera abrasarme con tu fuego!

..Porque no me seduce la hermosura,
ni el casto amor, ni la pasión impura;
porque en mi corazón, dormido y ciego,
ha caído un gran soplo de amargura,
que también pudo ser lluvia de fuego.

¡Oh, guerrero de lírica memoria
que al asir el laurel de la victoria
caíste herido con el pecho abierto
para vivir la vida de la Gloria...
—¡Yo quisiera morir como tú has muerto!

Porque al templo sin luz de mi memoria,
sus escudos triunfales la victoria
no ha llegado a colgar, porque no ha abierto
el relámpago de oro de la Gloria
mi corazón obscurecido y muerto.

Fraile, amante, guerrero, yo quisiera
saber qué obscuro advenimiento espera
el amor infinito de mi alma,
si de mi vida en la tediosa calma
no hay un Dios, ni un amor, ni una bandera.

("*El florilegio*", 1899).

RUFINO BLANCO-FOMBONA

LA PROTESTA DEL PELELE

¿Locura? Bien. No me resigno;
que se resignen los esclavos.
Deme el Destino la cicuta,
el dolor me clave sus clavos.

Yo no diré: "bendito seas,
mi Dios, tu voluntad acato",;
diré: "soy menos que el insecto
bajo la suela de un zapato;

pero no hay que beber mis lágrimas,
ni placerse en mi desventura,
o asistir con aspecto olímpico
e indiferente a mi tortura;

377

porque en mí, pelele, hay sufrir,
y tengo un alma yo, el enano,
y puedo pesar la injusticia,
y puedo juzgar al tirano".

("Cancionero del amor infeliz", 1918).

RAFAEL AREVALO MARTINEZ

ORACION AL SEÑOR

Ha sido tal vez mi suerte
ser una rama encendida
que se apaga consumida
por su deseo de verte.

La cosa que arde, Señor,
es tal vez cosa que ama;
tal vez, Señor, una llama
no sea más que un amor.

La llama de este dolor
que siento que me consume
y en que es mi verso el perfume
de alguna mirra interior.

Y quién sabe si el dolor
no sea más que una llama
que arde tan dentro en la rama
que no se mira el fulgor.

Tal vez, Señor, el perfume
de la cándida azucena
no sea más que la pena
de un fuego que la consume,

que va tan bajo y profundo
que no sentimos calor;
tal vez, Señor, este mundo
no sea más que tu amor.

Y tal vez nos disgregamos
del fuego de interno hogar
y el mismo amor con que amamos
después nos vuelve a integrar.

Y son tal vez muerte y vida
proceso del mismo amor
de una lámpara encendida
en el fuego del Creador.

("Las rosas de Engaddi", 1927).

ORACION

Tengo miedo, miedo a no sé qué, el miedo de una visión confusa.
Un miedo que desconocen los buenos.
Señor, perdón; no te he amado, pe ro te he temido;

Señor, perdón; no te he amado, pero te he temido;
no pude acogerme a tu misericordia, pero a tu justicia me he
[acogido.

Señor, para mi amor al arte, perdón.
Perdona que en este mismo instante rime mi petición.
Perdón para mi vanidad
perdón porque no soy puro ni sencillo,
Señor, pero me humillo
y reconozco mi maldad.

("Las rosas de Engaddi", 1927).

PEDRO PRADO

PALABRAS DEL RELATO DEL HERMANO ERRANTE

Amarás a Dios,
y huirás de imágenes de Dios.

No hay en el cielo cosa alguna,
las estrellas, el sol, la luna,
que pueden representarlo.

Y no hay en la tierra nada,
ni en el mar, ni en la montaña,
ni en la selva, ni en el alma humana.

Amarás a Dios,
sin encontrar jamás la justa oración;
sin poder balbucear una palabra
que sea luminosa de revelación.

Amarás a Dios,
y no tendrá un eco en tu corazón;
y no valdrá el fuego del éxtasis en tu amor,
para penetrar la sombra de Dios.

Amarás a Dios,
y el desborde de tu gran pasión
te llevará a los hombres
y a los tiernos animales del Señor.

Amarás a Dios,
rogarás todo el curso de la vida
por verlo y por oírlo;
y morirás. Cuando no vean ya tus ojos,
cuando tus oídos ya no oigan,
volverás a Él; volverás a Dios.

Muerta tu alegría y tu dolor;
muertas tus ansias; muerto tu amor,
entrarás, ignorando, silencioso, en la sombra de Dios.

Podría hablarse del grupo de los "endemoniados". Pero ¿quién en la época nuestra no lo es? ¿Qué hombre no lo ha sido, en cualquier época si ha sospechado la presencia de Dios y se ha sentido más humano que divino, incapaz de redimirse? El tema del Dios admitido pero no aceptado es frecuente en la poética modernista. El poeta se encara con Dios, pero no se somete a él; a veces por falta de fe, otras por falta de sumisión o por su falibilidad carnal. "Onix", de Juan José Tablada (mex. 1871-1945), "La protesta del pelele", de Rufino Blanco-Fombona (venez. 1874-1932), "Oración al Señor" y "Oración", del misterioso Rafael Arévalo Martínez (guat. 1884) y "Palabras del relato del hermano errante", de Pedro Prado (ch. 1886-1952), plantean el problema claramente. Son el antecedente, la recámara del movimiento católico que, decidido, llega casi de inmediato: Angel Cruchaga Santa María (ch. 1893), Luis Felipe Contardo (ch. 1880-1922), sacerdote, Manuel Magallanes Moure (ch. 1878-1924) o Daniel de la Vega (ch. 1892), lo marcan en Chile —donde es amplio y profundo—, junto con el gran nombre de Gabriela Mistral —y no fue éste uno de sus aspectos menores— mientras que en Argentina, junto a Leopoldo Marechal y Francisco Luis Bernárdez, florecen nombres menores, como María Raquel Adler, y en Uruguay, sobre las huellas de Juana de Ibarbourou —católica admirable— siguen Clara Silva y Sara de Ibáñez.

Y en México, naturalmente, el movimiento culmina desde Ramón López Velarde a Carlos Pellicer.

ANGEL CRUCHAGA SANTA MARIA

LA APARICION

En un monte apacible de ramajes oscuros,
como aquellos del hondo Huerto de los Olivos,
apareció el Maestro de los momentos puros
llamado por el turbio tormento de los vivos.

Bajo el sol quieto y fuerte, amarillo de asombro,
el mundo lo esperaba, laxo de sufrimiento.
Para morir quería apoyarse en su hombro
como un infante rubio en la seda de un cuento.

El soplo de los siglos monótonos y rudos
no había desgarrado su claridad de lino;
mas allá de su carne chocaban como escudos
las olas de los mares en un rapto divino.

Por sus venas azules deslizaban los ríos
sus aguas transparentes con un rumor de rosas
que deshojara el labio de gloriosos estíos.
En sus ojos estaban abismadas las cosas.

Desde el monte miró los límites del mundo,
los terrenos floridos, las ciudades enormes.
Ascendía del suelo un sollozo iracundo
que estremecía los campanarios deformes.

Jesús pensó en la dulce tierra de Palestina:
armoniosa en David! potente en Salomón.
Y recordó su muerte en la áspera colina
dando pétalo a pétalo todo su corazón.

("Job", 1922).

SAN ANTONIO Y EL CENTAURO

Antonio, el Cenobiarca del silencioso Egipto,
para templar los duelos de su vivir —proscripto
en una helada cueva donde retoza el Diablo—
marchóse en altas horas a visitar a Pablo,
el más viejo eremita.

. . . .

Súbitamente el monje, creyendo oír muy lejos
un rumor, se detuvo, y a los blancos reflejos
del astro melancólico vió la extraña figura
de un monstruo que, a galopë, cruzaba la llanura.

EL CENTAURO

Yo soy el viejo Hippofo: el último Centauro
que circundó sus sienes con el augusto lauro
crecido entre las grutas del Sagrado Archipiélago;
soy un hijo de Grecia, que, atravesando el piélago,
vino a buscar la sombra de bosques escondidos
para llorar la fuga de sus dioses vencidos.

SAN ANTONIO

Yo soy Antonio, un siervo del Señor tu enemigo,
que atempera sus pasos a la celeste norma
de Jesús, y proscribe la diabólica forma
que corrompe los seres, arrebata la mente
y hace perder el alma del hombre eternamente . . .

EL CENTAURO

No puede vuestro Cristo competir con Apolo,
con el hijo soberbio del Ceñudo y Latona,
que en los brazos de Dafnis al amor se abandona,
o lleva el ígneo carro que volcó Faetonte
por los campos azules del abierto horizonte.
El olímpico auriga de la eterna carroza
donde Febo, ceñido de laureles, retoza
con las Horas desnudas, los sonoros tropeles
por el éter dirige de sus raudos corceles.
Van cayendo las sombras bajo el dardo certero
del Arquero divino; por el ancho sendero
que siguió la carroza, cruza el sol, pasa el día
y la luz va regando su dorada armonía.

Ese numen risueño que ignoró la tristeza
y ha rendido al Olvido su robusta cabeza,
es el padre del Verso: con su mano divina,
al pulsar los bordones del arpa elefantina,
vaga, dulce, amorosa y simbólicamente,
ha forjado una patria más hermosa que Oriente.
. . . .
Un Dios más bello muestra que Apolo y Citerea.

El triste, el dulce, el pálido Rabí de Galilea.
Es el profeta joven: como dorada lluvia
tiembla su pelo dócil, fluye su barba rubia.
El sabe lo que dice la voz de las colmenas,
y ama los canes tristes como las azucenas;
y son sus ojos grandes, melancólicos, vagos,
y en su fondo reflejan, como místicos lagos,
el divino silencio de las noches tranquilas;
y, cual besos que miren, sus absortas pupilas
aprisionan la calma del azul horizonte
son sus manos delgadas como lirios de monte;
por su voz habla el eco de un arrullo divino,
y en vez de lauros lleva la toca del rabino.

Es triste cuando vaga un pastor extraño,
en busca de la oveja perdida del rebaño,
y cuando gime a solas por el amigo muerto;
es triste cuando, extinta la luz en el desierto,
con la cabeza baja y los ojos cerrados,
medita entre una fila de camellos cansados.
. . . .
Y si a la tibia sombra de la copada higuera
sentado por las tardes, al pueblo que lo espera
le dice la parábola, y en delicioso abrigo
bajo la vid en fruto de Lázaro, su amigo,
a María —la tierna— y Marta —la sentida—
enseña a amar el alma y a despreciar la vida;
cuando, caudillo inerme de la legión futura
de mártires, levanta la mística figura
sobre el paciente lomo de la borrica tarda,
y en medio de las voces del pueblo que le aguarda
entra a Salem, de angustia y amor el alma llena;
cuando en las horas grises de la última Cena
no ya la Pecadora su casto pie le enjuga,
y mientras Juan el virgen— comparte su lechuga,
el Rabí desolado por la melancolía,
¡es dulce, es dulce, es dulce!

La blanca Eucaristía
palpita entre sus manos; con la mirada alumbra
los tintes nebulosos de tímida penumbra
que va llenando en olas aquel sereno asilo,
y, destrozado mártir al parecer tranquilo,
suscita sobre el terso cristal de su memoria
la pena sin orillas de su futura historia,
y oye vibrar el beso del hombre que le entrega
y la cobarde excusa de Kefas que le niega,
y, como los retumbos de sorda catarata,
los bárbaros aullidos del pueblo que le mata,
mientras el ancho marco de la ventana hebrea
recorta azules franjas del éter de Judea,
que está diciendo al mártir de faz entristecida:
¡Cómo puede ser libre, fácil, sensual la vida!

Contéstame: ¿qué trágico calzó mejor coturno
que aquel Crucificado de rostro taciturno
que, erguido sobre el Gólgota, desde la cruz pasea
los ojos por su caro país de Galilea
que no verá en el tiempo, y en lánguido desmayo
se va muriendo exangue? Cuando vestía el sayo
de punzador ultraje, cuando cargó la carga
de su futura gloria, cuando probó la amarga
bebida el virgen labio dolorido y sangriento,
y oyó que su lamento se perdía en el viento,
¡fue el trágico sublime! La flor de los dolores
regó desde ese instante sus cálidos olores,
y como banda nívea de cisnes familiares,
al arenal sin límites huyeron a millares
las vírgenes de Cristo, que en su mansión de palma
hallaron lo que Grecia no supo ver:¡el alma!
Allí, más victorioso que el orcomenio atleta,
con sus pasiones lucha vetusto anacoreta,
creador, en el silencio de abruptas soledades,
de goces no sentidos, de voluptuosidades
que acendra el abstenerse y oculta la tristeza;
allá desde las cruces levantan la cabeza
los mártires heridos —sedientos gladiadores

que secan con sus bocas el mar de los dolores—.
El impasible Kosmos de vuestra fantasía
perdió tal vez su eurytmia, su Olimpo, su alegría;
en cambio nuestras almas trocaron la Quimera
por un país excelso donde el amor impera
y ...

Súbito el Centauro, doliente, silencioso,
se fue sobre la arena con paso perezoso,
alejando, alejando... *y entre la gris llanura*
borró para los hombres su helénica figura,
mientras el viejo monje —con su báculo incierto—
con el signo de gracia borraba en el desierto
las huellas del Centauro...

("Ritos", 1914).

Guillermo Valencia (col. 1873-1943) escribió "Anarkos"
en 1898. Era un largo poema de amor por los desamparados y
que terminaba con la palabra Jesucristo. Sobrio, parnasiano, político, diplomático, esteta, Valencia es el acabado representante de
una clase social de alta burguesía, erudita y refinada, muy típi-
ca de América. Su catolicismo es sincero, pero es un cristianismo
de obispo, no de fraile. Sus ecos parnasianos provienen de José
María de Heredia, su aristocracia más que innata le venía de una
voluntad que fue una de las características del modernismo: había que crear cultura, aún a riesgo de encerrarse en la "torre de
marfil". La incultura era un accidente transitorio, salvable por
aquellos que crearan la segura y mágica isla de la inteligencia.
"San Antonio y el Centauro" pertenece a su libro "Ritos" (1898),
donde figuran versos que lo han hecho permanecer, tales como
"Leyendo a Silva", "Palemón, el estilita", "Los camelos". Su
otro libro fue "Catay" (1928), pero éste es una libre traducción
de poemas chinos adaptados del francés.

Un pasaje de San Jerónimo ("In vita Sancti Pauli eremi-
tae"), que cita al comienzo de su poema, inspiró a Valencia "San
Antonio y el Centauro". El Santo decide ir a visitar a Pablo, en
busca de perfección espiritual y al atravesar el desierto encuentra a Hippofos, el último centauro, que se presenta diciendo

386

"quien conozca mi esencia conoce un adjetivo, /comprende el adjetivo universal y humano que entre su seno oculta la palabra: ¡*Pagano!*". Antonio responde: "Yo soy Antonio, un siervo del Señor tu enemigo". El planteo es claro y viene el Centauro, triste, se aleja derrotado por los argumentos del patriarca mientras éste continúa su camino. Compárese "San Antonio y el Centauro" con "El Centauro" de Leopoldo Marechal.

FRANCISCO LUIS BERNARDEZ

EL BUQUE

Saule, quid me persequeris?

La casa donde vivo,
la noche que me tiene desvelado
y el viento fugitivo,
todo está dominado
por un silencio desacostumbrado.

Tanto en el firmamento
mudo como en la tierra silenciosa
y en el entendimiento,
la soledad, esposa
del silencio, gobierna toda cosa.

El día que no llega,
el día que no llega con el día,
el día que me niega
la luz que yo tenía,
lo substituyó con la poesía.

Pero el día que brota
del papel es un día tan obscuro,
que parece una gota
en el mar inseguro
de la noche por donde me aventuro.

. . . .

Alguien está cantando
por afuera, cantando por afuera,
cantando como cuando
mi voz en llamas era
de cada sufrimiento compañera.

Una mujer, un hombre,
Alguien está cantando lo que siento:
Un aire cuyo nombre
no parece de viento
Sino de música sin instrumento.

Música solitaria,
música pura, música directa,
música necesaria,
música predilecta
de la música, música perfecta.

¡Música siete veces
música, pero música indivisa,
que sólo te pareces
a la sonrisa
de la Señora que la luna pisa!
. . . .

De pronto me levanto,
porque la fuerza de la voz es tanta,
que la cara del canto,
la cara del que canta,
en un ave de pino se adelanta.

Este pájaro inmenso
que vuela por el cielo solitario
me ha dejado suspenso
y sin vocabulario
para expresar mi asombro extraordinario.

Cuando me sobrepongo,
la figura del Ave me revela
que no es lo que supongo,
sino un barco de vela
que por el cielo solitario vuela.

Las líneas armoniosas,
los tres palos, la proa puntiaguda,
las alas poderosas
y la quilla desnuda
son de velero, no me cabe duda.

Pasando por encima
de la naturaleza deslumbrada,
la nave se aproxima,
movida y gobernada
por la misma canción iluminada.

Navega muy despacio,
meciéndose lo mismo que una cuna,
y haciendo en el espacio
las veces de una luna
mucho más luminosa que ninguna.

Su movimiento calma
la tormenta del cuerpo codicioso
junto con la del alma,
dándoles el reposo
de que goza la esposa y el esposo.
. . . .
De mi vieja ceguera
mejoro, y acercándome al navío,
todo lo que de afuera
se puede ver espío,
pero veo que todo está vacío.

Persiguiendo la boca
de donde viene lo que me despierta,
mi carne desemboca
en él, y la cubierta
resulta que también está desierta.

Por el buque adelante
voy en procura de lo que deseo,
pero la voz amante
dista de lo que veo
tanto como lo bello de lo feo.

Diviso en la penumbra
Una imagen a medias escondida,
Pero lo que vislumbra
Mi vida es una vida
Sin número, ni peso, ni medida.

La figura que veo
No es la figura de lo que presumo,
Sino de mi deseo:
Debe ser el humo
Del fuego en cuyo fuego me consumo.

Andando y desandando
Por el buque adelanto mi camino,
Continúo buscando,
Pero no veo sino
La belleza del pájaro del pino.
. . . .

Me detengo un instante
Para escuchar mejor la melodía
De la voz incesante
Que devuelve a la mía
La virtud y la gracia que tenía.
. . . .

Siento que se me pide,
Con una voz obscura pero pura,
Que yo no dilapide
Mi riqueza futura
Yendo de criatura en criatura.

Que busque por adentro
La figura del ser por excelencia;
Círculo cuyo centro,
Cuya circunferencia,
Significan esencia y existencia.

La voz del alma tiene
Más corazón o, por lo menos, tanto
Como la que proviene
Del buque sacrosanto
Que produce la vida con su canto.

. . . .

¡Caridad unitiva
De la música todopoderosa,
Cuya voz efectiva,
Cuya voz amorosa,
Hace de muchas una sola cosa!

Por esa fe, por esa
Esperanza, por esa caridad
Que la canción expresa,
Creo que la mitad
Es la luz y la mitad obscuridad.

Porque yo no sería
Capaz de resistir el resplandor
Que se produciría
Si lo que dice por
Figuras lo dijera sin temor.

Si lo que dice poco
A poco lo dijera de una vez,
La mira tampoco
Tendría candidez
Bastante para ver su desnudez.

Su claridad no es nada
Más que la obscuridad impenetrable
Formada y conservada
Por la sombra admirable
Que viene de la luz inenarrable.

Su música y su letra
Son la misericordia y la justicia:
Con una nos penetra,
Con otra nos enjuicia,
Al mismo tiempo que nos acaricia.

Sus palabras ardientes
Despiden tan potentes llamaradas,
Que las faltas presentes
Y las faltas pasadas
Van quedando en ceniza transformadas.

Estarán encendidas
Cuando el cielo se quite las estrellas
Y sus luces caídas
No dejen otras huellas
Que las que dejan las memorias bellas.

Apenas desembarco
En el jardín hospitalario, siento
Que la forma del barco
Se pone en movimiento
Para recuperar el firmamento.

La nave sacrosanta
De tres palos y proa puntiaguda,
Primero se levanta,
Y ahora reanuda
Su vuelo por la bóveda desnuda.

El velero despliega
Su vuelo matutino,
El velero navega
Por el mismo camino,
El velero se va por donde vino,

Definitivamente
Sola, definitivamente sola,
Encima de mi frente
La música enarbola
Su propia soledad por aureola.

Mientras el barco vuela,
Movido por su propia melodía,
La luz que me revela
Y la del nuevo día
Se van mezclando con la mía.

La claridad humana,
La que viene del barco refulgente
Y la de la mañana
Iluminan la mente
Con la sabiduría que no miente.

(La verdadera ciencia
Se diferencia de la mentirosa
Como se diferencia
La espina de la rosa;
Como la poesía, de la prosa).

A medida que el vuelo
Milagroso del barco se disipa
En el fondo del cielo,
El alma se emancipa
De la tierra y del cielo participa.

El cielo se apodera
Para siempre del alma enamorada,
Y una paz duradera
Y desinteresada
Va sucediendo a la inquietud pasada.

("El buque", 1935).

"El buque", dedicado "A los cursos de Cultura Católica", lleva una nota final que dice: "Deo Gratias. De las 160 liras que forman este poema, 41 fueron escritas en enero, febrero y marzo de 1932 y 119, de octubre de 1934 a septiembre de 1935". Era el momento en que Bernárdez, llevado hacia un movimiento católico muy notorio en Argentina para aquel entonces, asume su condición de tal y comienza una continuidad en su obra que lo convertirá en uno de los poetas más importantes del catolicismo sudamericano actual. Se reanuda así la línea de poesía religiosa interrumpida durante la época del liberalismo (aunque haya habido poemas de este tipo, independientes, en la obra de los poetas).

Es indudable la influencia de los místicos, en especial el modelo de San Juan de la Cruz. Pero no en el estilo sino en el pensamiento y en la concepción de este poema teológico. Bernárdez recurre a la alegoría y presenta al poeta que en su soledad escucha una atrayente música y ve bajar del cielo a un extraño buque —símbolo de la Gracia y al mismo tiempo de la Iglesia —a bordo del cual cree descubrir la fuente de la música que lo ha conmovido. Allí encuentra la fuerza de la Gracia, que lo purifica, y al marcharse el velero" por donde vino", queda su espíritu unido a Dios, al que no ha nombrado en ningún momento: "el cielo se apodera para siempre del alma enamorada".

EUGENIO FLORIT

MARTIRIO DE SAN SEBASTIAN

¡Sí, venid a mis brazos palomitas de hierro!;
palomitas de hierro, a mi vientre desnudo.
Qué dolor de caricias agudas.
Sí, venid a morderme la sangre,
a este pecho, a estas piernas, a la ardiente mejilla.
Venid, que ya os recibe el alma entre los labios.
Sí, para que tengáis nido de carne
y semillas de huesos ateridos;
para que hundáis el pico rojo
en la haz de los músculos.
Venid a mis ojos, que puedan ver la luz;
a mis manos, que toquen forma imperecedera
a mis oídos, que se abran a las áreas músicas;
a mi boca, que guste las mieles infinitas;
a mi nariz, para el perfume de las eternas rosas.
Venid, sí, duros ángeles de fuego,
pequeños querubines de alas tensas.
Sí, venid a soltarme las amarras
para lanzarme al viaje sin orillas.
¡Ay! qué acero feliz, qué piadoso martirio.
¡Ay! punta de coral, águila, lirio
de estremecidos pétalos. Sí. Tengo
para vosotras, flechas, el corazón ardiente,
pulso de anhelo, sienes indefensas.

Venid, que está mi frente
ya limpia de metal para vuestra caricia.
Ya que, qué río de tibias agujas celestiales.
Qué nieves me deslumbran el espíritu.
Venid. Una tan sólo de vosotras, palomas,
para que anide dentro de mi pecho
y me atraviese el alma con sus alas . . .
Ya voy, Señor, por cauce de saetas.
Sólo una más, y quedaré dormido.
Este largo morir despedazado
cómo me ausenta del dolor. Ya apenas
el pico de estos buitres me lo siento.
Qué poco falta ya, Señor, para mirarte.
Y miraré con ojos que vencieron las flechas;
y escucharé tu voz con oídos eternos;
y al olor de tus rosas me estaré como en éxtasis;
y tocaré con manos que nutrieron estas fieras palomas;
y gustaré tus mieles con los labios del alma.
Ya voy, Señor, ¡Ay! qué sueño de soles,
qué camino de estrellas en mi sueño.
Ya sé que llega mi última paloma . . .
¡Ay! Ya está bien, Señor, que te la llevo
hundida en un rincón de las entrañas!

("Doble acento", 1937)

De Eugenio Florit. el poeta cubano —aunque nació en España— dijo Juan Ramón Jiménez: "Lengua de pentecostés, espíritu
de fuego blanco del alba y la tarde. Bella fórmula difícil que une
al hombre, sin salirlo de su especie, con el rayo de luz, el surtidor
y el cisne". Lo que quiso decir Jiménez en su lenguaje propio es
que Florit tiene pureza poética excepcional. Recibió la influencia
de Jiménez, de Gómez de la Serna y de Bécquer. ¡Extraña conjun-
ción! Y esto, unido al lenguaje típico de su época, o mejor dicho
a la formulación de ese lenguaje, a la distribución de palabras
preferidas en cada década —corría una bien característica en América: la del 30, la de la Vanguardia que rápidamente se agostaba
a sí misma—, dió el peculiar estilo de Florit. Esto y algo más: un
profundo sentido religioso, una meditación, una búsqueda continua de Dios. De "Martirio de San Sebastián" dijo Angel Flo-

res: "Es acaso el punto más alto, más rico en calidades y substancias a que llega la poesía de Florit y así lo ha considerado la crítica. Es también el poema que mejor revela la significación cabal de la fórmula en la que Florit cifra el problema de su poesía y, en general, de toda la poesía de este tiempo: ir a la serenidad por la inquietud".

LEOPOLDO MARECHAL

EL CENTAURO

En una tarde antigua
cuyo paso de loba
fue liviano a la tierra
pero no a la memoria,
extraviado el sendero
que ilumina la Rosa,
ví al Centauro dormido
junto al agua sonora.

Esto pasó en otoño,
cuando la selva entorna
sus párpados y olvida
la muerte de sus hojas,
cuando el sol pinta en Aries
el clavel de la aurora,
cuando los vientos gritan
y calla la paloma.

. . . .

Todavía recuerdo
la hermosura tremenda
del antiguo animal
que dormía en la selva,
y el arrullo del agua
sin edad entre arenas
y flores que peleaban
su luminosa guerra;

Con el torso abrazado
de líquenes y hiedras,
con la grupa en que ayer
jineteó la leyenda,
remontada en el aire
la flor de su cabeza
y los cuatro silencios
de sus patas en tierra,

Parecía el Centauro
la figura secreta
de algún viaje que andaba
sin viajero ni estrella,
o el apretado libro
que aún guardaba la ciencia
de los frescos diluvios
y de la risa nueva.

Casi junto a sus manos,
en un brote de higuera
se mecía desnuda
la guitarra soberbia;
y a sus pies derramados,
el carcaj y las flechas
olvidaban al ciervo
de los ojos de almendra.

. . . .

"Sólo duerme —pensé
con el alma suspensa—:
El sueño, y no la muerte,
le abraza en su tiniebla.
Si alguien con voz de niño
se acercase a la puerta
del Centauro y llamara,
tal vez le respondiera.

"Y una canción de oro
sería la respuesta
del animal, si hablara
su lengua verdadera.
Pero la voz del niño
no canta ya en la tierra:
Ya no abrirá el Centauro
su boca de azucena".

Y por mudar el grave
color de las ideas
que ya tejía el alma
volviendo a su querella,
me acerqué a la guitarra
y en el haz de sus cuerdas
hice correr mis dedos,
bien sabe Dios que apenas.

. . . .

Las hojas tiritaron
y lloró cada breña:
Respondían los ecos
en lejanas cavernas.
Y entonces vi que al solo
clamor de la vihuela
reanimaba el Centauro
su figura de piedra.

Corrió un temblor de luces
en su pelaje obscuro:
La mano retiró.
Sus ojos al abrirse
de su pecho velludo.
desgarraron el humo
de las quemadas horas
y los años difuntos.

. . . .

Preguntó:
"¿Quién recorre
la soledad sin frutos?
(Aquella voz tenía
cadencias de diluvio).

"¿Quién, vestido de sombras
y emboscado en su luto,
se atreve a profanar
la guitarra del júbilo?

"¿Quién entregado al hierro,
codicia el oro puro,
y audaz en la sentencia
que le dictó el orgullo,
con sus manos de un día
quiere abrir el sepulcro
donde ya es polvo y nada
la juventud del mundo?"

Pedía una respuesta,
con el semblante adusto:
Sus cascos impacientes
removieron el humus.
Entre la maravilla
del oído y el susto
de los ojos temblaba
mi deseo nocturno.

Le respondí:
"Centauro,
modera tus impulsos
y escucha las razones
que dicta el infortunio.
No el orgullo alarde,
sino la incuria, pudo
llevar a tu guitarra
mis dedos vagabundos.

"Por entregarme al sueño
y equivocar el rumbo,
la Rosa me ha negado
su admirable saludo.
¡Y así crucé la hondura,
y estoy en tu refugio,
y enardecí las cuerdas,
y amaneció el preludio!"

. . . .

"Centauro de otros días,
iniciador antiguo,
¡que abandonen tus remos
esa cárcel de limo!
¡Reaviva en tus arterias
el furor extinguido!
¡Rompe tus duras líneas
y cabalga conmigo!

"Sin látigo ni espuela,
sin freno y sin estribo
crucemos la encantada
provincia del sigilo:
Firme yo en tus riñones
y a tus crines prendido,
tú devolviendo al mundo
su llorado prodigio.

Mi ruego así clamaba,
y el Centauro al oírlo
pareció recobrar
un instante su brío
(tal un corcel añoso
que desde su retiro
vuelve a escuchar la voz
de metal aguerrido).

400

Pero templó sus fuegos
el animal cautivo,
como si le tirase
las riendas al instinto.
Se desmayó en sus ojos
el exaltado brillo:
Sus sienes dibujaban
el gesto negativo.

Me respondió:
"Si pesas
al Centauro dormido,
justo hallarás el peso
de su carne y su signo:
Si calla, la justicia
gobierna su mutismo;
si duerme, su reposo
no es obra de castigo.

"¿A qué llorar, buscando
primaverales ritmos,
cuando en el aire silban
las hoces del estío?
Y cuando entre las hojas
negrean los racimos,
¿a qué plañir las flores
de rostro fugitivo?

"¡Qué duerman en el polvo
los caballos antiguos:
Ya no tendrán jinete
cazador, al perenne
sagitario que acecha
sin carcaj ni lebreles.

"Yo te anuncio al arquero
de la pena, más fuerte
que Nemrod y que Diana,
la señora de nieve.

Porque a la muerte misma
cazó y a la serpiente,
vestido con el traje
severo de la muerte".

Respondía otra vez
con el no a mis afanes:
Otra vez humillaba
corazón y lenguaje.
De nuevo, ante la bestia,
ni empresa ni albedrío!
Con sus proas ancladas
y sus remos partidos,
¡no zarparán ya nunca
los audaces navíos!

"Porque logró la tierra
su madurez y ha visto
fructificar el árbol
que se lloró perdido;
porque, Jasón del aire
y Ulises del abismo,
nos ha llegado el nuevo
Señor de los caminos".

Me respondió:
"En el sueño
de las armas advierte
que llegó la dulzura
sobre campos de aceite.
Yo te anuncio al donoso
reñían en mi sangre
la animosa esperanza
y el recelo cobarde.

Y como ya la noche
plantaba su estandarte
de hiel en las vencidas
almenas de la tarde,

buscando a la zozobra
de mi deseo un mástil,
puse otra vez los ojos
en el Centauro grave

. . . .

"¡Descuelga la guitarra
(bien sé que su cordaje
no en vano se aproximan
los dedos musicales)!
¡Abrázala, Centauro,
contra tu pecho, y tañe!
¡La música recobre
sus limpias mocedades!"

Así le suplicaba,
pero volvió a negarse,
¡oh guitarrero inmóvil!
¡oh guitarra sin ángel!
Me respondió:
"Esa caja
no ha de rendirse a nadie:
Ya es mediodía y sobran
las cuerdas matinales.

"Bajada de los cielos
y vestida de carne
la Música en persona
visitó a los mortales,
para entonar el himno
que rompe toda cárcel
y apura los delfines
de Arión el navegante.

"Si bien tañía Orfeo,
cuando por escucharle
bajaban de sus grutas
rayados animales,

¡no hay tierra que desoiga
ni cielos que no alaben
al Tañedor que pisa
las aguas sin mojarse!"

. . . .

"Pues bien, si tus razones
otra verdad anuncian
y si otro amor deshace
las viejas ataduras,
¡dime, Centauro, al menos
en qué tierra se oculta:
Si flechero, en qué bosque,
si cantor, en qué gruta!"

Y respondió el Centauro:
"No esconde su dulzura
ni se rinde a las armas
del rigor o la astucia.
Porque sale al encuentro
de la sed que le busca:
Por su canto hiere
las orejas nocturnas".

En torno del Centauro
crecía la penumbra:
Su cuerno de novilla
levantaba la luna.
Con el deseo en llamas
y la razón a obscuras
quise tentar el juego
de las palabras últimas:

"¿Y tu virtud —le dije—,
ya no dará su fruta?
¿Ya no tendrás, arquero,
trabajos y aventuras?"

Apoyada en el hombro
la cabeza greñuda,
náufrago ya del sueño,
dijo el Centauro:
"Nunca".

Y aquel punto final
recorrió la espesura:
Los vientos agitaban
sus banderas de furia.
Después cayó la noche,
y en la selva profunda
se construyó el silencio
sobre firmes columnas.

Leopoldo Marechal (arg. 1900) junto con Francisco Luis Bernárdez (arg. 1900), señalan la culminación del movimiento católico militante en América. Son poetas que, a partir de un determinado momento de su obra, entran al catolicismo y no se apartan de él en su producción principal. Marechal publica en 1940 su largo poema "El Centauro" (64 octavas), solamente equiparable a "San Antonio y el centauro", de Guillermo Valencia ("Ritos", 1914), que decididamente influyó al poeta argentino. El tema es el mismo, (aunque se inviertan los papeles y sea el Centauro quien anuncie el Cristo al porfiado incrédulo); la oposición del paganismo y el catolicismo, la belleza inútil si no está inspirada por la Gracia; el desconcierto del esteta, del inteligente, del poeta, en un mundo que no tiene sentido, ni es descifrable por el paganismo, hasta que no se pulsa la lira de la fe en Cristo. En plena línea parnasiana, como Valencia, pero también iniciado en el reencuentro de los clásicos y místicos españoles, Marechal publica sus poemas más inspirados: "Sonetos a Sophia" (también en 1940) donde ha de tenerse cuidado de no confundir —como ya dijimos que pasa con muchos poemas de Sor Juana Inés de la Cruz— platonismo con amor carnal y físico. "La alegropeya" (edición "El hombre nuevo", Buenos Aires, 1962) es otro de los poemas fundamentales para medir el catolicismo poético de Leopoldo Marechal.

EMILIO BALLAGAS

SONETO DE LOS NOMBRES DE MARIA

En el pecho del Padre halló su nido
la que en el seno al Hijo dió posada
y allí de querubines alabada
la que, luna de Dios, subió sin ruido.

En pañales como recién nacido,
entre vistosas alas fue llevada
y por distintos nombres advocada
de su trono de luz no se ha movido.

Pero el amor que multiplica todo,
panes y peces, el maná y la Forma,
hace que la sin mancha baje al lodo.

Que la luz soberana tome forma,
que la Belleza, al fin, halle acomodo
y al ojo pecador dicte su norma.

("Nuestra Señora del mar", 1943).

Emilio Ballagas (cub. 1908-1954), al contrario de Nicolás Guillén que continuó en la poesía negra y la orientó hacia la izquierda abandonó este género y volvió a la poesía culta que había empleado en "Júbilo y fuga" (1931) antes de la aparición "Cuaderno de poesía negra" (1934). Publicó entonces "Blanco-olvido" (1932-1935), "Sabor eterno" (1939) y "Nuestra Señora del mar" (1943) donde ingresa directamente a la poesía católica, abandonando su folklorismo o su sencillismo característico. En 1953 publicó "Décimas por el júbilo martiano", en honor de Martí.

GABRIELA MISTRAL

NOCTURNO DEL DESCENDIMIENTO
A Victoria Ocampo

*Cristo del campo, "Cristo de Calvario",
vine a rogarte por mi carne enferma;
pero al verte mis ojos van y vienen
de tu cuerpo a mi cuerpo con vergüenza.
Mi sangre aún es agua de regato;
la tuya se paró como agua en presa.
Yo tengo arrimo en hombro que me vale,
a ti los cuatro clavos ya te sueltan,
y el encuentro se vuelve un recogerte
la sangre como lengua que contesta,
pasar mis manos por mi pecho enjuto,
coger tus pies en peces que gotean.*

*Ahora ya no me acuerdo de nada,
de viaje, de fatiga, de dolencia.
El ímpetu del ruego que traía
se me sume en la boca pedigüeña,
de hallarme en este pobre anochecer
con tu bulto vencido en una cuesta
que cae y cae sin parar
en un trance que nadie me dijera.
Desde tu vertical cae tu carne
en cáscara de fruta que golpean:
el pecho cae y caen las rodillas
y en cogollo abatido, la cabeza.*

*Acaba de llegar, Cristo, a mis brazos,
peso divino, dolor que me entregan,
ya que estoy sola en esta luz segada
y lo que veo no hay otro que me vea
y lo que pasa tal vez cada noche,
no hay nadie que lo atine o que lo sepa,
y esta caída, los que son tus hijos,
como no te la ven no la sujetan,*

y tu culpa de sangre no reciben,
¡de ser el cerro soledad entera
y de ser la luz poca y tan segada
en un cerro sin nombre de la tierra!

Año de la Guerra Española.
("Tala", 1938).

Gabriela Mistral fue, una católica sincera aunque su catolicismo se hiciera menos activo al pasar los años. Sus mejores
poemas católicos se encuentran en "Desolación", pero —como el
que ofrecemos— no es difícil encontrar poemas de esta índole en
sus otros dos libros. Gabriela no estaba muy cerca de la Iglesia,
de la alta jerarquía; se encontraba cómoda con el pequeño cura
rural, al que quería y ayudaba. La poesía femenina deriva del
tema amoroso al religioso; y de éste al problema existencial. Juana de Ibarbourou se refugia en Dios en sus últimos años; pero son
dos poetisas uruguayas, Clara Silva y Sara de Ibáñez, las que
llevan el pendón católico para las mujeres. Esto, sin olvidar a la
argentina María Raquel Adler y a muchas otras que debiéramos
nombrar aquí.

CARLOS PELLICER

NOCTURNO

— I —

Buena cosa es alzar los ojos, grande
la mirada en los cielos, cuando altera
la noche su terrible primavera
y su idioma abismal cántico expande.

Si el alma quiere, que así se desbande
—guías de estrellas que el tiempo acelera—:
alas ponga en mi lengua y alto ablande
tanto pavor de inmensidad cantera.

Dios y Señor, mi soledad es urna
donde instalo la perla de adorarte
y ante ella un ángel su presencia turna.

El gozo poseído y tan aparte
—árbol frutal de la estación nocturna—
que prodigiosamente se reparte.

— II —

Pie de la noche, mano de la aurora,
cabeza cenital, pecho tardío,
toda mi voz fluvial dada en plantío;
poderosa presencia agricultora.

El tacto azul del aire que cerciora
su cómoda penumbra en el vacío;
la belleza insaciable del rocío
que colocó jardines a deshora.

Si tanto tengo y tanto me hace falta,
venado que solté, chorro que salta,
búsqueme entre la selva, en la perdida

soledad del encuentro, en esa hora
de todos los relojes detenida,
ya un poco intemporal y desertora.

— V —

Al hallar el otoño, qué sorpresa
de ver lo que fue oscuro ya amarillo.
El mismo sol, aerógrafo y caudillo,
con aire de ganado que regresa.

El agua se estancó y en lodo espesa
su hondura sospechosa y su ancho brillo.
En lugar de ingenioso jardinillo,
el huerto en que la luna se embelesa.

Con los brazos cruzados, la mirada
bien más allá que acá; tan desolada
la mano que empuñé bajo mi frente
creyendo entre sus dedos un tesoro.

¿Qué haré si ya está seca la simiente,
el agua sin andar, el sol ausente
y el corazón con huéspedes que ignoro?

— VIII —

Ninguna soledad como la mía.
Lo tuve todo y no me queda nada.
Virgen María, dame tu mirada
para que pueda enderezar mi guía.

Ya no tengo en los ojos sino un día
con la vegetación apuñalada.
Ya no me oigas llorar por la llorada
soledad en que estoy, Virgen María.

Dame a beber del agua sustanciosa
que en cada sorbo tiene de la rosa
y de la estrella aroma y alhajero.

Múdame las palabras, ven primero
que la noche se encienda y silenciosa
me pondrás en las manos un lucero.

— X —

Señor, tenme piedad, bajo el escombro
de esta noche de púas y venenos.
Relampaguea, mírame en qué cienos
pudro la voz con que al azul te nombro.

Haz que vaya otra vez hombro con hombro
con la alegre verdad que hiciste llenos
mis ojos peces de amargados senos
que miran sin belleza y sin asombro.

Una callada tempestad asoma
y se lleva la sombra. Una paloma
vuela sobre las brújulas destruidas.

Se ve el retoño entre mi pecho fuerte,
y un ángel con las alas compungidas
se interpuso entre mí y aquella muerte.

— XI —

Ciego, sordo, sin dedos, insaboro,
sin el acento que tu nombre dijo,
atesorado por un rayo fijo
que hace cumplir mi ser poro por poro;

águila con león, ángel con toro,
la Altísima Paloma, Padre, Hijo,
lo Total concretado y tan prolijo
cruzó mi cuerpo con fragor meteoro.

La esfera de mi fe rueda a tu planta,
segura de su unidad única y tanta.
Con la luz inocente del diamante

—impacto de tus ojos en la hondura—,
creo en Ti. Silencioso y centellante,
cierro la noche para hacer altura.

("Práctica del vuelo", 1956)

FLORA SOLAR

En cada uno de mis poros, el Sol.
Cuando al salir del agua
la luz humedecida brilla sobre mi cuerpo,
con qué oído de luces siento llegar los pájaros
del ansia terrenal
que hay en la desnudez.

411

El lodo fulgurante de mis músculos
chorrea vida fluvial.
Yo soy el viejo río de juventud eterna
que aplaza diariamente su llegada a la mar.

En cada uno de mis poros,
el Sol.

El Sol enorme de la primavera tropical,
marzo y abril:
huayakán y macuilís.

El huayakán se desnuda
y hoja por hoja de su desnudez,
audazmente florea sus amarillos juveniles,
todo un color hecho pueblo de horizontal amanecer.

El macuilís se desnuda
y hoja por hoja de su desnudez,
es una sola rosa gigantesca,
la rosa pálida del trópico, de un niño enorme amanecer.

Y estos dos árboles desnudos,
el huayakán y el macuilís,
son las dos flores colosales
que por el campo se pasean sudando sol marzo y abril.

El Sol desnudo se echa al río
como un leopardo que calentó su sangre
al pie de la esbeltez de una palmera.
Y en la próxima curva de la historia del río,
buscó la orilla íntima que da la primavera.

El huayakán y el macuilís.
De qué país adolescente,
siguiendo al Sol, marzo y abril,
con sus colores festivales
—el Sol, el Sol—, va a teñir
la boda silenciosa de las garzas:
¿llegaron al espejo donde van a morir?

Campea el Sol sobre Tabasco.
Sudan todos mis músculos —el Sol—; viven de fuego.
La primavera en rosa y amarillo
surge —el Sol, el Sol— toda en mi pecho.

Pradera de sulfuros
que hornea el pensamiento de la ceiba,
la joven de los siglos —el Sol— el monumento
a las diez mil verdades vegetales,
novia del tiempo —el Sol— hembra grandiosa
encantada a la orilla de lo que no se sabe. . .

Todo el cielo es el Sol. La Primavera
tiene un antiguo grito, que allá por mis arterias
con paisajes —el Sol, el Sol— implantaron sus horas.. . . .

Sobre unas ruinas de caoba
la pareja de iguanas consume su escultura.
Y en un rayo de Sol parpadean sus ojos
el pequeño relámpago de sus ausencias bruscas.
¿De quién es esta luz, este calor, este fuego cuerpo?
Bajó desde mi pecho a la orilla del río.
marzo y abril de rosa y amarillo.
Suda el día en el mundo su libertad de fuego,

No preguntéis por flores; aquí se trata de árboles.
Los árboles son flores en escuadrón desnudo.
yo estoy al día y suelto la voz al palmeral.
Palmera el Sol al Sol le da rumbo.

Y la laguna que se baña sentada
y el río que se baña pasando
y el pozo del patio
convertido en telescopio del Sol;
y el agua hasta el pecho
y el baño que nada con su brazo de color
y el color que pide auxilio
porque se lo está llevando el Sol,
y el Sol que cumple sobre mi cuerpo

su antigua juventud universal
poblada de primaveras seculares
donde un lodo juvenil y patriarcal
sonríe para siempre la fiesta de la Tierra,
—tú, la fecunda y la devoradora—,
dando al Sol en la sombra de una palabra eterna.

Dada la claridad, viva el misterio.
Mis hermanos los ríos, mis hermanos los árboles,
los pájaros —el Sol— mis hermanos los sueños
lo digan por la boca de los cántaros,
—el Sol—
lo digan por los niños de los cuentos,
lo salven de la soledad
—el Sol—, en que profunda vive.

Salvemos al misterio de ser siempre misterio.
Salvemos al hombre de ser solamente hombre.
Salvémonos de no ser sino la primavera siempre,
y entremos de nuevo al río
desnudos de agua,
inocentemente audaces,
hirvientes de Sol —el Sol—, con la sangre tan ancha
que en ella quepan todas las aventuras
por la gracia y la gloria del hombre,
todo marzo y abril
—el Sol, el Sol—
huayakán y macuilis,
todo paz y amor —el Sol— el corazón.
Y en cada uno de mis poros, el Sol.

(2 de abril de 1956).

Carlos Pellicer puede disputarle a Octavio Paz —o éste a aquél— la primacía poética de México. Es un gran poeta, sin lugar a dudas. Comenzó con influencias de Leopoldo Lugones y López Velarde, pero su espíritu las superó pronto. Los dos poemas que ofrecmos "Nocturno" y "Flora Solar" son bastante claros ejemplos de las dos faces de su poesía: la de entrega a Dios, la de devoción pausada, íntima, hermética; y la otra, la pánida, la de la entrega a la naturaleza con placer y alborozo físico. Pero a poco que se analicen los poemas, los muchos que atestiguan este paso de Pellicer, se verá que no hay dos temas sino uno mismo. La dicha de estar vivo en la palma de Dios. La sensualidad de Pellicer tiene mucho de la sensualidad de los místicos, únicamente que no es ascético sino todo lo contrario: goza sin pausa y agradece a Dios la Creación y ser parte de ella. No tiene prisa por llegar a Dios, no hay tormento interior. Lo guía la absoluta convicción de lo divino que apoya a la pujante vitalidad —que llega a sorprender en sus poemas—; y la fe transforma en espiritual lo que fácilmente estuvo a un paso de caer en mera glorificación carnal. En el terreno de poesía pura religiosa véanse sus admirables "Sonetos para el altar de la virgen" y los fácilmente identificables poemas de "Material Poético, 1918-1961", editado por la Universidad Autónoma de México.

POESIA EXISTENCIAL

Aún cuando admita la existencia de un poder trascendente, el hombre-poeta moderno no se detiene a analizarlo. Parte de la premisa de que esa fuerza no se ejerce sobre él, o de su existencia, el motivo de estar aquí y de que su presencia afecte a los otros y sea afectada por ellos. Si "el infierno son los demás", como afirma Sartre, hay que saber por qué nosotros somos el infierno de los otros. Agnosticismo, fenomenología, ontología, son términos filosóficos vinculados a esta poesía.

El conocimiento final de nuestra naturaleza nos dará el conocimiento final de los demás. Pero no mediante un renunciamiento a uno mismo como impone la poesía de militancia social, o la religiosa, sino mediante un replanteo de la propia conducta y de las motivaciones de ella. Ya vimos como Jorge Luis Borges utiliza la filosofía oriental y occidental en sus tesis de que todos los hombres son un sólo hombre y de que cada momento habrá de repetirse sin que la experiencia pueda cambiarlo, fatalmente condenado a sí mismo por el eterno retorno. Ricardo Molinari, más agnóstico todavía, llega a negar la redención para el hombre, mientras que Octavio Paz, hinduísta más que occidentalista, crea su particular ontología y lanza una semilla de salvación.

RUBEN DARIO
— XXII —
"¡AY TRISTE DEL QUE UN DIA..."

¡Ay, triste del que un día en su esfinge interior
pone los ojos e interroga! Está perdido.
¡Ay del que pide eurekas al placer o al dolor!
Dos dioses hay, y son: Ignorancia y Olvido.

Lo que el árbol desea decir y dice al viento,
y lo que el animal manifiesta en su instinto,
cristalizamos en palabra y pensamiento.
Nada más que maneras expresan lo distinto.
                ("Cantos de vida y esperanza", 1905).

LO FATAL
A René Pérez.

— XLI —

Dichoso el árbol que es apenas sensitivo,
y más la piedra dura, porque ésta yo no siente,
pues no hay dolor más grande que el dolor de ser vivo,
ni mayor pesadumbre que la vida consciente.

Ser, y no saber nada, y ser sin rumbo cierto,
y el temor de haber sido y un futuro terror...
Y el espanto seguro de estar mañana muerto,
y sufrir por la vida y por la sombra y por

lo que conocemos y apenas sospechamos,
y la carne que tienta con sus frescos racimos
y la tumba que aguarda con sus fúnebres ramos,
¡Y no saber adónde vamos,
ni de dónde venimos...!
            ("Cantos de vida y esperanza", 1905).

La inquietud que hoy llamaríamos "existencial" preocupó
a Darío, que reanuda, en este terreno, el interrogarse esotérico de
los románticos. Pero en Darío la inquietud es interior y se repite en muchos de sus versos, a partir de "Cantos de vida y espe-

ranza", donde anotamos: "Nocturno"; "¡Oh, miseria de toda lucha..."; "Melancolía"; y "Thanatos". En "El Canto Errante" anotamos: "Sum..."; "Eheu!" (que con "Lo fatal" es el mejor ejemplo de este aspecto de Darío); "Nocturno" etc.

RICARDO MOLINARI

CANCIONERO DEL PRINCIPE DE VERGARA
A Ricardo Diego.

— I —

Dormir. ¡Todos duermen solos,
madre! Pena trae el día,
pero ¡ay! ninguna,
ninguna como la mía.

— II —

No tengo cielo prestado
ni ojos que vuelvan a mí
por un descanso de flores,
sin dormir.

— III —

Amigo, qué mal me sienta
el aire solo,
el are solo, perdido,
de Extremadura. Aire solo.
Piedra muda.

— IV —

Qué bien te pega la sombra
sobre el cabello. La sombra
oscura. Oh, el verde pino
que mira al cielo. El pino,
señora hermosa, en la orilla
del mar portugués. Orilla
de prado, de flor lejana.

417

— V —

Nunca más la he de ver.
Aguas llevará el río.
¡Aguas lleve el río Tajo!
Pero mi sed no la consuela el río.

— VI —

Déjame dormir esta noche
sobre tu mano. Dormir,
si pudiera. La adelfa
crece de noche,
como la pena.

— VII —

Envidia le tengo al viento
porque baila entre las hojas,
envidia de prisionero
que se ahoga.
Mándame una siempreviva en los dedos.

— VIII —

Mi dolor tiene ojos
castigados. Si pudiera
hablar contigo, río alto,
paloma fría. Qué triste
anda el aire. Dime, triste
pensamiento, qué sueño
muere a tu lado, perdido.
¡Paloma fría, río alto!
Luna de piedra entre lirios.

(1933).

ODA

¡No te alegres de mí, día hermoso, como un enemigo!
¡No te vuelvas fuerte contra mis desnudos ojos y cabeza!
Déjame vivo, sucedido; inmenso de furor y aborrecimiento,
dentro de mí, para mí
en inestimable desdicha.

Hay edades que no olvidan a sus seres. Sus cuerpos
viajan por los bordes últimos del cielo,
con los brazos cubiertos de amapolas, junto a los
encimados y amarillos ríos.
Allí, donde a veces llega la tierra, hambrienta, a
llorar la perdición de sus otros hijos.
No os contentéis, días, no traigáis vuestras húmedas
cabezas tan levantadas, en el inmenso frío.
¿Quién volverá de vosotros, solitario, con la memoria
interminable,
y la boca sin entendimiento, de amargura?

Inmóvil y ciego quiero cantar otro espacio: cuando
el aire se llenaba de unas flores,
y el campo era hermoso como mi rostro y pensamientos.

(No; no quiero que nadie me olvide: ni los pastos,
ni el viento dulce de las llanuras. —Miserable y
seco, nacido para la muerte).
Hay unas horas en el Sur, cuando el Otoño llega
con sus cielos clarísimos a mirarse,
la corona cerrada de jacintos, en los grandes ríos
y en las lagunas quietas igual que una manta;
un instante, en que los pájaros del Verano
buscan las costas abiertas hacia el mar ligero.
Y hablamos de los seres,
de las distantes sombras; del rumor insaciable y
ajeno del olvido sobre la tierra.
(Y vosotros huís, días, entre los vendavales, igual
que tormentas, con los rabiosos labios sucios
o como Acteón, comidos y vagabundos.

419

¿Cuál, de todos, no vuelto aún será para mí, y para
mí, con mi tremenda soledad arrepentida!
¿Cuál arrastrará mi lengua por las incomportables praderas
del cielo,
por los inútiles años que mi cuerpo visitó el mundo?).

Los grandes patos pasaban volando detrás del sol.
Yo miraba el atardecr con mis ojos desnudos; las
tierras encumbradas, lucientes en la obscuridad.
Las ciudades, donde aún la luz resplandecía sobre
las tinieblas.
En el Sur el Otoño comienza con los pájaros, que
buscan los árboles de la Primavera en medio de la noche.
la hierba, a mover los ríos; a mojar el aire de la tarde.
Con el céfiro fino, menudo, que empieza a rozar
¡Oh estériles recuerdos, nada inagotable! ¿Quién
hallará mi cuerpo en medio del campo, ensordecido,
lleno de voces,
revuelto y con los pies resbaladizos atados con
una serpiente?
       ("El huésped y la melancolía", 1946).

SONETO
A Oswaldo H. Dondo.

En la luz de la noche el alma espera
inmóvil como flor de madrugada,
su otra luz ofrecida y delicada.
¡El aire desde el aire, sin ribera!

Y aguarda sola y leve su quimera
su arder extremo, triste y apretada;
en el viento de un día su morada,
¡ay!, o en noche mayor su primavera.

Nada de tí, sereno, vuelve ardiente,
ni la flor abrasada y amarilla;
sólo tú, aire hermoso y esparcido.

Sólo tú, viento, y sólo tú, vehemente.
bajas del cielo abierto y sin orilla,
a columna tan pura y sin sentido.
        ("Días donde la tarde es un pájaro", 1954).

ODAS A LA PAMPA

— IV —

Esta es mi nación, esta mi sombra, la luz de mi
    rostro después de la tarde.
Aquí estoy colocado, aquí estaré para siempre
    desentendido, extraño. Aquí yacen los míos,
    el ejemplo sereno y majestuoso en la vida.
Aquí lo que esperé y deseé en los días espléndidos
    del verano:
aquí, entre las lluvias y las espesas neblinas
    de las estaciones húmedas y anochecidas,
que los soplos del Atlántico frío aventan y
    sostienen
sobre las abiertas y lejanísimas
planicies.

Aquí, distraído, sigo las pesadas y rotas nubes,
    los pájaros, el viento que lleva y desata
el polvo carnoso y errabundo en los pastos
    brillantes,
y agita ociosamente, abandonados y movedizos.

Aquí el amor, la luna, la noche y los caballos,
    y el miedo ancestral, repetido y asombroso.
El tiempo que huye llameante y estruja
nuestros ojos,
y nos deja las manchas veladas del penetrante
    sol en la piel desnuda, en las manos,
como en una fruta recia y vacía.
¡Atardecer, garza voladora!
(Del libro: "El cielo de las alondras y las gaviotas", 1963).

"La necesidad de conocimiento final en los poetas de la postguerra de 1945 fue consecuencia de la desubicación, de la "incomunicación", de la soledad que creció y separó a los hombres. El más grande de los poetas argentinos actuales, Ricardo Molinari, es un producto de esa incomunicación. Su poesía no es el canto desesperado del hombre que se siente aislado de los demás y que no logra entenderse con ellos. Por el contrario: es la poesía de la incomunicación misma. Del desasosiego, de la infelicidad, pero también de la aceptación de la incomunicación, necesaria como único refugio del poeta frente a un mundo disgregado donde los demás no existen, vegetan, son adversos o están poseídos de una impotencia destructiva. No es una postura egoísta y prescindente: es el regreso al origen solitario de la Creación. Hay que comenzar de nuevo, como si todos fuésemos otra vez Adán. Hay que salvarse una vez más".

Con el párrafo anterior iniciamos el estudio sobre la poesía de Ricardo Molinari en nuestra "Historia de la poesía hispanoamericana". Además, el lector puede consultar "Tres poetas argentinos: Marechal, Bernárdez, Molinari", de José María Alonso Gamo y "Ricardo Molinari", de Narciso Pousa.

De la teoría superrealista conservó Molinari un lenguaje "por equivalencias", esas metáforas explicables —por lo menos en parte— y que son complementarias de lo que la razón capta directamente. Hay palabras claves que a veces tienen un valor simbólico, el valor de una idea no de un sinónimo. Aparte de esta faz superrealista, Molinari hereda dos formas españolas: el clasicismo cuyas obras maestras había estudiado con verdadero interés y el gongorismo amplio que caracterizó la última parte del barroco de García Lorca. Finalmente, emplea un criollismo que estriba en la acumulación de nombres indígenas —con preferencia del sonoro y dulce idioma de los indios guaraníes— y en temas y atmósferas típicamente argentinos ("Oda a la pampa", "Oda al mes de noviembre junto al Río de La Plata"). Habría que agregar un último elemento, intangible, imponderable: el de la inspiración poética que trasciende a la razón mediante imágenes de tipo "creacionista". El libro que mejor representa a cada una y a todas estas partes del hermetismo de Molinari es "El huésped y la melancolía" (1946). De esas palabras "claves" que equivalen a ideas podemos citar, por ejemplo: "viento", el Tiempo sobre las cosas arrasables; "sur", imagen de un Paraíso desintegrado, vuelto infierno, pero reconquistable; "cielo", sinónimo de un Dios que mira indiferente; "lengua", los elementos físicos que no logran comunicarse, etc.

OCTAVIO PAZ
PIEDRA SOL

. . . .

corredores sin fin de la memoria,
puertas abiertas a un salón vacío
donde se pudren todos los veranos,
las joyas de la sed arden al fondo,
rostro desvanecido al recordarlo,
mano que se deshace si la toco,
cabelleras de arañas en tumulto
sobre sonrisas de hace muchos años,

a la salida de mi frente busco,
busco sin encontrar, busco un instante,
un rostro de relámpago y tormenta
corriendo entre los árboles nocturnos,
rostro de lluvia en un jardín a oscuras,
agua tenaz que fluye a mi costado,
busco sin encontrar, escribo a solas,
no hay nadie, cae el día, cae el año,
caigo con el instante, caigo a fondo,
invisible camino sobre espejos
que repiten mi imagen destrozada,
piso días, instantes caminados,
piso los pensamientos de mi sombra,
piso mi sombra en busca de un instante,

. . . .

rostro de llamas, rostro devorado,
adolescente rostro perseguido
años fantasmas, días circulares

423

que dan al mismo patio, al mismo muro,
arde el instante y son un solo rostro
los sucesivos rostros de la llama,
todos los nombres son un solo nombre,
todos los rostros son un solo rostro,
todos los siglos son un solo instante
y por todos los siglos de los siglos
cierra el paso al futuro un par de ojos,

no hay nada frente a mí, sólo un instante
rescatada esta noche, contra un sueño
de ayuntadas imágenes soñado,
duramente esculpido contra el sueño,
arrancado a la nada de esta noche,
a pulso levantado letra a letra,
mientras afuera el tiempo se desboca
y golpea las puertas de mi alma
el mundo con su horario carnicero,

sólo un instante mientras las ciudades,
los nombres, los sabores, lo vivido,
se desmorona en mi frente ciega,
mientras la pesadumbre de la noche
mi pensamiento humilla y mi esqueleto,
y mi sangre camina más despacio
y mis dientes se aflojan y mis ojos
se nublan y los días y los años
sus horrores vacíos acumulan,

mientras el tiempo cierra su abanico
y no hay nada detrás de sus imágenes
el instante se abisma y sobrenada
rodeado de muerte, amenazado
por la noche y su lúgubre bostezo,
amenazado por la algarabía
de la muerte vivaz y enmascarada
el instante se abisma y se penetra,
como un puño se cierra, como un fruto

que madura hacia dentro de sí mismo
el instante translúcido se cierra
y a sí mismo se bebe y se derrama
y madura hacia dentro, echa raíces,
crece dentro de mí, me ocupa todo,
me expulsa su follaje delirante,
mis pensamientos sólo son sus pájaros,
su mercurio circula por mis venas,
árbol mental, frutos sabor de tiempo,

oh vida por vivir y ya vivida,
tiempo que vuelve en una marejada
lo que pasó no fue pero está siendo
y se retira sin volver el rostro,
y silenciosamente desemboca
en otro instante que se desvanece:

. . . .

miradas enterradas en un pozo,
miradas que nos ven desde el principio,
mirada niña de la madre vieja
que ve en el hijo grande un padre joven,
mirada madre de la niña sola
que ve en el padre grande un hijo niño,
miradas que nos miran desde el fondo
de la vida y son trampas de la muerte
—¿o es al revés: caer en esos ojos

es volver a la vida verdadera?
¡caer, volver, soñarme y que me sueñen
otros ojos futuros, otra vida,
otras nubes, morirme de otra muerte!
—esta noche me basta, y este instante
que no acaba de abrirse y revelarme
dónde estuve, quién fui, cómo te llamas,
cómo me llamo yo:
                    ¿hacía planes

para el verano —y todos los veranos—
en Christopher Street, hace diez años,
con Filis que tenía dos hoyuelos
donde bebían luz los gorriones?
por la Reforma, Carmen me decía
¿"no pesa el aire, aquí siempre es octubre",
o se lo dijo a otro que he perdido
o yo lo invento y nadie me lo ha dicho?
¿caminé por la noche de Oaxaca,
inmensa y verdinegra como un árbol,
hablando solo como el viento loco
y al llegar a mi cuarto —siempre un cuarto—
no me reconocieron los espejos?

. . . .

nombres, sitios,
calles y calles, rostros, plazas, calles,
estaciones, un parque, cuartos solos,
manchas en la pared, alguien se peina,
alguien canta a mi lado, alguien se viste,
cuartos, lugares, calles, nombres, cuartos,
Madrid, 1937,
en la Plaza del Angel las mujeres
cosían y cantaban con sus hijos,

después sonó la alarma y hubo gritos,
casas arrodilladas en el polvo,
torres hendidas, frentes escupidas
y el huracán de los motores, fijo:
los dos se desnudaron y se amaron
para defender nuestra porción eterna,
nuestra ración de tiempo y paraíso,
tocar nuestra raíz y recobrarnos,
recobrar nuestra herencia arrebatada

por ladrones de vida hace mil siglos,
los dos se desnudaron y besaron
porque las desnudeces enlazadas

saltan el tiempo y son invulnerables,
nada las toca, vuelven al principio,
no hay tú ni yo, mañana, ayer ni nombres,
verdad de dos en sólo un cuerpo y alma,
oh ser total...

              cuartos a la deriva
entre ciudades que se van a pique,
cuartos y calles, nombres como heridas,
el cuarto con ventanas a otros cuartos
con el mismo papel descolorido
donde un hombre en camisa lee el periódico
o plancha una mujer; el cuarto claro
que visitan las ramas del durazno;
el otro cuarto: afuera siempre llueve
y hay un patio y tres niños oxidados;

. . . .

todo se transfigura y es sagrado,
es el centro del mundo cada cuarto,
es la primera noche, el primer día,
el mundo nace cuando dos se besan,
gota de luz de entrañas transparentes
el cuarto como un fruto se entreabre
o estalla como un astro taciturno
y las leyes comidas de ratones,
las rejas de los bancos y las cárceles,

las rejas de papel, las alambradas,
los timbres y las púas y los pinchos,
el sermón monocorde de las armas,
el escorpión meloso y con bonete,
el tigre con chistera, presidente
del Club Vegetariano y la Cruz Roja,
el burro pedagogo, el cocodrilo
metido a redentor, padre de pueblos,
el Jefe, el tiburón, el arquitecto
del porvenir, el cerdo uniformado,

el hijo predilecto de la Iglesia
que se lava la negra dentadura
con el agua bendita y toma clases
de inglés y democracia, las paredes
invisibles, las máscaras podridas
que dividen al hombre de los hombres,
al hombre de sí mismo,
                    se derramaban

por un instante inmenso y vislumbramos
nuestra unidad perdida, el desamparo
que es ser hombres, la gloria que es ser hombres
y compartir el pan, el sol, la muerte
el olvidado asombro de estar vivos;

amar es combatir, si dos se besan
el mundo cambia, encarnan los deseos,
el pensamiento encarna, brotan alas
en las espaldas del esclavo, el mundo
es real y tangible, el vino es vino,
el pan vuelve a saber, el agua es agua,
amar es combatir, es abrir puertas,
dejar de ser fantasma con un número
a perpetua cadena condenado
por un amo sin rostro:
                    el mundo cambia
si dos se miran y se reconocen,
. . . .

—¿La vida, cuándo fue de veras lo que somos?
¿cuándo somos de veras lo que somos?
bien mirado no somos, nunca somos
a solas sino vértigo y vacío,
muecas en el espejo, horror y vómito,
nunca la vida es nuestra, es de los otros,
la vida —pan de sol para los otros,
la vida no es de nadie, todos somos
los otros todos que nosotros somos—,
soy otro cuando soy, los actos míos

428

son más míos si son también de todos,
para que pueda ser he de ser otro,
salir de mí, buscarme entre los otros,
los otros que no son si yo no existo,
los otros que me dan plena existencia,
no soy, no hay yo, siempre somos nosotros,
la vida es otra, siempre allá, más lejos,
fuera de tí, de mí, siempre horizonte,
vida que nos desvive y enajena,
que nos inventa un rostro y lo degasta,
hambre de ser, oh muerte, pan de todos,

Eloísa, Persefona, María,
muestra tu rostro al fin para que vea
mi cara verdadera, la del otro,
mi cara de nosotros siempre todos,
cara de árbol y de panadero,
de chófer y de nube y de marino,
cara de sol y arroyo y Pedro y Pablo,
cara de solitario colectivo,
despiérteme, ya nazco:

                    vida y muerte
pactan en tí, señora de la noche,
torre de claridad, reina del alba,
virgen lunar, madre del agua madre,
cuerpo del mundo, casa de la muerte,
caigo sin fin desde mi nacimiento,
caigo en mí mismo sin tocar mi fondo,
recógeme en tus ojos, junta el polvo
disperso y reconcilia mis cenizas,
ata mis huesos divididos, sopla
sobre mi ser, entiérrame en tu tierra,
tu silencio dé paz al pensamiento
contra sí mismo airado;

                    abre la mano,
señora de semillas que son días,
el día es inmortal, asciende, crece,

acaba de nacer y nunca acaba,
cada día es nacer, un nacimiento
es cada amanecer y yo amanezco,
amanecemos todos, amanece
el sol cara de sol, Juan amanece
con su cara de Juan cara de todos,

puerta del ser, despiértame, amanece,
déjame ver el rostro de este día,
déjame ver el rostro de esta noche,
todo se comunica y transfigura,
arco de sangre, puente de latidos,
llévame al otro lado de esta noche,
adonde yo soy tú somos nosotros,
al reino de pronombres enlazados,
. . . .

(México, 1957).

Frente a la aceptación de la incomunicación de Molinari se alza el intento de "integración existencial", a través de la poesía, de Octavio Paz. El mismo explica su concepción de la poesía en "El arco y la lira", un ensayo que publicó en 1956.

Como en Molinari, en Paz hubo una faz superrealista y un criollismo mexicano con nombres y alusiones precolombinas. También él tuvo, o tiene, palabras claves y, en vez del lirismo gongorino de Molinari, acusó una fuerte tendencia izquierdista, en el camino señalado por Pablo Neruda y por los poetas exilados de la guerra de España que llegaban a México. Pero luego de vivir en la India, su teoría y su concepción de la misión de la poesía han variado notablemente. En nuestra "Historia de la Poesía Hispanoamericana" hicimos una síntesis de las ideas principales que Paz desarrolla en "El arco y la lira". Parte de un anarquismo romántico, preconizando la recuperación de la religiosidad (lo cual no implica la subordinación a la divinidad) y la desaparición del actual sistema histórico, ya sea capitalista, marxista o clerical. Como Molinari, Paz habla de un Dios testigo que no interviene en un mundo hecho por el hombre: es simplemente testimonio de una religiosidad coordinadora, sin la cual ni Dios, ni el hombre, ni el mundo, pueden existir. Habla también de "hemos cesado de reconocernos en el futuro que nos preparan" y nos han mutilado el pasado al romper violentamente con la tradición. Estamos condenados a la soledad. ¿Cómo comunicarse, reunirse con los otros? El héroe es la figura clave: "El héroe es aquel que, en algún instante, es todos los hombres"; "el poema ha de consignar a los héroes que asumen la libertad de todos frente al poder". El héroe es el ser que ama. El que ama se convierte en el ser amado. "El hombre es el apetito de ser otro". Contrariamente a la idea disolvente del yo que "el ser otro" significa en Borges o Molinari, en el mexicano "ser otro" significa identificarse con el vecino sin la mutilación de condenar a muerte la propia personalidad.

Ramón Xirau, en "Tres poetas de la soledad", señala que el poema "Himno entre las ruinas" (1948) es donde Paz ha sintetizado los momentos fundamentales de su obra. Desde los aspectos más superficiales del poema —cambio de letra en las diversas estrofas— hasta "el contenido mismo de cada verso", donde es visible su dialéctica. Nosotros preferimos ofrecer fragmentariamente un poema mucho más importante: "Piedra de sol" (1957), donde encontramos versos que traducen el pensamiento y la teoría poética de Paz: "El mundo ya es visible por tu cuerpo" (el amor une); "un reflejo me borra, nazco en otro" (comunidad, cosmos); "años fantasmas, días circulares/ que dan al mismo patio, al mismo muro" ("todos los nombres son un sólo nombre" la comunidad, lograda por el amor y amenazada de continuo por un mundo adverso, no se pierde), etc.

Y UN SONETO FINAL

ENRIQUE GONZALEZ MARTINEZ

MAÑANA, LOS POETAS...

Mañana, los poetas cantarán en divino
verso que no logramos entonar los de hoy;
nuevas constelaciones darán otro destino
a sus almas inquietas con un nuevo temblor.

Mañana, los poetas seguirán su camino
absortos en ignota y extraña floración,
y al oír nuestro canto, con desdén repentino
echarán a los vientos nuestra vieja ilusión.

Y todo será inútil, y todo será en vano;
será el afán de siempre y el idéntico arcano
y la misma tiniebla dentro del corazón.

Y ante la eterna sombra que surge y se retira,
recogerán del polvo la abandonada lira
y cantarán con ella nuestra misma canción.

("La muerte del cisne", 1915).

INDICE GENERAL

439

440

441

INDICE DE POETAS CITADOS

445

447

INDICE DE PRIMEROS VERSOS

452

454

DATE DUE

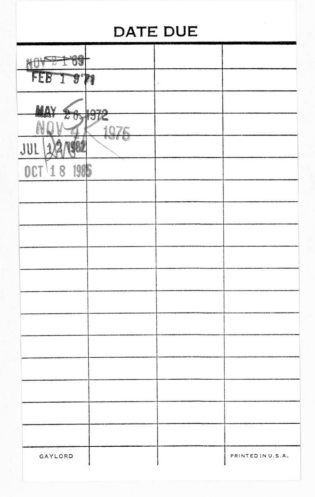

NOV 2 1 69			
FEB 1 9 71			
MAY 2 6 1972			
NOV 4 1975			
JUL 1 2 1982			
OCT 1 8 1985			
GAYLORD			PRINTED IN U.S.A.